VENDU

Rebelles,
de mère en fille

Conception graphique de la couverture: Gaétan Venne
Photo: Superstock/Motor-Treffe

DISTRIBUTEURS EXCLUSIFS:

- Pour le Canada et les États-Unis:
  LES MESSAGERIES ADP*
  955, rue Amherst, Montréal H2L 3K4
  Tél.: (514) 523-1182
  Télécopieur: (514) 939-0406
  * Filiale de Sogides ltée

- Pour la Belgique et le Luxembourg:
  PRESSES DE BELGIQUE S.A.
  Boulevard de l'Europe 117
  B-1301 Wavre
  Tél.: (10) 41-59-66
  (10) 41-78-50
  Télécopieur: (10) 41-20-24

- Pour la Suisse:
  TRANSAT S.A.
  Route des Jeunes, 4 Ter
  C.P. 125
  1211 Genève 26
  Tél.: (41-22) 342-77-40
  Télécopieur: (41-22) 343-46-46

- Pour la France et les autres pays:
  INTER FORUM
  Immeuble ORSUD, 3-5, avenue Galliéni, 94251 Gentilly Cédex
  Tél.: (1) 47.40.66.07
  Télécopieur: (1) 47.40.63.66
  Commandes: Tél.: (16) 38.32.71.00
  Télécopieur: (16) 38.32.71.28
  Télex: 780372

LINDA SCHIERSE LEONARD

Rebelles, de mère en fille

AUX SOURCES DE L'HYSTÉRIE FÉMININE

Traduit de l'américain par
Marie Perron

le jour,
éditeur

Données de catalogage avant publication (Canada)

Leonard, Linda Schierse
Rebelles, de mère en fille: aux sources de l'hystérie féminine
Traduction de: Meeting the madwoman
Comprend des réf. bibliogr. et un index.
1. Femmes - Psychologie. 2. Femmes - Vie religieuse
3. Archétype (Psychologie). I.Titre.
HQ1206.L4514 1994 305.4 C94-940609-0

L'ouvrage original américain a été publié par Bantam Books,
une division de Bantam Doubleday Dell Publishing Group, Inc.,
sous le titre *Meeting the Madwoman*
(ISBN: 0-553-09122-0)

Dépôt légal: 2e trimestre 1994
Bibliothèque nationale du Québec

ISBN 2-8904-4516-X

À ma grand-mère, Ida M. Klipple, qui, privée de l'instruction qu'elle aurait souhaité recevoir, m'a ouvert son cœur et son âme, m'a transmis son amour de la nature, de la poésie et de la littérature, et m'a encouragée à étudier et à écrire.

Remerciements

J'exprime ma profonde reconnaissance et ma gratitude aux femmes et aux hommes qui m'ont soutenue dans la rédaction de cet ouvrage par leur appui, leurs conseils et leur conversation stimulante: les personnes qui ont participé à mes ateliers, les amis qui ont partagé mes activités de loisirs et, surtout, tous ceux qui m'ont fait le récit de leurs rêves et de leur vie.

Je voudrais remercier tout particulièrement Leslie Meredith, ma réviseure, pour sa perspicacité et sa sagesse, pour ses idées astucieuses et créatrices, pour avoir mis son expérience éditoriale au service de ce livre. Je remercie aussi Diane Guthrie, ma dactylographe, pour son enthousiasme, ses intuitions, sa foi dans mon travail et son soutien moral. Merci aussi à mes agents, Katinka Matson et John Brockman.

Un merci tout spécial aux collègues qui ont lu le manuscrit en entier en me suggérant d'importantes améliorations: Betty Cannon, Keith Chapman, Lynne Foote, Ellen Fox, Gloria Gregg, Cathleen Roundtree et Karen Signell, et à ceux que j'ai longuement consultés sur des points précis: Noni Hubrecht, Phyllis Kenevan, Peter Rutter, Myra Shapiro, Suzanne Short, Elaine Stanton, Peggy Walsh, Robert Wilkinson et Steve Wong.

Merci enfin à Karina Golden, Micah Monsom, Cathleen Roundtree et Mary Elizabeth Williams pour leurs poèmes.

Introduction

Folie, le plus parfait des sens.
...
Raison, la plus impitoyable des folies.

Emily Dickinson

Il y a longtemps, je me suis sentie la proie d'un personnage terrifiant que j'appelle aujourd'hui la Femme indomptée. Au début, j'eus peur. Tout un éventail de Femmes indomptées hantaient mes rêves la nuit, me menaçaient ou m'accablaient de sarcasmes. À l'état de veille, j'étais ennuyée et agressée par des femmes tyranniques. Ma vie, à cette époque, était un cauchemar. Plongée dans le chaos, je savais qu'il me fallait fouiller profondément en moi pour découvrir la signification cachée de cette présence, pour exhumer cette formidable énergie psychologique et émotionnelle et travailler avec elle de concert.

Une nuit, je rêvai qu'une Femme indomptée très belle se penchait sur mon sommeil et s'apprêtait à m'enfoncer dans le cœur un éclat de verre pointu provenant d'un des vitraux d'une ancienne cathédrale. À mon réveil, je sus que si je refusais d'affronter cette puissance féminine intérieure, sa fureur aurait raison de moi. La belle dague de verre multicolore de la cathédrale me laissait entendre que sous la nature meurtrière, troublée de la Femme indomptée gisait une ancienne force spirituelle et créatrice que je pouvais m'approprier si j'avais le courage de l'affronter et de faire mienne l'énergie intérieure qui agissait en elle et qui était latente en moi.

Ce rêve me fit aussi me rappeler d'autres rêves où des Femmes indomptées avaient tenté par la ruse de me dérober mes opales, mes précieuses pierres de naissance. Les mystérieuses opales sont pour moi le symbole de ma nature féminine mystique et de mon intuition de femme. Les Femmes indomptées qui les convoitaient étaient en quelque sorte des chamanes, des guérisseuses voulant me convaincre de croire davantage et plus sérieusement à mon instinct et de m'en servir. Je me souvins aussi de visions magnifiques mais déconcertantes qui m'avaient submergée alors que je marchais dans la montagne, visions que j'avais combattues de crainte qu'elles ne fassent de moi une Femme indomptée. Cette peur m'empêchait d'atteindre les extases les plus profondément enfouies de mon moi créateur et spirituel, et gardaient ma nature féminine à moitié ensevelie. Ma répression de ces rêves et de ces élans, mes efforts visant à nier les aspects les plus audacieux de ma nature féminine, firent que cette énergie réclama mon attention par l'intermédiaire de mes rêves et qu'elle se matérialisa en moi sous le masque de la Femme indomptée. Dans ma vie sociale, j'avais tendance à fuir toute confrontation avec des hommes et des femmes hardis, introversion qui m'empêchait de transmettre vigoureusement et efficacement aux autres mon expérience et ma connaissance. J'avais beau écrire des livres, enseigner, pratiquer la psychanalyse jungienne, je n'utilisais pas la *force réelle* de mes connaissances et de mon pouvoir. Parce que je me refusais à entendre l'expression de ma confiance en moi-même, j'avais de plus en plus souvent besoin de l'exercer dans la vraie vie.

À travers les ateliers que je donnais un peu partout dans le monde sur la psychologie des femmes, je remarquai un thème récurrent dans les rêves et les œuvres des participantes, qui reflétait mes propres rêves de Femmes indomptées. Les femmes artistes peintres, par exemple, peignaient et sculptaient spontanément des personnages féminins gigantesques et puissants, sombres et sanguinolents, parfois dépecés, parfois dépeçant les autres. Les poètes avaient traduit de telles images en vers. Tant les hommes que les femmes décrivaient les Femmes indomptées terrifiantes qui hantaient leurs rêves. La Femme indomptée revenait aussi très souvent dans les rêves de mes clientes.

La Femme indomptée réclamait encore et encore mon attention. Je la vis de plus en plus souvent au cinéma. En réfléchissant à ces Femmes indomptées du grand écran, je me rendis soudain compte que beaucoup de personnages littéraires sont elles aussi des Femmes indomptées. Je me remémorai les grands personnages féminins de la mythologie et des contes de fées: Médée, Cassandre, Artémis, Inanna, Kali, la Reine des Neiges, et d'autres puissances féminines, dont plusieurs incarnent les forces paradoxales de la création et de la destruction.

Je vis aussi des Femmes indomptées en politique. Les médias présentaient de nombreux cas de femmes luttant contre l'abus sexuel et le harcèlement sexuel au travail. La plupart du temps, elles étaient perçues comme des hystériques, victimes de leurs propres fantasmes, dénigrées par les hommes, oui, mais aussi ridiculisées par d'autres femmes.

La Femme indomptée se tenait au centre de ces événements troublants: figure féminine de la psyché, propre à la plupart des cultures, crainte par plusieurs, manifestée de façon destructive par d'autres, visible en privé et en public, et qui, personnellement, m'empoisonnait l'existence. Je pris la décision de l'affronter en écrivant sur elle et consacrai un chapitre à la Femme indomptée dans mon livre intitulé *Witness to the Fire.* Ce chapitre constitua mon premier pas vers le mystère féminin, mais j'avais encore un long chemin à parcourir.

J'eus donc d'autres rêves de Femmes indomptées et subis les attaques cinglantes des Femmes indomptées enfouies dans la psyché de certains hommes et femmes par ailleurs normaux que je côtoyais. Je la vis de plus en plus présente dans les arts et les questions sociales. C'est même *elle* qui interrompit la rédaction d'un livre que j'étais en train d'écrire sur les pouvoirs thérapeutiques féminins, intuitifs et doux de la nature. J'en vins à ressentir une urgence intérieure qui me poussait à affronter plus efficacement cette énergie indomptée de la femme. À la suite du visionnement d'un film allemand intitulé *The Nasty Girl,* dans lequel la Justice était dépeinte sous les traits d'une Femme indomptée à l'opulente poitrine, je pris subitement conscience de son côté constructif et créateur. Le lendemain matin, cédant à ses exhortations, je m'assis pour écrire, et les titres de chapitres de l'ouvrage que vous êtes en train de lire s'écrivirent pratiquement d'eux-mêmes.

Ce livre est donc le résultat de mon dialogue avec la Femme indomptée. Sa rédaction a réveillé des souvenirs d'enfance, des souvenirs qui participent de la mémoire collective des femmes, des expériences personnelles qui éveillent une résonance en chacune de nous. Je me souviens, par exemple, de la souffrance que connut ma grand-mère, qui était curieuse de tout et qui rêvait de s'instruire et de devenir institutrice, lorsque son père la sortit de l'école à l'âge de dix ans pour la faire travailler sur la ferme. Forcée de tenir maison, elle ne put jamais assumer un autre rôle que celui-là. Je me suis demandé si ma grand-mère paternelle, qui souffrit plus tard d'arthrite rhumatismale et passa les dernières années de sa vie en fauteuil roulant, n'avait pas plutôt été victime de sa rage contenue, et si l'alcoolisme de son mari ne l'avait pas handicapée, martyrisée dans son corps. Ma propre mère, une survivante, dut travailler pour faire vivre sa famille, mais elle empochait le salaire minimum et toute sa vie elle eut le sentiment d'être une citoyenne de seconde zone. Elle aussi avait épousé un alcoolique et ce ne fut que vers la soixantaine qu'elle put jouir plus pleinement de la vie. Son esprit était prisonnier des interdits et des attentes de sa génération. Quelles merveilles ces femmes et d'autres auraient-elles pu accomplir durant leur vie si elles avaient pu libérer leur énergie des proscriptions patriarcales et se débarrasser de la peur que leur inspirait leur pouvoir et leur nature profonde?

Je m'étonne parfois de mes succès professionnels, car par tempérament je tends vers la réceptivité, la douceur et la sérénité. Je me suis efforcée, en général, d'être «trop bonne». Bien entendu, là-dessous se terre mon ombre, ma sœur, la Femme indomptée. Maintenant parvenue à la cinquantaine, je me suis enfin décidée à l'affronter dans toute sa force. J'ai tenté de départager ses côtés constructifs et ses côtés destructeurs et de faire ressortir les moyens que nous pouvons prendre en toute connaissance de cause pour tirer parti de la colère, de la frustration, de l'assurance, de la tension et des autres aspects de la fureur féminine à des fins créatrices, plutôt que d'obéir aveuglément à des réflexes destructeurs. Voilà pourquoi chaque chapitre de *Rebelles, de mère en fille* cerne les scénarios traditionnels dont les femmes peuvent se rendre esclaves en éprouvant une colère refoulée, en devenant victimes de dépression, en étant consciemment ou non frustrées ou la proie de blocages, parfois même en étant atteintes de maladies mentales faute de pouvoir s'exprimer ou de laisser libre cours à leur instinct ou à leur créativité. Les moyens d'expression et les façons d'être propres à la femme ou tout simplement marginaux, donc, potentiellement créateurs, sont souvent discrédités par les sociétés patriarcales, et lorsque les femmes ont l'audace d'y recourir, elles sont souvent taxées de Femmes indomptées, de folles ou d'excentriques.

Chacun des chapitres de ce livre trace le portrait d'un personnage féminin auquel correspond exactement une des facettes de la Femme indomptée. Pour chaque catégorie, j'ai puisé dans les modèles littéraires et cinématographiques universels (archétypes) de notre culture tout autant que dans la mythologie et les contes de fées. Je propose aussi l'exemple de personnages de l'histoire dont la vie reflète de façon dramatique notre héritage culturel collectif. Enfin, je relate l'expérience personnelle de femmes actuellement confrontées à ces problèmes.

Les personnages historiques stimulent notre imagination, car elles ont fait avant nous l'expérience de certains schémas que nous nous efforçons sans doute de changer. Si nous comprenons les dilemmes qu'elles durent affronter et les solutions qu'elles leur apportèrent, nous serons mieux en mesure de comprendre les nôtres. Les personnages du cinéma, de la littérature et de la mythologie nous dévoilent les principes d'action universels qui gouvernent notre vie. Nous verrons comment d'autres ont su établir un rapport fécond avec la Femme indomptée et à contenir efficacement son influence. Il arrive que l'on doive lutter avec la Femme indomptée, parfois en s'engageant dans un pas de deux psychologique ou un duel métaphorique, ou même dans une cour de justice. Dans le film *Misery*, par exemple, un auteur de romans à l'eau de rose qui ressent le besoin d'aborder un autre genre littéraire est poursuivi par une admiratrice, une Femme indomptée qui refuse de le voir évoluer. Elle en fait son prisonnier et le soumet à la torture pour l'obliger à donner à son roman le dénouement attendu. Cette Femme indomptée extérieure symbolise une Femme indomptée intérieure et destructrice contre laquelle l'écrivain doit lutter pour accéder à une forme supérieure de création, car la Femme indomptée a une idée très romanesque de la souffrance et garde l'auteur otage de ses anciens dénouements. Par contraste, dans le film *Thelma et Louise*, les protagonistes accueillent leur Femme indomptée respective comme une sœur et deviennent des esprits libres. Les hommes doivent eux aussi se lier d'amitié avec leur Femme indomptée intérieure, leur moi féminin répudié et rejeté, s'ils veulent remettre en question leur comportement négatif envers les femmes, accéder à leur propre énergie créatrice féminine, et établir avec les femmes des rapports fondés sur la maturité.

Une femme d'aujourd'hui qui affronte les problèmes que ces personnages littéraires et historiques dépeignent de façon si dramatique peut trouver un réconfort dans l'histoire de ses prédécesseurs et parvenir à déceler plus facilement les manifestations de la Femme indomptée dans les œuvres artistiques. En apprenant à connaître ces personnages féminins, nous pouvons découvrir comment ils se manifestent en nous-mêmes et déceler les émotions qu'ils stimulent. Ces femmes puisées dans la littérature et le cinéma peuvent être nos amies et nous aider dans le parcours de notre féminité.

Les histoires de femmes bien réelles qui affrontent aujourd'hui ces problèmes démontrent aussi qu'il est possible d'affronter l'énergie de la Femme indomptée pour la transformer. Elles nous dévoilent comment les femmes s'y prennent pour mésuser de leur énergie, et les solutions viables qu'elles ont apportées à leurs problèmes pour améliorer leur existence. Dans chaque chapitre, j'identifie des comportements émotionnels dits «déments» grâce auxquels nous pouvons reconnaître les forces qui gouvernent notre vie. Quand nous sommes capables de distinguer et de comprendre ces forces, nous pouvons les vaincre, les dominer, nous en affranchir et opter en toute liberté pour la façon de vivre de notre choix. Les modèles féminins qui ont vaincu avant nous une sorte de fureur et qui ont su la transformer en créativité peuvent nous guider vers l'espoir, même si la traversée de chacune est unique. Ces manifestations du féminin peuvent aider les femmes à s'envoler vers une vie fougueuse et créatrice.

Le dernier chapitre, «À travers la folie», regroupe tous les schémas et explore les avenues permettant de puiser une force de transformation dans l'énergie de la Femme indomptée. Toute femme aspire un jour à transformer son existence. Elle peut parfois percevoir ce processus comme une forme de folie, elle peut avoir l'impression d'être dévorée vivante par la vie. Ce processus de transformation est nébuleux et échappe à notre contrôle. Chaque femme doit traverser seule sa métamorphose et sa fureur, à sa façon, et cette traversée englobe une lutte, une reddition et le courage de persévérer en croyant fermement que la métamorphose engendre des miracles. La rencontre avec la Femme indomptée est un processus de transformation.

Virginia Woolf dit un jour que la difficulté à déceler notre véritable moi réside dans l'idéalisation de la femme en tant qu'«ange du foyer». Nous devons aussi accepter le côté sombre de la femme si nous voulons libérer le côté créateur de la Femme indomptée tout en restant conscientes de ses facultés destructrices. Nous devons réparer cette fissure intérieure. Quand l'énergie de la Femme indomptée n'est pas reconnue, quand on ne «l'invite pas au festin» comme la treizième marraine fée de la Belle au Bois dormant, elle peut nous ensorceler, nous affliger de cette inconscience que symbolisent les cent ans de sommeil de la Belle. Mais si nous prenons conscience de sa présence et de son pouvoir dans notre psychisme, elle peut nous offrir d'inestimables présents créateurs. Si vous apprenez à reconnaître ses manifestations dans votre vie, si vous savez déceler les personnages qui vous ressemblent tout au long de ce livre, vous pourrez l'inviter à votre table, apprendre à la connaître et à jouir de sa présence transformatrice.

1

Qui est la Femme indomptée?

Je t'ai vue un jour, Méduse; seule à seule.
J'ai regardé froidement ton œil froid.
Tu ne m'as pas punie ou changée en pierre.
Comment croire aux légendes?

....

Je retourne ton visage! C'est mon visage!
Cette rage froide, il me faut l'explorer —
Oh! lieu secret, enclos et ravagé!
Tel est le présent que Méduse m'a donné.

May Sarton, *The Muse as Medusa*

Depuis la nuit des temps, un étrange et troublant personnage de femme se tapit dans l'esprit des hommes et des femmes. Elle s'est manifestée dans les anciennes tragédies grecques, dans la littérature universelle, dans les contes de fées, dans la Bible, dans les légendes et les chansons de toutes les cultures. On la retrouve fréquemment dans les rêves des hommes et des femmes de notre époque. Elle nous effraie; elle nous fascine. Elle nous menace et nous intimide. Elle peut nous détruire et elle peut nous métamorphoser. Complexe et irrésistible, le visage inquiétant de la Femme indomptée nous observe depuis les écrans de cinéma, les œuvres d'art, la littérature, depuis nos rêves et les traumatismes qui affectent nos vies, nous signalant sans répit sa force et sa présence. Si nous l'oublions dans les ténèbres de notre subconscient, elle y sème le chaos. En tant qu'êtres humains conscients, nous avons le devoir de reconnaître son existence et d'apprendre à puiser dans sa force pour construire notre vie.

L'adjectif *indomptée* recouvre une vaste gamme de réalités. Il englobe tout un éventail d'états, allant de la folie à la rage, à la colère et à la morosité. Ce caractère est décelable dans la confusion, dans la frénésie, dans l'étourderie, dans la témérité et l'impulsivité, de même que dans l'infatuation, la passion, l'enthousiasme, l'extase mystique et la révélation spirituelle. Lorsque nous sommes confrontées au personnage archétype de la Femme indomptée (un archétype est issu de l'inconscient collectif, c'est un modèle de conduite de la psyché humaine), il est important de se rappeler que sa force est paradoxale. Elle peut nous inciter à des actes destructeurs et autodestructeurs; elle peut nous enfermer dans des schémas de comportement négatifs et des expériences de victimisation; elle peut aussi nous conduire à utiliser sa force – notre force – pour apporter des changements constructifs et des améliorations à notre existence.

Qui est cette Femme indomptée? Où est-elle? Pourquoi nous hante-t-elle? Pourquoi devons-nous l'affronter *maintenant*? Sous quelle forme se manifeste-t-elle? Regardons autour de nous, trouvons-la dans les images de notre vie quotidienne. Elle se terre peut-être dans un recoin de votre cerveau. Est-ce une femme au foyer rageuse, prisonnière d'un mariage sans amour, assise dans sa cuisine, qui se sent prise au piège et qui crève d'ennui? Est-ce une femme rejetée par son amant? Est-elle désespérée ou furieuse? Est-ce une femme souffrant de solitude, qui boit seule dans un bar? Est-ce une victime de violence? Peut-être s'agit-il d'une impétueuse avocate ou d'une femme politique qui se bat pour les libertés de la femme. Ou bien c'est une itinérante, errant de par les rues avec ses sacs. Est-ce une femme au travail, qui se débat dans une hiérarchie dominée par les hommes, victime du harcèlement de son employeur? Descend-elle d'un air de défi dans la rue pour prendre part à des manifestations et défendre les droits de la personne? Peut-être vit-elle seule dans une mansarde, écrivant ou peignant, décrivant des femmes noires de rage ou passionnément vivantes. Est-ce une religieuse en butte au patriarcat de l'Église? Est-elle intuitive, se sent-elle devenir folle parce qu'elle pressent ce que personne d'autre ne voit? Ou bien se promène-t-elle seule dans la forêt, goûtant les mystères de la nature? Dérange-t-elle les hommes qui traversent sa vie, les hommes qu'effraient leurs propres forces féminines et celles des femmes, ces forces qui échappent à leur contrôle et à leur compréhension? Peut-être s'agit-il d'une patiente dans un hôpital psychiatrique, qu'on a déclarée folle parce qu'elle refusait de se conformer au *statu quo* patriarcal. Peut-être s'agit-il d'une enfant rebelle, d'une sœur en colère, d'une mère exaspérée de son sort. La Femme indomptée est toutes ces femmes et d'autres femmes encore. Puisque la force de la Femme indomptée s'exerce en chacune de nous à des degrés divers, il convient d'examiner de plus près certains des visages qu'elle a l'habitude de prendre dans notre vie de tous les jours.

LES MASQUES MODERNES DE LA FEMME INDOMPTÉE

En thérapie, tant de femmes disent: «On ne me voit pas pour ce que je suis. Personne ne prête attention à moi.» Notre culture du pouvoir nous impose notre vision des femmes. Elle applaudit les femmes qui assument certains rôles, quand elles en assument d'autres, elle les blâme et les punit. Très souvent, les rôles que la société impose aux femmes sont ceux qui leur font perdre la raison. Nous voyons souvent les femmes se rebeller, agir comme des Femmes indomptées, en littérature, par exemple, avec *La Folle de Chaillot* et *Antigone,* au cinéma avec *Thelma et Louise* et *Le Secret est dans la sauce.* C'est à travers ces personnages de la Femme indomptée que nous pouvons apprendre à reconnaître l'existence de notre nature rebelle et prendre contact avec elle.

Dans notre société patriarcale, les hommes et certaines femmes projettent souvent leurs traits négatifs et leurs peurs sur les femmes. Lorsque nous ne tenons pas compte d'une qualité que nous possédons, que nous la refoulons ou que nous la craignons, nous sommes portées à la voir ailleurs, à la projeter sur les autres, et à juger négativement ces personnes qui partagent avec nous une même qualité. Les traits que nous projetons sont souvent les aspects féminins de notre personnalité que nous craignons et que nous rejetons. Par exemple, une femme de carrière ridiculisera l'importance et les joies de la maternité par peur de se voir soumise et prise au piège du mariage ou de tout autre rôle traditionnel. Une femme au foyer, une mère, dépréciera l'esprit d'indépendance de la femme de carrière, en y voyant de l'agressivité, de l'hostilité et un esprit de contradiction. Nous tendons aussi à projeter sur une personne qui nous attire les qualités que nous souhaiterions posséder nous-mêmes. Nous tentons ensuite de nous les approprier à travers elle. Par exemple, dans notre culture les valeurs féminines traditionnelles ont été fixées en grande partie par les désirs et les besoins des hommes. Les hommes ayant reçu une éducation conventionnelle tendent à rechercher des femmes douces et affectueuses, dotées d'un sixième sens, des femmes «bonnes» et «gentilles». Mais les femmes ne sont pas toujours telles que les imaginent les hommes ou telles qu'ils les souhaiteraient. Une femme peut se sentir désorientée, être dans le désarroi quant à son identité dans une société qui lui impose certains rôles et lui en interdit d'autres, surtout si sa personnalité est de celles que rejettent les hommes et les femmes qui renient ou dénigrent cet aspect féminin d'eux-mêmes. On la qualifiera peut-être de garce si elle s'affirme, d'anormale si elle reste célibataire, de pute si elle est sensuelle, on dira qu'elle est froide si elle est intelligente, qu'elle est une tête de linotte si elle est drôle ou désinvolte, qu'elle est une mère dénaturée ou égoïste si elle s'efforce d'avoir des intérêts en dehors du foyer, et qu'elle gaspille son éducation si elle reste à la maison. Même les épouses des présidents et des candidats à la présidence sont stéréotypées. On critique l'une parce qu'elle vit dans l'ombre de son mari, on critique l'autre sous prétexte qu'elle cherche à lui voler la vedette. Une femme peut se sentir prisonnière et furieuse dans ces stéréotypes, quand elle ne désire rien d'autre que de s'affirmer en tant qu'individu. Même dans le cas où une femme correspondrait au modèle féminin attendu et serait heureuse dans son rôle traditionnel, certains aspects de sa personnalité qu'elle aura refoulés exigeront un jour d'être vus et entendus, et elle ressentira un besoin de changement impérieux. Ignorer les aspects fondamentaux d'elle-même, ses désirs et ses besoins, voilà qui peut porter une femme à poser des actes irrationnels ou à s'imaginer qu'elle perd la raison.

En tant que thérapeute, j'ai pu voir des femmes combattre toute une gamme de sentiments contradictoires et de désirs refoulés, dont beaucoup sont des manifestations de la Femme indomptée. En général, notre société récompense les femmes qui assument les rôles de mère, d'épouse, de compagne ou même de maîtresse et, passivement, de Muse. Si ces rôles sont enrichissants pour beaucoup de femmes, ils se révèlent pour d'autres limitatifs et débilitants. Pour parvenir à son plein épanouissement psychologique et à l'harmonisation de toutes ses forces, une femme doit pouvoir intégrer les différents aspects de sa personnalité. Si on la limite à un rôle ou deux, elle risque d'agir de façon irrationnelle ou croire qu'elle perd la raison, tout simplement parce que les aspects de sa personnalité qui ne peuvent s'exprimer par l'action luttent pour s'extérioriser. Si elle n'est pas consciente de sa frustration, elle risque de reporter à son insu sur ses enfants, son mari, ses parents, ses amis ou même sur elle-même la colère qu'elle ressent devant la vie qu'elle ne vit pas. Cela fournit une explication aux sautes d'humeur de bon nombre de mères jugées «folles» par leurs enfants.

Il est important que nous comprenions comment s'exprime la fureur de nos mères, car notre compréhension de nous-mêmes dépend de la compréhension que nous avons d'elles. Il est surtout important de comprendre ces aspects de leur personnalité que nous avons ignorés, qui nous ont déplu, que nous avons rejetés ou craints, car ils représentent souvent le premier visage de la féminité dont nous faisons l'expérience, donc le premier visage du côté noir et dément de la féminité. Vraisemblablement, nous intégrons en quelque sorte dans l'enfance la fureur de nos mères. Nous ne pouvons éviter de leur ressembler jusqu'à un certain point. Mais si nous savons comment nous avons développé ces façons de penser, d'agir et de réagir, si nous comprenons comment nous les reproduisons à travers les attentes et les usages que nous transmettent nos mères et la société dans laquelle nous vivons, nous serons en mesure de les transformer et de nous affranchir de leur ingouvernable «irrationalité».

Chaque chapitre de ce livre examine en détail un des masques que porte aujourd'hui la Femme indomptée. Le chapitre intitulé «Mères indomptées, filles indomptées» décrit quatre manières d'être élémentaires, quatre façons d'établir des rapports et d'agir que les filles (et les fils) sont susceptibles de reconnaître chez leur mère ou chez les femmes occupant des postes cadres, qui dominent, rejettent, fuient ou déçoivent leurs enfants, leurs collègues ou leurs employés en raison des frustrations qu'elles ressentent. Ces schémas négatifs s'entremêlent souvent. Par exemple, l'attitude hautaine de «La Reine des Neiges» peut instantanément se renverser et donner lieu à la violente langue de feu du «Dragon». «La Sainte» et «La Mère malade» sont parfois les images renversées de la Reine des Neiges et du Dragon. Les mères sont encore souvent perçues par les psychiatres et autres «spécialistes» comme des boucs émissaires pour les traumatismes qu'elles ont fait subir à leurs enfants, mais il ne faut pas perdre de vue qu'elles ont elles-mêmes été blessées et rendues indomptables par les attentes de la société, de la famille et de leur propre mère qui a dû assumer elle aussi, malgré elle, des rôles débilitants. Si nous voulons parvenir à rompre cette lignée de «Mères indomptées», nous devons nous efforcer de reconnaître et de comprendre les limites que de telles attentes et de tels comportements imposent aux femmes, et nous tourner résolument vers la féminité affranchie à laquelle nous aspirons.

De nombreuses femmes au foyer, malheureuses en ménage, sont ces «Oiseaux en cage» dont nous parlerons dans le chapitre 3. Les hommes aussi ont parfois l'impression d'être encagés, d'être retenus prisonniers par leur profession, leur famille et leur rôle de pourvoyeur. Bien que le syndrome de l'Oiseau en cage ait été plus fréquent chez les femmes des générations précédant la nôtre, il existe encore aujourd'hui. Remarquez tous les Oiseaux en cage du cinéma actuel: *Alice*, *Le Secret est dans la sauce*, *Des gens commes les autres* et *Kramer contre Kramer*, pour n'en nommer que quelques-uns. Si nous découvrons la nature du piège qui nous retient et les apparences multiples qu'il peut prendre, nous serons mieux en mesure de nous en libérer et d'avoir une vie plus en accord avec nous-mêmes.

Beaucoup de femmes ont idéalisé le rôle de la «Muse» que nous examinons dans le chapitre 4. Hollywood a prêté beaucoup d'éclat à l'inspiratrice de l'homme, celle qui stimule sa créativité et l'aide à connaître le succès, et qui en retour reçoit la richesse, l'amour et la sécurité. Pour certaines femmes, la vie de belle inspiratrice peut sembler attirante et facile. Mais les Muses traditionnelles, telles que l'ont été Zelda Fitzgerald, Alma Mahler ou Camille Claudel ont souvent sombré dans la folie et la maladie, et ressenti une violente amertume, consciente ou non, d'avoir dû sacrifier leur talent. Leur maladie était un appel au secours maladroit de leurs forces intérieures négligées qui réclamaient plus d'attention. La Muse de la tradition est souvent rejetée quand elle prend de l'âge, pour se voir remplacer par une version plus jeune d'elle-même, comme le personnage interprété par Bette Davis dans *Ève*. Le fait de comprendre les rôles traditionnels et contemporains où s'enfonce et se perd la Muse, de l'épouse qui encourage son mari ou ménage ses sentiments, à la secrétaire, l'étudiante, l'artiste, ou la jeune associée en affaires, peut nous aider à choisir d'être libres, de nous exprimer et de vivre en harmonie avec nos pulsions créatrices.

Dans les modèles ci-dessus (la mère, la femme au foyer et la Muse), la Femme indomptée est généralement niée, recouverte, excusée ou refoulée, car le moindre indice de son pouvoir sombre et énergique contredit les attentes que la société nous dicte, à savoir qu'une femme doit se montrer affable. L'énergie de la Femme indomptée, reléguée d'office à la cave ou au grenier, qui ne trouve à s'extérioriser de façon positive que dans de rares et inhabituelles nuits d'amour passionné ou à travers une expression artistique, un passe-temps original mais socialement acceptable, ou par un sens aigu de l'organisation (la Super mère), cette force, dis-je, jaillit parfois dans de spectaculaires expressions créatrices ou visionnaires, ou dans un activisme révolutionnaire peu en accord avec le comportement courant des femmes. Les femmes qui cèdent à cette force et qui l'expriment s'en trouvent parfois bouleversées et incapables de comprendre que la créativité et l'épanouissement sont essentiels à leur bien-être. Elles peuvent aussi éprouver de la culpabilité et de la honte à vouloir ainsi secrètement s'affranchir de leur existence normale. Elles peuvent s'efforcer de refouler leur colère ou leurs désirs, convaincues que leur ravisseur, leurs proches, la société ou leur médecin a raison de les critiquer. Elles peuvent se compromettre, prises entre les désirs qu'elles ne savent pas exprimer et ces images de la féminité qu'elles ne peuvent plus reconnaître pour vraies. Dans les cas extrêmes, certaines sont abandonnées, chassées ou enfermées dans des hôpitaux psychiatriques, déclarées folles et «incontrôlables» par les hommes en situation de pouvoir, dans leur famille, leur société, leur culture.

La Femme indomptée peut également faire surface quand une femme est rejetée par l'homme qu'elle aime. Combien sont-elles à avoir subi la honte du rejet et le désir rageur de se venger sur celui qui les a abandonnées? Cela tend à se produire surtout quand l'énergie créatrice d'une femme n'a pas d'autre débouché que dans sa relation avec un homme. Les journaux et les autres médias sont remplis de cas de femmes victimes du rejet d'un homme, qui extériorisent leur colère en se vengeant sur les autres ou sur elles-mêmes et qui sont impuissantes à puiser dans cette rage les moyens de transformer et d'enrichir leur vie. Le chapitre 5 traite de la jalousie, de la revanche, et de la dépendance destructrice que ressent l'«Amoureuse rejetée», et indique d'autres voies d'épanouissement.

Les autres manifestations de la Femme indomptée que punit ou ridiculise la société sont celles qui représentent le côté noir de la société patriarcale. Le côté noir d'une société correspond à l'aspect, à la caractéristique qu'elle craint le plus. Prenons, par exemple, «l'Itinérante», la décrocheuse qui réveille notre terreur de vieillir seules, pauvres et sans abri. La plupart des gens se détournent avec culpabilité des itinérantes qu'ils rencontrent, évitent de les regarder, mais l'Itinérante dont nous parlerons dans le chapitre 6 représente le côté féminin de la personnalité capable de marmonner des vérités déraisonnables. En tant que survivante de la rue, elle possède une force féminine particulière qui n'a que faire des valeurs patriarcales. Psychiquement, elle peut être pour nous symbole de liberté; extérieurement, nous devons admettre son existence et lui venir en aide.

Un autre côté noir et rejeté de la femme est «la Recluse», que nous aborderons dans le chapitre 7. La célibataire vieillissante est souvent qualifiée d'excentrique, parfois même de folle. On a plutôt tendance à se méfier d'une femme seule. Aux yeux de la société qui critique sa solitude, quelque chose cloche dans sa vie. La recluse en vient souvent à avoir honte, à sombrer dans la paranoïa, à avoir l'impression qu'on la méprise et qu'on la scrute quand elle est seule. Tout ce que la société projette de négatif sur la femme seule peut conduire celle-ci à remettre sa normalité en question, à faire en sorte de ne plus être seule même si elle a besoin de solitude, d'espace et de son rythme de vie propre pour découvrir et comprendre les particularités de son indépendance féminine. Parce que notre société nie l'importance de la solitude et du silence dans l'épanouissement personnel, de nombreux problèmes de communication surgissent entre les hommes et les femmes n'ayant pas appris à s'écouter l'un l'autre parce qu'ils ne savent pas s'écouter eux-mêmes ni comprendre leurs besoins profonds et leurs impulsions. Loin d'être méprisable, la Recluse est le plus souvent une femme indépendante qui entend et comprend ses voix intérieures, qui consacre du temps à sa créativité, qui aime sa solitude et qui sait *écouter*. Son état peut, au contraire, être l'indice du respect qu'elle a d'elle-même et d'un sentiment de plénitude. Elle représente un modèle que nous devons apprendre à apprécier et à comprendre.

«La Révolutionnaire», une révoltée qui n'admet pas d'être ignorée ou de passer inaperçue, a su transformer son énergie passionnée en la canalisant vers la réforme sociale, comme nous le verrons au chapitre 8. Mais parce qu'elle représente une menace au *statu quo*, elle est souvent crainte et accusée de délire. En nous inspirant de son courage pour faire face à l'injustice et exiger des changements, nous pouvons nous transformer en tant que femmes (en refusant, par exemple, de laisser libre cours aux petites injustices quotidiennes qui s'insinuent au foyer et au bureau, en protestant contre la pollution et en choisissant de ne pas acheter les produits polluants de la société patriarcale, en décidant de travailler pour un pays libre et sans drogues, et pour le droit à la liberté de notre corps), et contribuer à donner au monde les valeurs féminines qui l'humaniseront davantage. Un des aspects de l'énergie de la Femme indomptée en tant que moteur des transformations sociales a pris naissance dans la colère et l'action des mouvements féministes contre les abus de notre société dominée par les hommes.

On a tourné en ridicule la perception profonde et les prédictions exactes dues à «l'intuition féminine». Une femme particulièrement sensible, «la Visionnaire», est souvent perçue comme une illuminée par ceux qui éprouvent le besoin de ne rien changer au *statu quo*, de comprendre la vie et de la vivre selon des notions convenues, comme nous le verrons au chapitre 9. Dans le passé, la Visionnaire était persécutée à titre de sorcière par les religions et le gouvernement des hommes si elle contestait les normes sociétales ou pratiquait une forme de médecine populaire. La société d'aujourd'hui continue de dénigrer les personnes mystiques, à voir en elles des êtres déraisonnables, extravagants, désaxés même. Pourtant, la lumière intérieure de la Visionnaire peut nous guider vers notre propre spiritualité et éclairer notre chemin dans la confusion de la vie intérieure. En cette ère technologique de conquête et de domination, nous avons plus que jamais besoin de la sensibilité de la Visionnaire pour découvrir les moyens qui nous permettront de reconstruire, en harmonie avec les forces de la nature, notre société maintenant au seuil de la destruction. Car, en effet, les Femmes indomptées ont souvent été dans la mythologie ces déesses de la nature qui nous ont annoncé les pires catastrophes si nous vivions en désaccord avec le monde qui nous entoure et sans tenir compte de ses pouvoirs de procréation, de destruction et de régénération.

LA FEMME INDOMPTÉE DANS LA MYTHOLOGIE

Les mythes d'un grand nombre de cultures regorgent d'images archétypes de la Femme indomptée créatrice et destructrice, témoignant ainsi de son omniprésence dans la psyché humaine et de l'expérience que nous faisons de sa puissance. Dans le panthéon hindou, Kali, la grande mère du temps, est à la fois déesse de la vie et de la mort. Plus noire que la nuit, éclairée par la lune, la bouche tachée de sang, Kali danse éperdument sur les cadavres des morts, entourée de succubes gémissants. Dans ses quatre bras, elle tient l'épée et le trident, une fleur de lotus et un pot de miel; elle porte autour du cou un collier de crânes et à la taille une ceinture de mains humaines. C'est Kali qui choisit les âmes qui, une fois libérées, connaîtront le bonheur éternel. Elle recueille aussi la semence qui fera germer une vie nouvelle.

Les Indiens Tlingit-Haida reconnaissent eux aussi le pouvoir de la Femme indomptée. Ils vénèrent la Grande Mère, la Femme Volcan qui exige qu'on porte respect à toute créature, aux objets aimés, aux coutumes tribales. Si le peuple, sacrilège, n'observe pas les rituels, la Femme Volcan détruira le village, n'épargnant que les habitants qui s'efforcent d'observer et de préserver ses rites. Une autre Grande Mère vénérée est la Femme Brume, qui donne du saumon aux autochtones du Pacifique Nord. Lorsque son époux, le Corbeau, abusa d'elle et s'arrogea ses pouvoirs avec arrogance en se vantant d'être celui par qui le saumon arrive, la Femme Brume le punit en le quittant, et en emportant le saumon avec elle jusqu'à la mer. Capable à la fois de détruire et de donner la vie, une fois par an la Femme Brume rappelle le précieux saumon dans les rivières où il est né, afin qu'il s'y reproduise et que le peuple puisse se nourrir.

En Australie, le Serpent femelle est vénéré par bon nombre de tribus aborigènes qui voient en lui le créateur de l'univers. Il survole la terre dans un «Espace de rêve», créant des êtres vivants en se déplaçant. Mais tout comme il peut «rêver» la mise au monde de nouveaux individus, il peut dévorer ceux qui manquent de respect à ses créatures.

Dans le Talmud et dans la kabbale, Lilith était la première épouse d'Adam, issue non pas de la côte de ce dernier mais, comme lui, de la terre. N'admettant pas d'être jugée inférieure à Adam, Lilith refusa de se soumettre à lui et le quitta pour vivre seule. Elle ne voulait pas d'un amour qui ne soit pas fondé sur le respect mutuel. Frustrés par son indépendance, les patriarches du Talmud écrivirent que Lilith était le démon de la nuit, l'instigatrice des amours illégitimes qui s'efforce de séduire les hommes. À ce jour, bon nombre d'hommes parviennent mal à opérer une distinction entre leurs pulsions sexuelles et les femmes qui les attirent. Ils prêtent à celles-ci des intentions diaboliques, prétextant qu'«elles l'ont cherché», et, incapables de tolérer que des femmes se refusent à eux, ils peuvent aller jusqu'à les violenter physiquement et émotionnellement.

À Sumer, Ereshkigal était la grande déesse des Ténèbres, de la terre profonde. Ereshkigal pouvait tuer d'un seul regard mortel. Quand sa sœur, Inanna, reine de la Lumière, osa pénétrer dans son royaume, Ereshkigal la transforma en cadavre en putréfaction enfoncé sur un pieu. Mais lorsque les servants androgynes d'Inanna, créés par Enki, le dieu des eaux, lui manifestèrent de l'empathie, elle ressuscita Inanna qui revint du royaume souterrain de sa sœur enrichie de savoir et de puissance.

La déesse Hécate était vénérée par les Grecs, de même qu'en Nubie et au Soudan. Déesse des Enchantements et de la Magie, Hécate était associée à la face cachée de la lune. Elle connaissait le secret millénaire des envoûtements, et, amphibie, pouvait vivre tant dans l'eau que sur terre. Divine enchanteresse, elle était la mère de la fertilité, le guide de toute transformation. Gardienne des carrefours où se prennent les décisions qui président à la vie et à la mort, elle était la magicienne que l'on interrogeait pour connaître les anciens oracles.

La déesse grecque Artémis était la gardienne des vierges, à qui elle enseigna l'indépendance et la fidélité à soi. Elle protégeait aussi les fauves et la forêt, dispensait des plantes médicinales et présidait aux accouchements. Artémis faisait en sorte que tous soient libres de suivre le courant des rivières et du vent, de jouir de la vie en forêt et d'en respecter les créatures. Artémis pouvait donner la vie, mais elle pouvait aussi cruellement la reprendre à ceux qui violaient les lois de la nature. Elle exigeait par-dessus tout le respect de la nature et de l'inviolable intégrité des femmes. Artémis pouvait laisser libre cours à sa fureur lorsque quiconque souillait son intégrité et transgressait ses lois. Quand le chasseur Actéon, outrepassant les bornes de la propriété sexuelle, épia Artémis nue tandis qu'elle se baignait dans un ruisseau de la forêt, elle en fut courroucée, le métamorphosa en cerf et lâcha sur lui ses chiens pour qu'ils le tuent. Artémis réclame encore aujourd'hui le respect de l'intégrité féminine, elle s'exprime dans la colère des femmes devant la violence faite aux enfants et le harcèlement sexuel, et dans leur volonté de vivre en harmonie avec leur nature.

Déméter, déesse des moissons, devint une Femme indomptée quand Hadès, dieu des Enfers, enleva et viola sa fille Perséphone. Hadès voulait garder Perséphone auprès de lui dans la terre profonde et en faire sa reine. Quand toutes ses tentatives pacifiques pour reprendre sa fille eurent échoué, Déméter, folle de douleur, menaça de rendre la terre stérile. Zeus et Déméter en vinrent à un compromis. Perséphone pourrait retourner auprès de sa mère pendant les six mois du printemps et de l'été, à l'époque des récoltes. Pendant l'autre moitié de l'année, quand la végétation dort, elle demeurerait aux Enfers auprès d'Hadès. La séparation de Perséphone et Déméter symbolise la rupture que toute fille doit réaliser avec sa mère pour permettre l'éveil de sa sexualité et assurer son autonomie. Son retour auprès de Déméter pendant six mois de l'année représente la nouvelle relation que peut alors nouer une fille avec sa mère, relation maintenant enrichie de son expérience.

La déesse polynésienne Pelé devient furieuse lorsqu'on la déshonore, elle tape du pied et crache de la lave brûlante, provoquant ainsi des tremblements de terre et des éruptions volcaniques. Selon la légende, une telle éruption se produisit quand les chrétiens convertis défièrent Pelé en lançant des pierres dans son cratère sacré. Lorsqu'une princesse aînée récita les anciens chants en honneur de la déesse en colère et qu'elle déposa des offrandes au bord de la lave en fusion, Pelé fut apaisée et interrompit le flot de lave.

Les sorcières des contes de fées sont d'autres manifestations de la Femme indomptée. La Baba Yaga de Russie en est une parmi tant d'autres. Souvent, lorsqu'elles vainquent la sorcière, les héroïnes de ces contes sont métamorphosées en jeunes femmes d'une grande maturité, qui ont su affronter les côtés les plus noirs de leur personnalité, qui ont su reconnaître leur Femme indomptée intérieure et intégrer sa force dans leur vie d'une façon consciente et productive. Au Moyen Âge et pendant quelque temps après, les pères de l'Église voyaient des sorcières dans les femmes qui refusaient de se conformer aux préceptes, et ils les immolaient par le feu, comme ce fut le cas de Jeanne d'Arc.

Ce ne sont là que quelques exemples des puissantes Femmes indomptées qui ont traversé les âges et les cultures[1]. La plupart ont en commun une connaissance des mystères de la vie et de la mort, de la lumière et des ténèbres, de la création et de la destruction. Quand on ne respecte pas la vie, quand on n'honore pas la Terre Mère, quand on transgresse le féminin, elles nous envoient des cataclysmes, des désastres, des punitions qui affectent le corps et l'environnement, ainsi que des bouleversements psychiques qui provoquent en nous des tempêtes émotionnelles et psychologiques. Mais elles sont aussi des créatrices, elles perpétuent le cycle de l'existence en renouvelant les formes de la vie. Mis à part ces personnages archétypes anciens qui peuvent nous aider à discerner les schémas de comportements mythiques dans notre vie personnelle, il existe aussi des représentations contemporaines de la Femme indomptée, propres à notre société et à notre culture.

LA FEMME INDOMPTÉE AU CINÉMA, À L'OPÉRA ET DANS LA LITTÉRATURE

Les exemples de Femmes indomptées et de leurs paradoxes ne manquent pas dans le cinéma actuel, qu'il s'agisse de femmes qui sombrent dans la folie, de «femmes au bord de la crise de nerfs», de femmes qui tuent l'amant qui les rejette ou les maltraite, de femmes terroristes, de femmes qui cherchent à s'extirper de l'inutilité de leur quotidien. Ces représentations de la Femme indomptée abondent dans la littérature et le cinéma contemporains. Les héroïnes de ces films se révoltent contre leur existence d'Oiseau en cage et contre les différents types de violence que doivent subir les femmes dans la société d'aujourd'hui. Dans *She-Devil*, une femme délaissée se venge de son mari infidèle et arrogant. Le film chinois *Épouses et concubines* montre comment les femmes peuvent perdre la tête et se tourner les unes contre les autres quand elles n'ont d'autre rôle que celui de concubines et qu'elles sont soumises à l'autorité de leur mari. La tendance des opprimés à reporter les uns sur les autres leur ressentiment plutôt que sur le modèle d'autorité qui les menace et les violente est une réalité tragique dans la plupart des groupes minoritaires. *Un ange à ma table* trace le portrait authentique de l'écrivain néo-zélandaise Janet Frame, poétesse introvertie chez qui les médecins diagnostiquèrent erronément une schizophrénie. On l'hospitalisa, on lui administra des électrochocs dans le but de la «guérir» de sa nature timide de recluse quand elle fut incapable de s'exprimer devant une assemblée de supérieurs qui la mettaient sur la sellette. Son talent créateur lui sauva la vie. Pendant son séjour à l'hôpital, elle écrivit des nouvelles qui furent par la suite découvertes puis publiées, témoignant ainsi de sa santé mentale et de son talent. Dans *La guerre des Roses* on est témoin d'un modèle de comportement et d'interaction que j'appelle la confrontation de la Femme indomptée avec le Juge — dont nous allons parler plus en détail dans la prochaine section —, soit celle d'une femme et de son mari que leur dynamisme débridé finira par détruire. Des films tels que *Liaison fatale* et *Présumé innocent* montrent clairement la peur que les hommes ont de la Femme indomptée et de la destruction que leurs actes irréfléchis peuvent déclencher. Dans certains films, le personnage de Femme indomptée est une femme talentueuse que l'on enferme, dans d'autres c'est une femme qui cherche à s'échapper: *Femmes au bord de la crise de nerfs, Misery, Sheer Madness, Thelma et Louise, Le Secret est dans la sauce, Bons baisers d'Hollywood, Camille Claudel, À la recherche de M. Goodbar, Persona, La Ménagerie de verre, Housekeeping, Frances, Maman très chère, Tendres passions, La main qui berce l'enfant, Sybil, Une femme sous influence, Journal intime d'une femme mariée, Les trois visages d'Ève, Nikita, Talons aiguilles* et *Qui a peur de Virginia Woolf?*

La tragique véhémence de la Femme indomptée apparaît depuis toujours dans la littérature et la musique. Nous savons que Médée tua ses enfants pour se venger de la trahison de son amant, et qu'Anna Karénine, prisonnière d'un mariage sans amour et d'une société qui lui interdisait de s'épancher ou d'être librement elle-même, se suicida. Dans la littérature, elle se présente sous les traits de Clytemnestre, Électre, Antigone, Ophélie, Lady Macbeth, Madame Bovary, la Folle de Chaillot, et la pauvre Madame Rochester, enfermée dans le grenier dans *Jane Eyre*[2]. À l'opéra, il s'agit de Lucia di Lammermoor, Madame Butterfly, Norma, Elvira, Carmen, Salomé,

Turandot, la Reine de la Nuit dans *La Flûte enchantée*, la mère romanichelle dans *Il Trovatore*, et de combien d'autres.

Tous ces personnages de la Femme indomptée correspondent à une force très réelle et très grande du psychisme humain, qui inspire de la crainte à la fois aux hommes et aux femmes. Ils montrent un côté terrifiant de la nature féminine et révèlent le potentiel de fureur et de courage chez les femmes dont on abuse, les femmes retenues prisonnières et méprisées. Pour transformer ce dynamisme courroucé en une force créatrice utilisable, nous devons d'abord apprendre à le reconnaître en soi et chez les autres. Nous ne pouvons ni ne devons nous contenter d'y voir l'indice d'un état anormal ou de la «folie».

LA FEMME INDOMPTÉE ET LE JUGE: *LES BACCHANTES*

Un des plus graves conflits de notre société actuelle est celui qui oppose deux puissances archétypes: la Femme indomptée et le Juge. Nous sommes témoins de ce combat non seulement au cinéma, mais aussi dans la vie familiale et politique. Notre société occidentale s'est efforcée de refouler et même de supprimer l'archétype de la Femme indomptée et son dynamisme psychologique. L'ordre et l'autorité sont ce qui lui importe, et elle préfère les méthodes rationnelles de réussite à l'authenticité des sentiments. C'est une société qui fuit la pensée profonde et la réflexion en faveur des solutions superficielles auxquelles on parvient vite et sans effort. La Femme indomptée menace ces caractéristiques propres au maintien de l'autorité patriarcale traditionnelle, en particulier le Juge qui sévit dans notre psychisme, c'est-à-dire ce côté rationnel, dominateur de notre cerveau et de notre être, désireux de détenir le pouvoir en tout temps et à tout prix.

Que ces puissances soient en guerre chez un individu, qu'elles se disputent entre des amis, des voisins, les membres d'un couple ou qu'elles s'extériorisent dans une guerre des sexes ou entre pays et nations, la Femme indomptée et le Juge sont toujours en désaccord. L'extériorisation déchaînée de la Femme indomptée est un affront pour le Juge rationnel et sans cœur qui veut brimer ses libertés et la subjuguer. Réciproquement, les règles strictes du vertueux Juge peuvent pousser la Femme indomptée à des rêves fous de vengeance. Quand l'énergie de la Femme indomptée est refoulée par la sévérité de l'autorité patriarcale et enfermée derrière des verrous ou dans les ténèbres de l'habitude et de la pensée, les hommes subissent la fureur et la révolte de la «folle».

Le Juge est pourtant aussi fou dans ses excès de vertu et d'autojustification que l'est la Femme indomptée dans son chaos personnel[3]. La démence du Juge est décelable dans les «chasses aux sorcières» telles que les met en scène Arthur Miller dans *Les Sorcières de Salem,* par exemple, où des hommes et des femmes de bonne volonté sont persécutés quand on les soupçonne de résister à l'autorité des représentants de Dieu le Père.

Ce conflit entre la Femme indomptée et le Juge est plus ancien que la chrétienté. On en retrouve une illustration éternelle et magnifique dans la tragédie d'Euripide, *Les Bacchantes,* une mise en garde envoûtante aux Juges de l'Antiquité et d'aujourd'hui qui considèrent avec dédain que le dynamisme de la Femme indomptée est irrationnel, méprisable et dangereux.

Les Bacchantes dépeint le conflit entre un Juge rationnel, Penthée, roi de Thèbes, et un groupe de Femmes indomptées «irrationnelles», les Ménades, nom qui signifie «êtres furieux». Vouées au culte de Dionysos, les Ménades exécutent des danses extatiques au son de sa musique, dorlotent le jeune roi, allaitent des fauves. Les Ménades sont douées d'une tendresse maternelle infinie. Mais quand elles se voient interdire la célébration des mystères dionysiaques, elles perdent la tête et, assoiffées de sang, deviennent capables d'égorger leurs propres enfants. Penthée, voulant que dans son royaume seule la raison soit reine, fait enfermer Dionysos. Il décide de capturer et d'emprisonner toutes les femmes qui quittent la ville pour participer en forêt aux mystères dionysiaques. Par leurs réjouissances débridées et leur façon de danser pieds nus dans la verdure, ces Femmes indomptées sont une menace pour le roi. Pour Penthée, leur extase est feinte, leurs rites ne sont que faux-semblants. Selon la voix de sa raison *à lui,* la place de la femme est au foyer, auprès de son mari. Penthée, qui entend bien les «prendre au piège et mettre fin à ces réjouissances immorales», blâme l'étranger Dionysos d'avoir ainsi fait perdre la raison aux femmes de Thèbes[4].

Penthée envoie des hommes de la ville mettre fin aux danses, aux rires et aux chants des Bacchantes qui célèbrent la vie en les attirant dans un guet-apens et en les emmenant de force. Mais les

Bacchantes, révoltées que Penthée veuille les dominer, perdent tout sens de la mesure. Elles prennent plaisir à mettre des taureaux en pièces, à se livrer au pillage, à semer partout la confusion. Les hommes n'ont aucun contrôle sur elles. Pour mettre fin à ce chaos, et parce qu'il ne tolère pas que les hommes soient défaits par des femmes, Penthée cherche par tous les moyens à les soumettre à son autorité. Déguisé en Bacchante, il décide de les épier. Quand les Ménades découvrent l'imposture, elles se jettent férocement sur lui sur l'ordre de leur cheftaine, Agavé, la mère de Penthée, enflammée par le charme de Dionysos. Ne reconnaissant pas son propre fils, Agavé mène l'attaque. Agavé et les Bacchantes le lapident et se ruent sur lui pour l'empêcher de dévoiler leurs rituels secrets. Penthée supplie Agavé de le reconnaître et de l'épargner, mais il est trop tard. Possédées par Dionysos, Agavé et ses sœurs le démembrent et plongent leurs mains dans sa chair. Agavé paraîtra, tenant dans son giron la tête de Penthée qu'elle s'imagine être celle d'un lionceau. De retour à Thèbes, Agavé revient à elle et comprend qu'elle a tué son fils. Elle s'exilera, déchirée de douleur.

La tragédie des *Bacchantes* dépeint le drame qui oppose les hommes et les femmes dans une société où le Juge réprime la Femme indomptée, où le rationnel et l'irrationnel ne sont pas intégrés et où leur cohabitation est rendue impossible. La soif de pouvoir rigoureuse et rationnelle de Penthée est elle-même «insensée» puisqu'elle refuse de glorifier la puissance mystérieuse des divinités. Lorsque la Femme indomptée se voit interdire l'extase de la danse, elle transforme cette énergie en force destructrice et peut à son insu blesser et même causer la mort de sa progéniture, comme Agavé tua Penthée, montrant par là qu'une femme peut involontairement détruire une précieuse partie d'elle-même, de ses propres œuvres. On voit là également un exemple frappant de la tendance du patriarcat à s'autodétruire et à faire valoir sa situation de victime.

De nos jours aussi, les forces archétypes de la Femme indomptée et du Juge sont dans un équilibre instable et en constante opposition. Quand nous scindons ces forces dans notre psychisme et notre comportement, nous créons une scission entre instinct et jugement. Les conflits surgissent quand, agissant en Juges et en patriarches dictateurs, les hommes s'imposent les uns aux autres et imposent aux femmes des normes de conduite précises.

N'importe quel individu se sentira désorienté si on le soumet à des structures, des devoirs, des valeurs et des façons de penser factices qui ne correspondent pas aux siens. L'individu que l'on souhaite voir se soumettre à ces restrictions et ces modèles de comportement manque inévitablement le but et est jugé négativement par l'autorité. Lorsqu'une femme doit renoncer à son harmonie naturelle, quand elle est incapable de trouver sa place dans le monde, quand elle n'accepte pas ses propres forces intérieures pour redresser sa vie personnelle et sociale, elle devient une victime et le demeure. Lorsqu'une femme s'identifie au rôle de victime, elle peut se rendre prisonnière d'une sorte de folie négative et improductive. Ce combat destructeur entre le Juge et la Femme indomptée a eu pour effet de répandre dans toute notre société un complexe de persécution. Dans cet ouvrage, nous verrons comment la Femme indomptée affronte le Juge dans les œuvres de fiction et dans l'histoire contemporaines.

Comment pouvons-nous faire échec au côté destructeur de la Femme indomptée ou parvenir à l'éviter? Il faut avant tout reconnaître et accepter les ténébreuses intuitions désordonnées qui montent de notre subconscient. Nous devons affronter nos peurs, nos désirs interdits, notre envie de nous extasier et de glorifier la Femme indomptée. Si nous observons la vie de son point de vue particulier, tout nous semblera nouveau et différent, nous verrons tout avec les yeux de la «folie créatrice». La Femme indomptée qui nous habite peut nous aider à atteindre cette «folle sagesse» du bouddhisme et des autres philosophies mystiques. Si elles acceptent de relever ce défi, les femmes ouvriront de nouvelles voies de communication avec leur mari, leur fils, leur amant.

LE PATRIARCAT… LA FEMME INDOMPTÉE… ET L'ESPRIT FÉMININ

Avant de poursuivre, je crois utile de préciser ce que j'entends par «patriarcat». Au premier chef, le patriarcat incarne à mes yeux les principes occidentaux de la pensée linéaire rationnelle, axée sur l'ordre, l'abstraction et le jugement de l'autorité. Tant les hommes que les femmes sont soumis à l'influence de notre société patriarcale, bien que les deux sexes en fassent l'expérience d'une manière différente, et que chez les femmes, cette expérience soit colorée par la race, la classe et la couleur de la peau. Au cours des siècles, les femmes ont particulièrement subi l'oppression de la hiérarchie patriarcale.

La pensée et la morale du patriarcat réduisent notre existence humaine à une partie seulement de ce que nous sommes. En tant qu'êtres humains, nous vivons dans un dilemme: nous possédons une conscience et nous avons la liberté d'exprimer les vastes mystères de l'être; néanmoins, nous devons aussi soumettre notre vie à un certain ordre et à un certain contrôle pour survivre. La pensée patriarcale — la pensée linéaire et rationnelle de l'Occident — tend à enfermer notre existence dans des limites précises: celles de l'ordre et de l'autorité. Lorsque nous succombons à cet enfermement, nous perdons le contact avec notre mystère humain profond et avec celui de tout l'univers.

La Femme indomptée s'insurge en nous contre cette oppression de l'ordre et de l'autorité. Carolyn Heilbrun fait remarquer que, dans la tragédie grecque, «la soif de sang et de vengeance des Femmes indomptées était strictement orientée vers ceux qui contestaient leur pouvoir féminin. Ces femmes enragées ne détruisaient pas les villes et ne pillaient ni maisons ni patries. Les Femmes indomptées étaient la meilleure des préventions possibles contre l'usurpation par les hommes des droits et des pouvoirs des femmes[5]...»

Je voudrais également mentionner ce que j'entends par «le féminin». Le féminin est un aspect de la dimension humaine, présent tant chez les hommes que chez les femmes, comme l'est le masculin. C'est une erreur de croire que le féminin est le propre des femmes, ou que le masculin est le propre des hommes. Notre côté féminin fait valoir l'affection, la sensibilité, la réceptivité et la connexité. Les valeurs et les préoccupations féminines s'attachent au processus d'interaction entre les êtres. Bien qu'ancrées dans le féminin, ces préoccupations s'expriment chez les hommes et chez les femmes. Les recherches sur les valeurs morales de la psychologue Carol Gilligan montrent que les femmes se concentrent sur les relations, les responsabilités et l'affection tandis que chez les hommes, l'accent est mis sur l'indépendance, l'autonomie, les principes, les droits et la hiérarchie. L'intimité est ce qui suscite l'insécurité du masculin, alors que l'isolement menace le féminin. La Femme indomptée représente une force archétype de la part féminine du psychisme des hommes et des femmes. Quand la force de la Femme indomptée parvient à vaincre nos efforts pour la supprimer, l'ignorer ou la nier, elle le fait en nous mettant au défi d'aller jusqu'au bout de nous-mêmes, d'admettre l'existence de toutes les facettes de notre personnalité et de notre psychisme. La Femme indomptée nous enjoint de reconnaître notre esprit féminin et de cohabiter avec lui en tant que partie essentielle de notre nature humaine.

L'esprit féminin crée des liens d'affection entre nous et les autres. Pour moi, l'esprit féminin est une force de la nature humaine qui nous pousse à nous interroger, à nous engager dans un processus de quête de nous-mêmes. C'est un mouvement vers la liberté[6]. L'esprit féminin échappe jusqu'à un certain point aux définitions. Sa force se révèle par l'intuition. Nous connaissons l'esprit féminin à travers notre opinion de nous-mêmes et des autres, à travers la qualité de nos rapports aux autres. La fécondité, la spontanéité, la flexibilité, la vitalité affective, la compassion, la chaleur, la communion, ce sont là des aspects de l'esprit féminin. Ce qui permet à l'herbe de croître et de se frayer un chemin à travers la pierre et le béton, l'énergie qui se répand dans notre corps chaque printemps pour nous ragaillardir, le respect de la vie, des semailles, du cycle des saisons, et le courage de supporter la douleur du travail et de l'accouchement, toutes ces choses sont des expressions de l'esprit féminin qui nous avive, nous émeut, nous inspire et nous insuffle la vie, et qui nous rattache à la terre. Lorsque nous ne ressentons pas ce lien avec la nature vivante, le féminin en éprouve un sentiment de trahison. L'esprit féminin est doté d'une assurance et d'un courage innés dépourvus de tout caractère agressif ou belliqueux. C'est une force à laquelle nous pouvons puiser, une solution autre que l'esprit patriarcal enrégimenté qui englue notre culture et notre société.

LE DILEMME DE LA FEMME INDOMPTÉE: CRÉER OU DÉTRUIRE

La Femme indomptée renferme au plus profond de sa psyché le germe de l'élan créateur. Le chaos intérieur, le désordre émotionnel peuvent engendrer des visions créatrices et stimulantes capables d'insuffler une nouvelle vie à un individu et une culture. Mais ce chaos peut aussi se révéler destructeur et donner lieu à la folie, à la paranoïa et à l'isolement. Nous faisons parfois favorablement référence à la folie dans le cas de ces comportements insouciants ou impulsifs propres à l'ensemble des individus, mais dans sa forme la plus mutilante, la folie inhibe la créativité. Étant parvenue, sous le pseudonyme de Hannah Green, à relater fictivement son voyage au bout de la folie dans un roman intitulé *Je ne t'ai jamais promis un jardin de roses*, la romancière Joanne Greenberg nous met en garde contre les dangers qui nous guettent lorsque nous envisageons la folie sous un jour trop romanesque. Au pire, la folie nous isole du monde «réel». Parlant de l'hallucination, Greenberg déclare qu'il s'agit de «la métaphore d'une angoisse inexprimable. Cette métaphore dit "Je dérive, je n'ai plus d'espoir. La gravité et les lois de l'univers ne me concernent pas."» À propos de la folie clinique lorsque celle-ci se situe à l'échelon le plus extrême de l'aliénation mentale, Greenberg soutient que la psychose est à l'opposé de la créativité. C'est un état ennuyeux et stérile qui empêche toute interaction féconde entre le monde et l'imagination. Elle ajoute:

— Élan créateur et psychose sont aussi opposés que peuvent l'être deux expériences. La créativité nous enseigne et nous grandit. Dans la psychose, sens et avenir n'existent pas, tout l'univers est insensé. C'est le règne de l'inertie. La maladie mentale engendre un ennui inconcevable. Si l'on n'apprend pas, on se contente de réagir. La psychose est ennuyeuse, car elle ne débouche sur rien[7].

Certains types de désordres mentaux, de bouleversements, de dépressions, de chaos psychologiques et émotionnels peuvent néanmoins donner lieu à des révélations créatrices et spirituelles. Les artistes parlent de la folie divine propre au processus créateur, car ils doivent effectuer en quelque sorte une descente aux enfers s'ils veulent renouveler la force d'expression de leur expérience créatrice. Les mystiques parlent de leur entrée dans la transcendance comme d'une «intoxication de Dieu» ou une «folie divine», bref, d'une extase que seule l'imagerie visuelle peut parvenir à décrire. La littérature offre de nombreux exemples d'expériences mystiques, chaotiques ou religieuses théâtralement décrites en termes de descente et d'isolement. Saint Jean de la Croix appelait ce phénomène l'«Obscure nuit de l'âme», Kierkegaard le «désespoir», Jung la «traversée nocturne» ou la «défaite du moi». La représentation classique de ce voyage intérieur profond et intime est un état d'errance, un sentiment passager de ne plus savoir où l'on est et d'être séparé du reste du monde, un moment d'aliénation et d'isolement. Mais à l'heure la plus sombre, l'individu reçoit soudainement une nourriture divine, une inspiration, il est bouleversé par un sentiment d'intégration et une forte intuition, et il se sent miraculeusement renaître.

Selon Socrate, la folie vient de Dieu, et la folie des poètes, des visionnaires, des amants et des mystiques renferme une sagesse plus grande que la connaissance humaine. Certains psychiatres font une distinction entre «la folie de gauche, toute d'extase et de terreur», qui suppose une «merveilleuse rencontre avec les forces spirituelles et les forces diaboliques de la psyché», et «la folie de droite», «creusée dans l'appauvrissement et l'étroitesse d'esprit où le pragmatisme et les conventions sociales sont des truismes[8].» Sous son angle destructeur, la folie est une folie de droite qui nous isole et nous appauvrit, comme le dit Greenberg. Mais la «folie divine» est celle qui peut nous élever jusqu'à l'extase mystique, nous procurer une inépuisable énergie créatrice et nous rendre libres de croire à une vie meilleure et d'agir pour le bien de la société. Comme le décrit Evelyn Underhill dans son ouvrage sur le mysticisme, le mysticisme authentique est actif, pratique, et il fait en sorte de transformer notre personnalité pour que nous puissions nous fusionner avec toute la création[9]. Aujourd'hui, la plupart des mystiques et des maîtres prônent un mysticisme authentique grâce auquel nous nous affranchissons de nos vues réductrices pour nous efforcer avec compassion de communiquer avec notre prochain et de lui venir en aide.

Les hommes tout autant que les femmes doivent apprendre à assumer leur folie divine et à la discerner de la folie destructrice socialement et individuellement. Nous devons accueillir la «folie créatrice» dans notre vie personnelle et notre vie sociale et la mettre à contribution pour affronter les grandes questions de notre époque, comme la menace à la vie sur terre que représentent le nucléaire et la technologie. Pour entrer en contact avec la Femme indomptée, nous devons apprendre à renoncer au négatif, à sa fureur égotiste et égocentrique et orienter son énergie vers des actions positives. Nous devons apprendre à vivre au contact de sa tension créatrice, et découvrir des façons de l'aborder et d'en tirer des enseignements.

COMMENT SE LIER D'AMITIÉ AVEC LA FEMME INDOMPTÉE

La Femme indomptée entre habituellement dans notre vie au moment où la peur nous submerge, de sorte que nous nous efforçons de la tuer en nous et chez les autres. Cependant, si terrifiants que soient son énergique fureur et son aspect démentiel, en ma qualité de psychanalyste je suis en mesure d'affirmer que la Femme indomptée se métamorphose quand nous parvenons à nous en faire une amie. À Bali, je m'ouvris un jour à une chamane des Femmes indomptées qui revenaient avec insistance dans mes rêves. Assise en face de moi, la chamane ricanait en mangeant des graines; elle me fit elle-même songer à une Femme indomptée quand elle décrivit avec exactitude les événements qui avaient eu lieu. Elle me regarda en souriant et dit:

— Invite la Femme indomptée à déjeuner. Elle veut être ton amie.

Cet étrange conseil me laissa longtemps perplexe. Quand j'en compris enfin le symbolisme, je sus que pour me lier d'amitié avec la Femme indomptée en moi, il me fallait la reconnaître dans tous ses déguisements et intégrer dans ma vie ses nombreuses forces émotionnelles et psychologiques. Le présent ouvrage découle de cette amitié.

Pour se lier d'amitié avec la Femme indomptée en soi, il suffit parfois d'exprimer la colère que l'on ressent, ou d'affronter un parent ou un amant, un ami ou un employeur en leur faisant part de nos émotions et de nos besoins. Notre peur de nous mettre en colère, ou de devenir folle, voilà ce qui fait de la Femme indomptée un monstre terrifiant. La colère et toutes ces émotions inavouées ou refoulées que nous mettons à l'écart de notre vie sont les poisons qui transforment la Femme indomptée en énergie destructrice. Peur et colère refoulées s'accumulent en nous et nous rendent folles. Pour être en mesure de composer avec ces émotions, nous devons apprendre à les discerner les unes des autres, à les revêtir d'une forme reconnaissable et facile à comprendre. C'est ce que font nos rêves quand ils engendrent des personnages telle la Femme indomptée. Ses représentations nous émeuvent et, grâce à elles, nous pouvons amener à la couche consciente de notre cerveau ces émotions, ces idées, ces schémas jusque-là à l'œuvre dans notre subconscient et négocier avec eux. Grâce à ses représentations et à ses déguisements, nous devenons aptes à identifier, reconnaître ou nous souvenir de ce que nous sommes, de ce que nous représentons et de ce à quoi nous aspirons. Nous devons apprendre à connaître la Femme indomptée sous tous ses aspects, à déceler sa présence en nous-mêmes et à nous en faire une amie au lieu de nier son existence en la reléguant aux oubliettes. Quand nous nous séparons d'elle, nous en subissons les conséquences.

La plupart des gens sont portés à nier l'existence de leur Femme indomptée. La vie nous transmet néanmoins inévitablement sa force. Elle entre en coup de vent, défiant toute logique et porteuse de chaos, juste au moment où nous nous efforçons de contrôler rationnellement notre existence. Par conséquent, nous faisons en sorte de continuer à l'éviter. Nous prônons l'ordre et la routine. Nous chassons les problèmes de nature psychologique telles l'anxiété, la dépression, les phobies, les humeurs noires ou la tristesse. Nous refoulons encore davantage nos problèmes émotionnels, ce qui a pour effet d'accroître nos souffrances en provoquant des symptômes et des maladies psychosomatiques, ou une recrudescence de l'angoisse ou de la dépression.

Le fait de refouler ou de nier l'énergie de la Femme indomptée en nous la fera apparaître dans un cauchemar ou se manifester dans notre vie quotidienne. Bon nombre d'entre nous sommes des filles obéissantes qui s'efforcent de mener une vie bien ordonnée et placide, en harmonie avec la société. Souvent, le confort matériel, le succès, parfois même la renommée et le pouvoir semblent être notre récompense. Mais cette bonne conduite nous éloigne du processus vital, du courant d'énergie ininterrompu et de son pouvoir de transformation. Nous menons une existence terne, nos relations personnelles sont stériles, notre cerveau s'ennuie et s'agite, notre vie est vide. Quelque chose en nous crie en secret:

— La vie, c'est sûrement autre chose!

Nous glissons à la surface de notre existence, en apparence satisfaites et heureuses, puis survient une crise nécessaire qui nous secoue et nous force à nous examiner intérieurement. En période de crise, la Femme indomptée dérange nos certitudes, ses bouleversements nous réveillent. Ne pouvant plus l'ignorer ni ignorer notre besoin de transformation ou notre inaptitude à régir notre vie, nous devons pénétrer dans le chaos qu'elle nous propose et l'affronter pas à pas.

La Femme indomptée résiste aux descriptions sommaires et aux concepts grossiers. Elle est essentiellement chaotique. Nous ne saurions la trouver ailleurs que dans nos émotions et nos rêves, où elle s'est souvent présentée à nous. Puisque la Femme indomptée adopte des déguisement variés, nos rêves nous révèlent symboliquement sa présence et son rôle dans notre vie. Toute représentation symbolique possède la capacité de nous émouvoir. Elle nous permet de faire émerger à la conscience les processus qui ont cours dans l'inconscient. Elle nous permet d'identifier ou de nous souvenir de ce qui compte dans notre vie, de ce que nous devons affronter. Le rêve qui suit, celui d'une femme d'affaires prospère au faîte de sa carrière, nous montre une des représentations oniriques de la Femme indomptée.

Cette femme d'affaires en apparence heureuse traversait pourtant un tourment intérieur. Elle menait une vie terne et dépourvue de sens. Elle eut un rêve dans lequel elle barricadait la maison de son père pour le protéger contre les assauts d'une Femme indomptée. Vêtue de haillons, les cheveux sales et ébouriffés, la Femme indomptée parvint à pénétrer dans la maison en dépit des efforts de la rêveuse pour l'en empêcher, et elle attaqua son père. Cette femme affrontait la Femme indomptée intérieure qui s'efforçait de faire éclater la censure patriarcale dont elle était prisonnière. Parce qu'elle sut regarder en face la Femme indomptée en elle et reconnaître l'existence de la colère et des peurs qu'elle avait refoulées par égard pour sa famille et pour accéder à un rôle social acceptable, cette femme parvint à tenir compte de ses besoins émotionnels et spirituels.

Les hommes aussi rêvent à la Femme indomptée. L'un d'eux rêva qu'il participait à une soirée mondaine dont l'hôtesse était une femme vêtue d'une longue robe noire au décolleté suggestif. Soudain, il vit qu'elle avait les seins nus. Il regardait, terrorisé, l'un des mamelons grossir démesurément et devenir une immense bouche rouge ornée de dents pointues. Voyant qu'ils étaient en face d'une Femme indomptée, tous les invités cherchèrent à s'enfuir avec lui. Mais en s'enfuyant, il aperçut dans un coin une innocente petite fille de quatre ans sur laquelle la Femme indomptée semblait vouloir se jeter, et il choisit d'aller à son secours. Les associations personnelles du rêveur montrèrent que la Femme indomptée représentait un goût immodéré pour le sexe, et que la petite fille, symbolisant son aptitude à éprouver des sentiments amoureux sincères, en était l'innocente victime.

On peut aussi donner au rêve de cet homme une signification plus vaste. Selon Jung, les symboles oniriques concernent l'ensemble de la société en plus de la vie personnelle du rêveur. Sur le plan de la collectivité, la décision courageuse et compatissante que prit cet homme en se portant au secours de la petite fille représente la nécessité pour notre société d'affronter la Femme indomptée et d'admettre la violence faite aux femmes ainsi que les abus dont est victime la part tendre, vulnérable et féminine de l'existence. Les hommes doivent apprendre à se mettre à l'écoute des idées et des émotions des femmes, et à en reconnaître la valeur. Certains hommes déprécient les femmes, les harcèlent ou les fuient, car ils ont projeté leur propre vulnérabilité sur la perception qu'ils ont d'elles. Si les hommes parvenaient à accepter de ne pas craindre le pouvoir des femmes ou les aspects féminins de leur personnalité, ils seraient en mesure d'établir avec elles des rapports basés sur le respect et sur l'égalité.

Ces rêves montrent comment la Femme indomptée peut nous signaler sa présence et exiger de faire partie de notre vie personnelle ou d'être reconnue par la société. En plus de capter l'énergie de la Femme indomptée par l'intermédiaire du rêve[10], nous pouvons entrer en contact avec elle en faisant appel à l'«imagination active», c'est-à-dire en établissant un dialogue conscient avec un symbole inconscient[11]. Ceci a lieu par le biais de l'écriture, de la peinture, de la danse, du psychodrame, ou de tout moyen d'expression visant à donner une forme concrète à la matière de l'inconscient. Tout au long de cet ouvrage, vous trouverez des exemples de ce travail sur les rêves et l'imagination active, dans les histoires de femmes d'aujourd'hui qui eurent à affronter les forces destructrices de la Femme indomptée dans leur vie personnelle, ainsi qu'à identifier les émotions et les comportements négatifs qui les gardaient prisonnières pour mieux avoir accès à leur énergie créatrice.

Pour libérer votre énergie féminine, vous devez avant tout apprendre à déceler les scénarios répétitifs où vous vous enlisez. Nos actions et nos réactions étant le plus souvent des réflexes inconscients, il est en général possible de vaincre ou de transformer les forces négatives de notre vie en prenant conscience de nos comportements. Ensuite, il nous faut lutter, il nous faut affronter la douleur et la colère, et découvrir des façons inédites de réorienter et de canaliser l'énergie vitale que nous avions jusque-là mal utilisée. Découvrir comment nous pouvons transformer consciemment notre être et notre destin, voilà le plus grand défi que nous ayons à relever en tant que membres de l'espèce humaine.

1. Voir Merlin Stone, *Ancient Mirrors of Womanhood: Our Goddess and Heroine Heritage*. New York, New Sibylline Books, 1979; et Pierre Grimal, *Larousse World of Mythology,* New York, Excalibur Books, 1981.
2. Voir Sandra M. Gilbert et Susan Gubar, *The Madwoman in the Attic: The Woman Writer and the Nineteenth Century Literary Imagination,* New Haven, Yale University Press, 1979.
3. Pour une description détaillée du Juge, voir mon ouvrage intitulé *Witness to the Fire: Creativity and the Veil of Addiction,* Boston, Shambhala, 1989, chap. 9.
4. Euripide, *Les Bacchantes.*
5. Voir Carolyn G. Heilbrun, *Toward a Recognition of Androgyny,* New York, Harper and Row, 1973, p. 7.
6. Voir Carolyn G. Heilbrun, *Writing an Woman's Life,* New York, Ballantine Books, 1988. Un ouvrage qui illustre différentes facettes de la nature féminine.
7. Citée par Betty Cannon, *Sartre and Psychoanalysis,* Lawrence, KS, University Press of Kansas, 1991, pp. 249-250.
8. John Weir Perry, *The Far Side of Madness,* Dallas, Spring Publications, 1974, p. 6.
9. Evelyn Underhill, *Practical Mysticism,* Columbus, OH, Ariel Press, 1942.
10. Pour le travail sur les rêves, voir Karen Signell, *La sagesse du cœur*, Montréal, Le Jour, éditeur, 1992.
11. À propos de l'imagination active, voir Robert Johnson, *Inner Work,* San Francisco, Harper Collins, 1987.

2

Mères indomptées, filles indomptées

Debout au centre de l'arène
dans la cité morte
j'enfile les chaussures rouges...
Ce ne sont pas mes chaussures,
mais celles de ma mère
et de sa mère avant elle,
un legs, un héritage secret
telle une correspondance honteuse.

Anne Sexton

Ma mère et moi avons pu nous pardonner l'une l'autre et réparer nos torts quand nous avons enfin compris et accepté nos différences. Quand cela se produisit, j'avais une quarantaine d'années, et ma mère était sexagénaire. Notre réconciliation fut un des moments les plus enrichissants de notre vie. Il nous fallut beaucoup d'honnêteté et de courage pour nous dévoiler ainsi l'une à l'autre. Chacune dut admettre qu'elle en voulait à l'autre de ne pas avoir su répondre à ses attentes. Nous avons beaucoup pleuré, en deuil du lien étroit qui jusque-là nous avait unies.

Nous avons longtemps tenu les femmes responsables des problèmes de leurs enfants. Les féministes se sont avec raison opposées à cette quête d'un bouc émissaire. N'oublions pas que la mère est elle-même une femme blessée, souvent limitée, embarrassée, frustrée par les contraintes de son milieu. Notre mère étant le premier être humain de qui nous dépendions, elle exerce une influence considérable sur notre vision de l'univers. La douleur se transmet de mère en fille et de mère en fils de génération en génération, jusqu'à ce que quelqu'un accepte un face à face conscient avec ces blessures. Le rêve qui suit exprime la gravité du mal qui affecte les mères et les filles.

> Je vois mon père s'approcher en titubant dans la rue et je veux m'enfuir. Puis je vois la tête de ma mère surgir du cou de mon père. La tête de ma mère n'est qu'une excroissance sanguinolente de mon père. Ma mère n'est pas une personne à part entière.

Ce rêve affecta tant Marie qu'elle entreprit une thérapie. Elle comprit que sa mère n'était pas une personne autonome mais une sorte d'appendice de son père. À travers la colère qu'elle éprouva envers sa mère pour n'avoir pas su se prendre en main et pour avoir préféré les besoins de son mari à ceux de sa fille, Marie comprit que son rêve reflétait aussi sa vie à elle. Ce rêve lui parut être le symbole de la destruction patriarcale du féminin, tant chez sa mère qu'en elle-même et chez les femmes en général.

Un élément de folie est décelable dans les sentiments complexes qu'engendre un conflit mère-fille. Même lorsque la relation est bonne en surface, il existe des émotions conflictuelles cachées qui compliquent les interactions de ce couple intime. Non seulement les facteurs personnels et familiaux bouleversent-ils la relation mère-fille, mais encore celles-ci doivent-elles composer avec les attentes du patriarcat et l'image que leurs générations et la société projette sur les femmes. Cependant, en tant que femmes, nous devons d'abord et avant tout apprendre à faire face à une forte et terrible énergie intérieure féminine qui loge en chacune de nous, celle de la Femme indomptée. Mères et fils, pères et filles, maris et femmes, et même pères et fils, tous doivent composer avec la présence psychologique et émotionnelle de la Femme indomptée. Dans le présent chapitre, je vais décrire quatre manifestations courantes de la Femme indomptée quand, dans les relations mère-fille, son énergie est repoussée au lieu d'être regardée en face.

Les exemples donnés sont relatés du point de vue de la fille, puisque toute mère fut aussi fille un jour. Bien que je parle de l'émergence de la Femme indomptée dans le contexte de relations entre mère et fille, les hommes font eux aussi partie de ce réseau. Rares sont les personnes qui assument toute leur vie un rôle unique. Il est donc vraisemblable que vous vous reconnaissiez un peu dans chacun des modèles présentés, comme ce fut le cas pour moi.

Il est impossible pour la Mère indomptée de communiquer avec sa fille au plan de l'émotion. Elle exerce sa domination sur elle par le biais d'un comportement qui lui est propre, qu'il s'agisse de la Reine des Neiges aux émotions figées, du Dragon dont l'émotion volcanique provoque l'explosion de tout sentiment nuancé, de la Mère malade dont la fragilité menaçante lui sert à dominer son entourage, ou de la Sainte Mère qui, par besoin d'être «bonne», huile les rouages d'une personnalité de victime en s'attendant à ce que ses enfants l'imitent. Les émotions et la psychologie de la fille sont subjuguées par la Mère indomptée. Elle doit donc apprendre à s'affranchir des comportements que la Mère indomptée exige d'elle pour déceler ses propres émotions et son moi réel. À défaut de cette scission, elle reproduira les réflexes maternels.

Si, par exemple, sa mère vivait et agissait comme une martyre, étant la servante de son mari et de sa famille au détriment de son épanouissement personnel, la fille pourrait assumer à son tour ce rôle dans sa vie et avoir l'impression d'être une victime à son travail même si sa vie professionnelle est un succès. Une autre fille, quant à elle, se rebellera et s'efforcera d'être l'antithèse de sa mère. Si la mère a toujours exprimé des émotions débridées et écrasantes pour les autres membres de la famille, il se peut que la fille soit introvertie, s'enferme dans une coquille pour se protéger. Que la fille imite ou au contraire rejette le comportement de la mère, elle blessera celle-ci en retour, comme dans un cercle vicieux de rétroaction. Le film *Sonate d'automne* constitue un bel exemple de ce phénomène. Nous l'analyserons un peu plus loin dans ce chapitre. Pères, maris, enfants, amis et collègues sont également touchés par cette chaîne de blessures entre mère et fille. Par exemple, une femme qui refoule sa colère contre les hommes léguera vraisemblablement sa méfiance à sa fille qui, à son tour, dirigera sa colère vers son mari, son fils ou ses collègues de travail. Le film *Intérieurs,* de Woody Allen, est une belle illustration des comportements que les filles développent en raison de la présence dans leur vie d'une Mère indomptée.

LA SAINTE (OU LA MÈRE TROP BONNE)

Nous avons vu dans le premier chapitre que bon nombre de femmes nient la présence en elles-mêmes de l'énergie archétype de la Femme indomptée, en raison de sa force et de la menace qu'elle représente. Bien entendu, toute énergie psychique niée se manifeste tel un fantôme. Elle nous effraie en cachette et affecte notre comportement à notre insu. Les femmes à qui l'on a inculqué les préceptes de notre société patriarcale, à qui l'on a appris, par exemple, qu'elles doivent être douces et maternelles, qu'elles ont l'obligation d'obéir à l'homme, de lui venir en aide et de servir leur mari, s'efforceront de se conformer en surface à cette attente. Mais dans les coins reculés de leur psyché rôdera l'ombre de la Femme indomptée. Il arrive que des femmes par ailleurs aimables et au tempérament optimiste, qui s'efforcent en conscience d'agir pour le bien de leur fille, leur causent en réalité du tort en leur apprenant à refouler leurs élans naturels, surtout si l'émotion qui les habite est pessimiste ou empreinte de colère, ou si la fille a, par instinct, perçu la colère refoulée qui étouffe sa mère à son insu. Les filles assument souvent la colère refoulée de leur mère et, tout en reconnaissant le danger qui les guette, elles en ignorent la cause. Dans le film *Confrontation à la barre,* la fille est en proie à une vive irritation vis-à-vis de son père, parce que ce dernier a des aventures que sa sainte femme lui pardonne et oublie, jusqu'à ce qu'elle tombe morte, terrassée par une crise cardiaque, symbole de son cœur brisé. La fille qui porte sur ses épaules la rage inconsciente de sa mère ne dispose d'aucun modèle féminin qui pourrait lui apprendre à canaliser cette énergie. Quand la mère vit une rage inconsciente, la fille croit parfois être responsable de sa colère, de son angoisse, de sa dépression, de sa culpabilité, de sa honte ou de sa confusion. Une fille et sa mère éprouvent parfois toutes les deux ces émotions sombres. En vieillissant, une fille doit prendre conscience des liens psychologiques qui l'attachent à sa mère, et parvenir à déceler les frontières qui séparent le territoire psychique maternel d'avec le sien.

Quand j'interrogeai Anne à propos de sa mère, elle fit le portrait d'une femme bonne et généreuse: une sainte. Sa mère était une infirmière consciencieuse qui ne se fâchait jamais et ne pleurait jamais. Le père d'Anne était un alcoolique dont les fureurs éthyliques bouleversaient la vie familiale. Convaincue que la moindre expression de colère ou de souffrance était une preuve d'égoïsme, la mère d'Anne apprit à cette dernière à se taire quand elle était fâchée, car on ne peut retirer les paroles dites sous le coup de la colère. La rage refoulée de sa mère, son chaos intérieur trouvaient parfois une expression dans la méfiance cynique qu'elle éprouvait face aux intentions d'autrui, et dans la profonde amertume qu'elle ressentait devant une vie qui ne semblait aller nulle part. Elle éprouvait beaucoup de ressentiment envers les hommes, qu'elle accusait de «profiter des femmes». En tant qu'infirmière, elle veillait sur les autres, mais puisqu'il était rare qu'on l'en remercie, elle prit une attitude de victime fatiguée, convaincue qu'on ne vient sur terre que pour mourir d'usure. C'était une femme passive qui ne défendait ni ne protégeait Anne, et celle-ci en fut réduite à porter le fantôme gigantesque de la rage refoulée et niée de sa mère.

Enfant, Anne voulait être l'émule de sa mère, mais elle tournait contre elle-même son assurance innée, s'auto-accusant et traversant des phases de dépression grave. Anne, tout comme sa mère, se sacrifiait, se dévouait, était généreuse, mais quand on prenait ses bontés sans les lui rendre, elle en éprouvait aussi du ressentiment. À mesure qu'elle prit conscience de son comportement, elle s'aperçut qu'il lui arrivait d'être en colère mais elle ignorait comment exprimer des sentiments négatifs et elle se culpabilisait de les ressentir. À cause de la violence incontrôlée de son père, elle se méfiait des gens qui exprimaient de la colère. Elle ne savait ni se défendre ni se protéger. Ses relations avec les autres en souffrirent, particulièrement ses relations avec les hommes.

Quand elle fit la connaissance d'un homme qu'elle voulut épouser, Anne comprit qu'elle devait d'abord travailler sur elle-même et elle se joignit à un groupe spécialisé dans les techniques de communication. Elle fut alors en mesure de comprendre la colère intériorisée de sa mère et déceler la sienne. Cette colère refoulée se manifesta par des rêves où des personnages cruels et violents la menaçaient. L'un d'eux, un sadique dont le visage était complètement recouvert d'un masque en caoutchouc, lui taillada la peau en disant: «Quand tu as peur, ça ne fait pas mal.» Anna vit là le symbole de ce que sa mère lui avait enseigné, à savoir qu'elle devait sourire et se montrer stoïque. En disant à sa fille de ne jamais laisser libre cours à sa colère ou de ne jamais laisser voir qu'elle souffrait, elle l'avait programmée dans un rôle de victime timorée qui aurait du mal à mettre fin à sa victimisation puisqu'elle en niait l'existence même.

Les femmes dont la mère a refoulé sa colère et qui ont appris à leur fille un comportement identique au leur rêvent souvent de personnages sadiques, surtout des hommes, qui torturent ou abusent de jeunes filles et de jeunes femmes. Quand le père a été violent ou qu'il a abusé de son autorité de quelque façon que ce soit, colère et amour sont confondus, car la fille recherche l'amour et l'appui de son père et de sa mère en même temps qu'elle en souffre. Ces femmes rêvent souvent de soldats nazis qui les brutalisent et les terrorisent. L'officier SS est parfois lié à la Femme indomptée, comme on le voit dans le rêve qui suit, celui de Georgette:

> Ma mère est la tenancière d'un bordel pour officiers SS en Allemagne nazie. Je suis une petite fille, prépubère. Je suis horrifiée de les entendre plaisanter et se vanter des atrocités qu'ils ont commises sur la personne des Juifs. J'ai des petites amies juives, et je me sens impuissante à les aider. Ma mère est folle et, tous les jours, elle m'injecte en petite quantité une substance qui engourdit mes émotions. Quand j'atteins ma puberté, je dois coucher à mon tour avec les officiers SS. Je m'enfuis, mais je me retrouve dans un fossé, dans des douleurs atroces: je suis en manque! Il me faut une injection. Je rentre chez moi, nauséeuse à la seule idée de devoir retourner dans un tel enfer. Mais sans mon injection, je mourrai. Les officiers se moquent de moi et de ma vaine tentative d'évasion. Comment ma propre mère a-t-elle pu me faire ça?

Dans ce rêve, la mère de Georgette baisse toujours la tête sur son travail, qu'il s'agisse de la lessive ou de la préparation des repas. Elle ne pose jamais les yeux sur sa fille, bien que celle-ci soit assoiffée de contact et de communication. Georgette voit sa mère travailler et interagir avec les officiers comme si elle était leur domestique et non pas une entremetteuse, et la rage qu'elle perçoit en elle est cet acide qui coule dans ses propres veines. Quand sa mère lui donne des injections, elle a l'impression de subir un violent choc électrique.

Georgette fit ce rêve récurrent de l'âge de sept ans à l'âge de quinze ans. Elle fut hantée par des rêves de Mère indomptée jusqu'à ce qu'elle s'efforce de les analyser; elle s'épanouit et acquit plus de sagesse quand elle parvint à intégrer le message qu'ils véhiculaient. Pour Georgette, sa mère était une Sainte Femme indulgente qui aimait sans conditions son mari violent et alcoolique. Elle était incapable de protéger sa fille contre les terribles fessées que lui administrait son père quand il devenait enragé. Elle ignorait quoi faire devant la colère qu'éprouvait Georgette d'être injustement punie, bien qu'elle ait tenté d'empêcher ces corrections. Elle apprit à sa fille à être sage et soumise, ce qui contribua à semer la confusion dans l'esprit de Georgette qui ne sut plus jusqu'où devait aller sa tolérance des comportements d'autrui.

La mère de Georgette avait beau aspirer à être la meilleure des mères, elle en était empêchée par sa perception du rôle de la femme. C'était une femme affectueuse et chaleureuse qui s'efforçait d'écouter sa fille et de lui venir en aide, mais son manque de maturité et son inconscience l'empêchaient de transmettre à sa fille la sagesse et le courage dont une femme a besoin. La grand-mère maternelle de Georgette avait été une dévote qui aspirait au renoncement de soi et au martyre; elle se montrait intransigeante pour quiconque ne réalisait pas cet idéal. Abandonnée par son père lorsqu'elle était enfant, la mère de Georgette s'efforça naïvement d'être à la hauteur de l'idéal féminin maternel. Craignant aussi d'élever une famille dont le père est absent, elle avait juré de ne jamais se séparer de l'homme qu'elle épouserait.

Puisqu'elle était incapable de tenir compte des sentiments de Georgette quand celle-ci se plaignait de son père, elle excusait ce dernier.

— Il ne le fait pas exprès. Il t'aime. Mais il ne sait pas te le montrer.

Craignant d'être battue si elle lui tenait tête, et plus craintive encore d'affronter la situation en quittant son mari, la mère de Georgette faisait l'impossible pour préserver la paix familiale. Elle n'avait pas le temps de s'adonner avec sa fille à des activités proprement féminines, elle était épuisée par son travail, et elle consacrait toute son énergie aux soins du ménage et à s'occuper de son mari alcoolique, ce «fils» de qui elle était la mère martyre. Georgette en vint à se demander si le fait d'être une sainte, une *mater dolorosa,* et de préserver cette image quel que soit le prix à payer (une vie difficile, solitaire, et la désaffection de sa fille) n'était pas en quelque sorte une drogue. Georgette vit sa mère assumer le rôle de «la douce et aimable femme mariée à un adolescent perpétuel, violent et alcoolique», et constata qu'il en était de même pour de nombreuses autres familles du voisinage. Georgette eut à affronter un dilemme troublant: elle se sentait à la fois aimée des siens et terrorisée par la vie familiale. Elle comprenait instinctivement que le rôle de femme faible et soumise que sa mère assumait face à son père était néfaste pour tous les deux. En acceptant la violence et l'alcoolisme de son mari, la mère de Georgette se rendait otage d'une dépendance aujourd'hui désignée par le terme de codépendance[1].

Une longue réflexion permit à Georgette de constater que la Femme indomptée de ses rêves récurrents symbolisait sans doute la rage qu'elle ressentait envers sa mère qui l'obligeait à subir la présence pénible du père. Ses rêves lui firent comprendre que sa mère avait tenté d'endormir ses émotions comme elle avait refoulé les siennes, la condamnant par le fait même au sort qui avait toujours été le sien. La vision onirique de Georgette transforma cette situation en «maison de tolérance», où les femmes sont soumises aux abus et au pouvoir sadique d'hommes en position d'autorité, représentés par les officiers SS. L'ambiance menaçante engendrée par la dépendance maladive de ses parents, plus particulièrement la codépendance de sa mère, était symbolisée par les injections anesthésiantes que la mère de Georgette administrait à sa fille, la rendant à son tour si dépendante qu'elle n'avait d'autre choix que de retourner à l'enfer familial.

Le matin, Georgette se réveillait souvent déprimée, bien qu'elle ait été une personne chaleureuse, pleine de vie et d'énergie. En thérapie, elle eut l'idée de recourir à l'imagination active pour faire vivre le personnage de la Mère indomptée. Au cours d'un dialogue imaginaire, Georgette s'adressa à sa «dépression» et lui demanda: «Qui es-tu?»

Cette question fit surgir à son esprit le personnage de la Femme indomptée. Moribonde, la femme ressemblait à une momie (nos rêves ne sont pas avares de calembours) au visage presque entièrement desséché. Les yeux de la Femme indomptée roulaient sans arrêt dans leurs orbites. Elle dit faiblement d'une voix rauque:

— Je veux mourir.

Plus tard, au cours d'une séance de psychodrame, Georgette comprit que cette Femme indomptée momifiée représentait un aspect de la personnalité de la mère présente dans ses rêves récurrents. Quand elle demanda au personnage de la mère pourquoi elle se prostituait ainsi, la mère, gonflée de remords, admit qu'elle se sentait incapable d'aider sa fille et qu'elle ne voyait pas d'autre solution, pour survivre, que la prostitution et la gérance de son lupanar. La mère dit tristement qu'elle regrettait d'agir ainsi envers sa fille et envers elle-même, mais elle se dit «trop faible et incapable de changer». Elle se sentait épuisée et coupable, et l'angoisse de devoir souffrir toutes deux dans un pareil enfer mettait ses nerfs à vif. En raison de la violence qu'elle avait ainsi imposée à son âme et à celle de sa fille, elle avait envie de mourir, elle priait pour qu'on l'enterre. Georgette sut qu'elle devait symboliquement ensevelir sa mère pour parvenir à s'affranchir de la Mère indomptée intériorisée qui l'inhibait.

Les filles élevées par des mères inconsciemment troublées ou furieuses, tout en se sentant aimées (comme c'était le cas de Georgette), ont fréquemment des rêves de Femmes indomptées. Dans ces rêves, les Mères indomptées prennent parfois l'apparence de sorcières qui attentent à la vie de leur fille ou cherchent à les emprisonner, comme la sorcière dans *Hansel et Gretel*, ou encore elles sont froides et distantes. Il arrive que le côté fou de la Sainte Mère prenne l'aspect d'une bête fauve, comme le loup du *Petit Chaperon rouge*. Il se peut que la fille doive tuer et ensevelir la fureur intériorisée et le ressentiment qu'elle partage avec sa mère, pour s'affranchir et devenir autonome. Les romanciers, les poètes et les artistes de toutes disciplines s'affranchissent souvent ainsi dans leur œuvre en extériorisant par l'écriture, la peinture ou la danse les personnages que doit chasser la psyché. Bien qu'une fille ne puisse pas toujours avoir une confrontation féconde avec sa mère (celle-ci est parfois incapable de l'écouter ou de comprendre le point de vue de sa fille, ou bien elle est trop malade, ou bien elle est décédée), elle peut néanmoins affronter sa Mère indomptée intérieure, déceler les émotions néfastes qui s'efforcent de la dominer et décider en toute conscience de l'attitude à adopter.

Georgette s'est libérée de sa Mère indomptée en s'intéressant à ses rêves, en devenant plus consciente de son corps et des manifestations physiques de ses sentiments, en apprenant à composer avec ses émotions par les techniques d'imagination active et dans le contexte thérapeutique rassurant des séances de psychodrame auxquelles elle a participé. Grâce à ces psychodrames et avec l'aide des thérapeutes présents, Georgette fut en mesure de pardonner à la Mère indomptée momifiée de ses rêves et de faire en sorte que cette représentation psychique meure et soit enterrée. Aidée de ses thérapeutes, Georgette put faire mourir la fille malade et indomptée de ses rêves récurrents et lui donner une sépulture. Les morts symboliques délivrèrent Georgette de l'énergie négative que dégageaient ces figures intériorisées et la firent renaître, munie cette fois d'une plus grande force féminine et d'un plus grand respect d'elle-même. Sur le plan des émotions, Georgette éprouva un vaste soulagement et, dans son corps, une sorte de transfert d'énergie. Elle dit avoir eu l'impression que la honte et la fureur s'étaient tout ce temps logées dans son abdomen, comme une tumeur qui n'aboutit pas. Avec sa guérison, l'énergie retenue prisonnière fut libérée et put être mise à profit. Cette nouvelle énergie permit à Georgette, lors de séances ultérieures de psychodrame, de vaincre la colère qu'elle éprouvait à l'endroit de son père et de se réconcilier avec lui avant sa mort.

À la fin de son secondaire, Georgette avait quitté son malheureux et conflictuel domicile familial pour entrer en retraite et travailler avec des femmes indépendantes, fortes, énergiques et affectueuses, des femmes d'une grande spiritualité. Devenues ses guides et les modèles maternels qui lui avaient tant fait défaut, elles lui transmirent leur sagesse féminine et leur autonomie. Georgette considérait une de ces femmes, Sarah, comme sa «mère adoptive». Sarah, qui appréciait la nature artistique et mystique de Georgette, aida cette dernière à découvrir la Femme indomptée en elle, à la fois apte à hurler à la lune et à s'extasier de plaisir devant la beauté des fleurs du jardin.

— Si tu te possèdes toi-même, disait-elle souvent à Georgette, tu as tout ce qu'il te faut.

Georgette avoua que:

— À ce jour, à la seule pensée de Sarah je m'illumine. Sa folie était un exemple d'amour et d'éveil à l'extase.

L'aide de Sarah et d'autres femmes permit à Georgette d'intégrer une mère aimante et courageuse qui prit la place de sa néfaste Mère indomptée et qui lui fit apprécier l'aspect spirituel de la fureur. Georgette explique ceci en ces termes:

— Quand je permets à ma folie d'enrichir ma créativité, je deviens indépendante et indifférente à la critique. Je jouis de l'énergie qui monte vers moi de la terre. J'apprécie les orages de la nature, les éclairs qui zèbrent le ciel, et je m'ouvre à cette énergie. Grâce à ma fureur, j'approche de l'extase spirituelle. Je comprends maintenant que mon côté fou est aussi ce qui me donne une conscience spirituelle. La nature est ma «Bonne mère».

Vers l'âge de vingt ans, Georgette copia les erreurs de sa mère en épousant un homme aussi dominateur que son père l'avait été. Elle eut un fils. Elle constata très tôt le dysfonctionnement de son mariage et entreprit des études qui, en lui assurant son autonomie professionnelle, lui permettraient de divorcer. Elle s'efforça plus tard d'éviter, dans sa famille monoparentale, les erreurs que sa mère avait commises à son endroit. Elle offrit à son fils une ambiance affectueuse et rassurante, et un excellent milieu social, elle partagea avec lui son amour de la nature, elle participa avec lui à des jeux imaginatifs. Dans les premières années de son adolescence, alors qu'il traversait une phase de conflits et de dépression, Georgette lui prêta une oreille attentive et lui parla ouvertement, sans se mettre sur la défensive. Elle lui fit part de la souffrance inhérente à la vie de tous les héros, elle lui raconta l'histoire de la Quête du Graal, et il trouva un réconfort à sa solitude dans cette légende mythique universelle. Elle lui relata aussi son propre passé de confusion et sa propre quête spirituelle.

Georgette fut ainsi en mesure de métamorphoser l'héritage de fureur que lui avaient transmis sa mère et sa grand-mère. De sa quête intérieure naquit un sentiment d'empathie pour sa mère, qui mit fin aux reproches qu'elle lui avait adressés et à la perpétuation de son rôle de victime. Aujourd'hui, malgré les différences qui les caractérisent, elles peuvent se parler et se comprendre. Pour qu'une fille de notre époque puisse apprendre à identifier le type de fureur que lui a transmise sa mère et découvrir la manière dont elle en a été affectée, elle doit dépasser le stade de l'identification et du blâme et transformer les réflexes qui orientent sa vie. Une femme qui prend conscience de la Femme indomptée en elle peut mieux orienter son énergie vers des actes positifs tels que l'affirmation de soi, l'art d'être une bonne mère, et l'engagement social favorisant l'épanouissement des femmes. Seulement ainsi pourra-t-elle mettre fin à une chaîne de destruction et de comportements débilitants et empêcher que ces comportements soient repris par sa fille ou par les membres des générations à venir. Dans les chapitres subséquents, nous verrons que la Sainte Mère (ou la Mère trop bonne) est de nouveau présente dans les modèles de comportement de l'Oiseau en cage et de la Muse, deux rôles qui peuvent conduire les femmes à se comporter en victimes passives. Nous y apprendrons aussi à démasquer la Femme indomptée que cachent ces rôles afin de nous en affranchir et d'enrichir notre vie.

LA REINE DES NEIGES

Une des mères les plus indomptées est la Reine des Neiges, une femme arrogante et assoiffée de pouvoir qui souvent souffre d'un complexe d'infériorité. Bien que secrètement en manque de chaleur émotive, elle repousse les avances affectueuses des autres avec froideur. La Reine des Neiges s'enferme en elle-même, rejette et abandonne autrui. Elle fige parfois dans une attitude de supériorité rationnelle, accordant une importance capitale à l'ordre, à la propreté et à la perfection. Si ses filles ne manifestent pas la même discipline et le même souci de perfection, la Reine des Neiges les punit souvent par des remarques acides et méchantes qui les humilient et les mortifient. Une Reine des Neiges combat les bons sentiments, car les émotions affectueuses et enveloppantes des autres lui font peur ou envie. Dans la description qu'en faisait une femme, sa mère lui assenait des remarques glaciales dès qu'elle se montrait expansive, enthousiaste ou heureuse, la ramenant ainsi sur terre et à ses «responsabilités». La Reine des Neiges est mal à l'aise devant toute expression de générosité ou lorsqu'on lui offre des cadeaux, rendant souvent ceux-ci à la personne qui les lui offre avec une remarque désobligeante, comme si elle lui enfonçait une épingle dans le cœur. Elle veut être entendue, mais elle ne tient pas à entendre les autres, elle ne veut surtout pas entendre parler de leurs sentiments, et elle mettra souvent fin à ce genre de conversation. Mais quand la Reine des Neiges est prête pour l'interaction, elle exige une attention complète et immédiate.

Lorsque les filles de Reines des Neiges ne reçoivent pas d'autre affection et sont déjà glacées par la froideur maternelle, elles deviennent parfois à leur tour des Reines des Neiges. Sachant que le peu de chaleur que daignait leur donner leur mère avait son prix, elles ont souvent du mal à accepter d'être aimées et sont persuadées que ces sentiments cachent une arrière-pensée. La fille d'une Reine des Neiges qui reproduit le comportement maternel souhaite souvent être aimée et adorée par ses amis et ses amants, mais elle ne peut les aimer en retour. D'autres, cherchant à faire fondre l'ambiance de froideur héritée de leur mère, aspirent à l'affection qu'elles n'ont jamais reçue et deviennent exagérément dépendantes, toujours à la recherche de l'affection maternelle qui leur a été refusée.

La Reine des Neiges est très autoritaire et souvent ambitieuse. Elle est souvent une manipulatrice très habile qui obtient facilement ce qu'elle désire. Puisqu'elle est en outre impénétrable et froide, elle est plus apte à user de stratégies qui la mettent en évidence que ses sœurs plus sensibles. Souvent très avisée et habile, elle sait se débrouiller dans la vie et gravir les bons échelons. Elle n'est jamais prise au dépourvu.

Le cinéma est rempli de Reines des Neiges. De nombreux personnages incarnés par Bette Davis et Joan Crawford dans les films hollywoodiens des années quarante et cinquante sont des Reines des Neiges, souvent de jeunes new-yorkaises riches et ambitieuses. La mère, dans le film produit en 1980, *Des gens comme les autres*, et le rôle tenu par Glenn Close dans *Liaisons dangereuses* en sont d'autres exemples. Les femmes fortunées deviennent souvent des Reines des Neiges. Des joyaux métalliques ceignent leur cou et leurs poignets comme des armures; des signes de dollars scintillent dans leurs yeux. Se rendant parfois compte que l'argent ne leur apporte pas l'amour dont elles ont besoin, il arrive qu'elles sombrent dans l'hébétude de l'alcool ou des drogues pour échapper à leurs émotions. Le film *Le Mystère Von Bulow*, basé sur un fait réel, dépeint la tragédie que cache l'attitude glaciale d'une épouse et mère que l'oubli dans l'alcool et les drogues conduit au coma. Mais même dans le coma, elle domine son entourage.

Les femmes qui, blessées par la culture patriarcale, deviennent des Reines des Neiges, sont représentées dans le film de Rainer Werner Fassbinder, *Le Mariage de Maria Braun*. Juste avant la guerre, la jeune Allemande Maria épouse Hermann, l'homme qu'elle aime. Lui parti à la guerre, elle survit tant bien que mal. Quand la guerre prend fin et qu'il ne revient pas, elle le croit mort. Elle a une aventure avec Bill, un Noir affectueux et doux. Un jour, Hermann rentre chez lui à l'improviste pour trouver Maria et Bill en train de faire l'amour. Dans la lutte et le désordre qui s'ensuivent, Maria tue Bill accidentellement. Hermann insiste pour se livrer à la place de sa femme et il est emprisonné. Toujours amoureuse d'Hermann, Maria attend sa libération, mais elle est devenue cynique et indomptée, elle en a assez de vivre dans la pauvreté, et elle aspire à une carrière dans les affaires. Elle commence à manipuler les hommes sexuellement pour promouvoir sa carrière et pour acquérir argent et pouvoir. Elle obéit aux règles du monde des hommes, elle devient une froide opportuniste et, au faîte de son succès, c'est elle qui devient le pouvoir occulte d'une vaste société sans scrupule. Maîtresse du grand patron, Oswald, elle tient les rênes de leur relation. Elle ignore toutefois que, dans son dos, Hermann et Oswald ont conclu un marché: Hermann lui laisse la voie libre jusqu'à sa mort. À la mort d'Oswald, Hermann héritera de la moitié de sa fortune. Ainsi, Maria qui croit tenir les rênes du pouvoir est en réalité le pion des deux hommes.

Pendant son ascension, comme beaucoup de Reines des Neiges Marie a utilisé le système patriarcal à ses propres fins sans le remettre en question. Sa soif de pouvoir et de richesse matérielle équivaut à une trahison spirituelle. Elle fume comme une cheminée, ce qui symbolise sa contribution à la pollution. Au retour d'Hermann, sa découverte de l'entente secrète qui lie les deux hommes la jette dans un désarroi profond. Se sentant trahie, incapable de renoncer à ses acquis par amour, elle provoque «accidentellement» l'explosion de sa maison en oubliant, quand elle allume sa cigarette, qu'elle a ouvert le gaz (symbole de son éloignement glacial des autres). La maison qui explose montre combien peut être destructrice l'énergie inconsciente de la Femme indomptée et combien un motif peut vite devenir son contraire. Dans ce cas-ci, les sentiments figés de la Reine des Neiges explosent avec la violence du Dragon. Ce film est non seulement une représentation symbolique d'une femme qui, devenue Reine des Neiges, n'en est pas moins victime de l'autorité patriarcale, mais aussi de toute la nation allemande, que le perfectionnisme glacé a conduit au bord de la destruction.

La profondeur et la violence de la fureur que peut transmettre une Reine des Neiges à sa fille est évidente dans le rêve qui suit, relaté par Irène:

> Je passe devant une maison et je regarde par la fenêtre de la cuisine. J'y aperçois une femme qui bouge comme un robot. Elle me rappelle ma mère. Je deviens un monstre. Je suis faite de bois et je ressemble à un ver. Dotée d'une force surhumaine, je lutte avec la femme-robot, je la jette par terre et je l'étrangle. Elle se métamorphose en un enchevêtrement de fil de fer. J'enfonce violemment ce fil de fer dans mon vagin.

La mère d'Irène était une Reine des Neiges indomptée qui menait sa maisonnée avec la poigne et la discipline d'un sergent d'infanterie, et ne cessait de critiquer sa fille. Perfectionniste, la mère contrôlait aussi sa famille par le biais de son rapport à la nourriture. Le résultat fut qu'Irène souffrit d'un déséquilibre alimentaire. Le personnage de la mère robot dans sa cuisine expose le contrôle exercé chez Irène sur la nourriture. Plus tard, Irène fit la connaissance d'une autre Reine des Neiges, une enseignante, célèbre Reine des Neiges du monde de la danse. Elle était froide et perfectionniste jusqu'à la brutalité, exigeant que ses danseuses soient filiformes à l'extrême (d'où le lien d'Irène avec la «mère fil de fer»). Lorsque, dans le rêve, la fille devient à son tour une Femme indomptée qui étrangle sa mère, elle se blesse par la même occasion en enfonçant la «mère fil de fer» dans son vagin. Ce geste symbolise l'atteinte à sa sexualité féminine et un sentiment destructeur face à son aptitude, en tant que femme, à donner la vie. Écrivain douée d'une vive imagination, Irène ne parvenait pas à faire publier ses œuvres. Il est souvent difficile, pour les femmes qui ont dû subir la critique d'une Reine des Neiges, de reconnaître la valeur intrinsèque et extrinsèque de leur travail créateur.

LA FROIDE SERVITUDE DE LA DOULEUR: *SONATE D'AUTOMNE*

Le film *Sonate d'Automne,* d'Ingmar Bergman, que nous allons aborder en détail ci-après, dépeint une douloureuse confrontation entre deux Femmes indomptées, la mère et la fille. On y découvre la relation complexe et difficile qui peut conduire les femmes à une certaine forme de folie qui les blesse toutes deux. Dans les mots d'Eva:

> Mère et fille: quelle terrible mélange d'émotions, de confusion et de destruction! Tout est possible, tout est fait au nom de l'amour et de la sollicitude. La mère lègue ses blessures à sa fille qui doit payer pour les déceptions qu'elle a subies, le malheur de la mère devient le malheur de la fille. Comme si elles ne coupaient jamais le cordon ombilical. La mère triomphe devant l'infortune de sa fille et son chagrin lui procure une joie secrète[2].

Charlotte, la mère, est une Reine des Neiges aux sentiments gelés et la fille, Eva, se croit indigne d'amour. Cette réaction est typique des filles de Reines des Neiges. Eva est persuadée qu'elle ne sait pas vraiment qui elle est et qu'elle ne saurait courir le risque de le découvrir. Parce qu'elle se croit indigne d'être aimée, elle craint de déceler ainsi en elle une terrible tare. Si seulement quelqu'un pouvait l'aimer vraiment, se dit-elle, elle oserait peut-être se regarder en face. Eva est incapable de voir que son mari l'aime vraiment; ne croyant pas à son amour, elle ne peut le lui rendre. Elle est pour lui la Reine des Neiges que sa mère fut pour elle. Eva n'a jamais aimé totalement qu'un seul être, son fils, mort en bas âge. Elle espère encore en secret être aimée aussi entièrement par sa mère, mais elle lui en veut aussi amèrement pour le détachement et le blâme qu'elle lui a infligés quand elle était petite. Minée presque toute sa vie par une telle colère et une telle confusion, Eva a accusé sa mère de les avoir abandonnées, elle et sa sœur Helena qui souffre d'une maladie de dégénérescence, et de leur avoir préféré sa carrière de pianiste de concert.

Eva invite sa mère à lui rendre visite, dans l'espoir conscient d'une réconciliation. Mais Eva a aussi fait en sorte qu'Helena soit présente, sans en prévenir sa mère. Charlotte se culpabilise de la relation qu'elle a eue avec ses filles et elle refuse de regarder ses sentiments en face. Elle aussi souhaite se rapprocher d'Eva, mais elle ne sait pas lui parler et refuse la souffrance que supposerait un tel examen de conscience. Charlotte est seule, bouleversée par la mort récente de son mari, et elle n'a pas vu sa fille Eva depuis sept ans, depuis qu'elle effectue des tournées de concert. Pendant cette période, elle a souffert d'une dépression nerveuse qu'elle a cachée à sa fille.

Peu après l'arrivée de sa mère, Eva ne peut plus retenir sa colère d'avoir été autant blessée par sa froide indifférence. Tandis qu'Eva acquiesce à sa demande et joue du piano, elle est consciente de sa condescendance: elle a mis trop d'émotion dans son jeu, dira enfin sa mère; Chopin requiert une sensibilité plus retenue.

Prévenue de la présence à la maison de sa fille malade Helena, Charlotte en est agacée mais joue son rôle de mère, tout sourire et amabilité. Charlotte souffre, à la fois de voir sa fille malade et parce qu'elle se sent coupable de l'avoir confiée à une institution. Mais ses larmes sont figées et elle s'efforce de les dissimuler en revêtant une pétillante robe rouge et en décidant d'avancer son départ. L'amertume d'Eva commence à se manifester. Elle songe: «Cesse-t-on jamais d'être mère et fille? C'est comme si un fantôme vous tombait dessus de tout son poids quand vous ouvrez la porte de la chambre où vous dormiez quand vous étiez petite, en oubliant qu'il s'agit *en effet* de la porte de la chambre où vous dormiez quand vous étiez petite[3].»

Confuse et incapable de parler ou d'exprimer ses sentiments, Eva ressemble à de nombreuses autres filles de Reines des Neiges. Charlotte n'a jamais supporté les larmes et elle a conservé ses distances par rapport à Eva en dissimulant toujours ses sentiments sous le vernis de la tolérance souriante. Pour être en mesure d'affronter sa mère, Eva boit à l'excès, puis la vérité lui échappe de but en blanc, cette vérité qu'elle a toujours crainte et qu'elle a toujours eu honte d'avouer à Charlotte. Eva avoue s'être toujours sentie laide et maladroite, répugnante même, aux yeux de sa grande et belle mère au port de reine, et avoir pleuré en cachette parce qu'elle savait combien les larmes lui répugnaient. Eva avait toujours été réduite au silence devant cette femme détachée et sûre d'elle, même lorsque celle-ci daignait lui adresser la parole. Eva s'efforce de lui faire comprendre ce que signifiait avoir une mère aussi distante et sûre d'elle qui jouait de temps en temps avec sa fille comme avec une poupée.

> J'avais les joues en feu et je me mis à transpirer, mais je ne pouvais rien dire, je n'avais plus de mots, car chez nous, tu t'étais approprié tous nos mots. Je t'aimais, c'était une question de vie ou de mort, du moins le croyais-je, mais je me méfiais de tes mots. Je savais d'instinct que tu n'étais pour ainsi dire jamais sincère. Tu as une si jolie voix. Maman… je ne comprenais pas ce que tu disais; tes mots ne s'accordaient

> pas à tes intonations ni à l'expression de tes yeux. Le pire, c'est que tu souriais quans tu étais en colère. Quand tu détestais papa, tu l'appelais «mon très cher ami», et quand tu en avais assez de moi tu disais: «ma petite chérie». Ça ne marchait pas[4].

Eva poursuit en disant que, petite, elle aimait sa mère et était persuadée d'avoir toujours tort tandis que Charlotte avait toujours raison, piètre estime de soi dont héritent souvent les filles de Reines des Neiges. Charlotte n'a jamais ouvertement critiqué sa fille, mais par ses insinuations elle lui a toujours fait sentir ses torts. Par conséquent, ose-t-elle maintenant dire à sa mère, elle avait l'impression de n'avoir aucune identité propre.

> J'étais paralysée, mais il y a une chose que je comprenais à la perfection: il n'y avait rien en moi, pas le plus petit atome, qui soit digne d'être aimé ou simplement accepté. Tu étais obsédée, j'avais de plus en plus peur, j'étais de plus en plus écrasée. Je ne savais plus qui j'étais, car je m'efforçais toujours de te plaire. Je devins une pauvre marionnette entre tes doigts. Je disais ce que tu voulais entendre, j'imitais tes gestes et tes attitudes pour que tu m'approuves. Je n'osais pas être moi-même une seconde, même quand j'étais seule, car je détestais avec violence tout ce qui était moi[5].

C'était un cauchemar, avoue Eva, car elle croyait qu'il y avait de l'amour entre elles, et elle ne se rendait pas compte à quel point elle haïssait sa mère. Sa haine inconsciente se transforma en une terreur épouvantable qui se manifesta dans des cauchemars et dans l'habitude qu'elle prit de se tirer les cheveux et de se ronger les ongles. Parce qu'elle était incapable de crier son désespoir et d'exprimer ses sentiments, Charlotte envoya sa fille consulter un psychiatre. Eva accuse maintenant sa mère d'avoir provoqué une rupture amoureuse et de l'avoir persuadée de se faire avorter en feignant de se montrer compatissante. Elle la blâme d'avoir voulu la posséder tout en l'ayant abandonnée.

Sous le choc, Charlotte demande à Eva pourquoi elle ne lui a jamais rien dit. La rage refoulée d'Eva surgit enfin. Elle dévoile à sa mère la perception qu'elle a d'elle. Elle la hait:

Parce que tu n'écoutes jamais. Parce que tu te défiles tout le temps, c'est connu, parce que tu es handicapée émotionnellement, parce qu'en réalité tu me détestes et tu détestes Helena, parce que tu es désespérément repliée sur toi-même, parce tu ne t'intéresses qu'à toi, parce que tu m'as portée dans ton sein glacé et que tu m'as poussée dehors avec dégoût, parce que je t'aimais, parce que pour toi j'étais dégoûtante et stupide et que je ne valais rien. Et tu es parvenue à me blesser à jamais comme tu es blessée toi-même. Tu as meurtri tout ce que j'avais de sensible et de délicat, tu t'es efforcée d'étouffer tout ce que j'avais en moi de vivant. Tu parles de ma haine. Ta haine n'était pas moins grande. *Ta haine n'est pas moins grande.* J'étais petite et influençable et affectueuse. Tu m'as attachée, tu voulais mon amour comme tu voulais l'amour de tout le monde. J'étais à ta merci. Tout avait lieu au nom de l'amour. Tu insistais, tu disais nous aimer, moi, papa et Helena. Les intonations et les gestes de l'amour n'avaient pas de secret pour toi. Les gens comme toi... les gens comme toi sont des dangers publics, on devrait les enfermer pour qu'ils ne fassent de mal à personne... Nous avons vécu sous ta loi, en récoltant tes maigres petites marques d'affection. Nous pensions que la vie était ainsi faite. Un enfant, c'est toujours vulnérable, ça ne comprend pas, c'est impuissant. Ça ne comprend pas, ça ne sait pas, et personne ne dit rien. Ça dépend des autres, c'est humilié, et puis il y a cette distance, cette muraille infranchissable. L'enfant appelle, personne ne répond, personne ne vient. Tu ne vois donc pas[6]?

Eva exprime la rage que ressent une fille face au détachement, au rejet et à l'humiliation que lui fait subir une Reine des Neiges. Quand la fille appelle, personne ne répond; ainsi, elle est la plupart du temps réduite au silence. Cette incapacité à exprimer ses émotions, à les articuler, sont habituellement transmises de mère en fille. Parfois, la Reine des Neiges s'est enfermée en elle-même en réaction à un Dragon, une mère qui étouffe ses filles sous tant d'émotion et de force que la seule survie possible réside dans la fuite et le retrait. Ou encore, comme c'est le cas pour Charlotte, la fille reproduit l'attitude de sa mère à elle, une Reine des Neiges qui ne s'est jamais montrée affectueuse ou attentionnée avec ses filles. Les parents de Charlotte avaient été des mathématiciens, entièrement absorbés l'un par l'autre et par leur travail. Aimables envers leurs enfants, ils s'en étaient néanmoins désintéressés. Charlotte ne se souvenait pas d'avoir jamais été touchée par ses parents. Elle n'avait jamais été caressée, jamais punie. Le sentiment qui l'habitait lorsqu'elle jouait du piano était le seul déversoir de ses émotions. Elle savait que son jeu pouvait rendre heureux les gens qui l'écoutaient, mais elle était néanmoins isolée, retranchée du monde. Elle s'était sentie «rejetée par le corps de ma mère, qui se referma aussitôt et se tourna vers mon père. Je n'existais pas[7]». Parce qu'elle ne sut pas fouiller en elle pour reconnaître ses blessures et leur trouver un remède, Charlotte transmit la fureur de la Reine des Neiges à ses propres enfants.

Charlotte s'efforce de se justifier auprès d'Eva. Elle avoue avoir eu des remords de conscience à quitter sa famille et avoir souffert d'insoutenables maux de dos qui l'empêchaient de s'asseoir au piano. Sa carrière périclitant, elle eut le sentiment que la vie ne valait pas la peine d'être vécue. Elle voulut passer quelque temps avec sa famille, mais elle sentait qu'elle était un poids pour Eva et son père. Charlotte avoua à sa fille qu'elle croyait ne pas être une bonne mère, qu'elle en tomba malade quelques années auparavant, puis qu'elle en fit une dépression nerveuse. Surprise par ses propres révélations, elle déclara à Eva qu'elle avait au fond eu peur de sa fille et de ses exigences. Charlotte avait même voulu qu'Eva la réconforte et s'occupe d'elle. Elle avait souhaité que sa fille l'entoure de ses bras. Se sentant elle-même handicapée et maladroite, Charlotte était trop impuissante et trop craintive pour jouer adéquatement son rôle de mère. Sa fille lui avait toujours paru être, des deux, la plus forte. Charlotte supplia alors Eva de lui pardonner et de lui apprendre à communiquer avec elle.

Eva est cependant incapable d'accepter ses justifications et continue de l'accuser, prétextant que les enfants ne sont pas censés s'occuper de leur mère. Refusant de lui pardonner de l'avoir abandonnée avec Helena, Eva hausse le ton, sa voix réveille Helena qui appelle sa mère. Eva et Charlotte se précipitent auprès d'elle, mais Helena réclame les bras de sa mère. Charlotte pose alors sa tête sur les genoux d'Helena, comme si elle demandait à sa fille malade de la guérir.

Charlotte veut fuir à tout prix. Elle ne supporte pas la souffrance de sa fille malade et se demande comment Helena parvient à vivre avec sa maladie. Elle se dit qu'Helena serait mieux morte. Elle ne supporte pas davantage la confrontation avec Eva. Après son départ, Charlotte s'avoue à elle-même son isolement et sa nostalgie de la maison. Elle comprend qu'elle souhaite quelque chose de plus. Mais elle est incapable de regarder plus loin au fond d'elle-même. Elle avoue sa dépression, mais elle continue de la pousser de côté en songeant: «Je n'ai que faire de la connaissance de soi. Je n'ai qu'à m'en passer[8].»

Eva reconnaît avoir chassé sa mère. Elle voit bien que Charlotte a peur, qu'elle est fatiguée et vieillie. Maintenant seule, Eva pleure son deuil et se rend sur la tombe d'Eric, son fils mort, pour y trouver du réconfort. Elle ne dort pas et souffre d'avoir trop espéré de sa rencontre avec sa mère. Au lieu d'affection, elle l'a accablée d'exigences. Elle se dit que, tout en étant malade, Helena a su aimer sa mère tandis qu'elle, Eva, s'est accrochée à son amertume en gardant Charlotte à distance. Sentant qu'elle a été injuste, Eva écrit à Charlotte pour lui faire part de cette découverte et pour demander qu'elle lui accorde une dernière chance. La fille a appris que le plus important est «...d'éprouver malgré tout une sorte de pitié. Je veux dire, cette chance inouïe qu'ont deux êtres de pouvoir s'entraider et s'exprimer de l'affection[9].» Sachant que sa lettre ne parviendra sans doute jamais à sa mère, ou que Charlotte ne la lira peut-être jamais, Eva se jure de ne jamais renoncer à tenter de toucher sa mère. Elle a découvert que l'amour est la seule chance que nous ayons sur terre de transformer et de sauver l'humanité.

Eva finira par être en mesure de métamorphoser sa colère en compassion, car elle est capable de se détacher de la Reine des Neiges. Elle cesse d'être la victime de sa mère lorsqu'elle parvient à lui pardonner. Mais pour y parvenir, elle doit d'abord traverser toute sa douleur et la rage que lui inspire sa mère. Elle doit connaître le chaos et la confusion, s'enfoncer dans un fol désespoir et exprimer ce désespoir. Dans ce cas-ci, Eva avoue son désespoir à une mère incapable de supporter la souffrance et la prise de conscience requises pour que la métamorphose ait lieu. La fureur de la mère reste figée. Incapable de regarder au fond d'elle-même, elle ne peut pas changer.

LA FILLE D'UNE REINE DES NEIGES: L'HISTOIRE DE VIRGINIE

Le personnage de Charlotte ressemble à la mère adoptive de Virginie, une de mes patientes. La mère de Virginie est une Reine des Neiges, distante depuis toujours et condescendante à l'égard des enthousiasmes et des émotions de sa jeune fille, une femme qui reproduit le refoulement, les jugements critiques et le rejet de sa propre mère. Elle ne faisait jamais part librement de ses expériences dans le but d'aider sa fille à développer sa féminité. Au contraire, elle lui reprochait de réclamer son attention, pourtant, si Virginie déclarait être bonne à rien ou se sentir inférieure, sa mère lui manifestait de l'empathie, l'encourageant de la sorte à son insu dans sa faiblesse et sa dépendance.

Lorsque Virginie, assoiffée d'amour, trouva dans le sexe un substitut à l'affection qu'elle ne recevait pas de sa mère, celle-ci la jugea immorale. Elle n'en goûtait pas moins les récits que lui faisait sa fille de ses aventures érotiques, ce qui avait pour effet d'inciter celle-ci à «vivre la vie de sa mère». Virginie assumait la sexualité refoulée, l'ombre de sa mère, ce qui explique le dégoût de cette dernière pour la promiscuité de Virginie. Ce message double confondit Virginie et lui donna l'impression à la fois de devenir folle et d'être la victime de ses obsessions sexuelles. Elle comprit qu'elle souffrait d'une dépendance néfaste et se joignit à un groupe de thérapie où on lui témoigna une affection sans complaisance qui lui permit d'analyser son problème. Quelque temps après, elle sentit que son obsession s'atténuait, elle tomba amoureuse d'un homme et put s'engager dans une relation stable avec lui.

Lorsque Virginie, retrouvant son équilibre, fut en mesure de s'engager avec un homme, sa mère cessa de répondre à ses lettres. Elle était sèche et réservée au téléphone, se contentant de parler de sa «bonne fille», la sœur cadette de Virginie, également adoptée et vivant encore avec sa mère. Bien entendu, elle insinuait par là que Virginie était une «mauvaise fille». Lorsque Virginie se maria, sa mère refusa de lui rendre visite. Elle rompit enfin complètement avec elle en lui demandant de ne plus jamais lui écrire ou venir la voir.

Heureusement, Virginie était en bonne voie de guérison quand elle essuya ce rejet. Ses rêves l'avaient du reste abondamment prévenue. Elle avait rêvé que sa mère la conduisait vers une rivière à moitié gelée et qu'elle lui ordonnait de la traverser toute seule pour atteindre l'autre rive. Après avoir traversé le torrent glacial, Virginie se vit aux enfers, entourée d'hommes lubriques qui cherchaient tous à la séduire. Le frère de sa mère, symbole du côté masculin et séduisant de cette dernière, la poussait à se joindre à leur groupe. Virginie ne comprit pas tout de suite le sens de ce rêve, car, dans les faits, elle aimait bien son oncle.

Virginie rêva aussi à plusieurs reprises que sa mère était morte en la déshéritant. Tout au long de sa guérison, sa mère ne répondit pas à ses lettres et Virginie eut des rêves récurrents où elle la rejetait de mille et une façons. Dans ces rêves, sa mère était un personnage hautain, cinglant, condescendant, arrogant et autoritaire, qui lui présentait souvent sa sœur comme un modèle de vertu et d'obéissance. Lorsque, dans ses rêves, Virginie cherchait à écrire ou à rendre visite à sa mère, sa jeune sœur interceptait ses lettres, filtrait ses appels ou lui disait que leur mère n'était pas à la maison. Parfois encore, elle téléphonait sans jamais obtenir de réponse.

La mère rêvée de Virginie lui apparaissait souvent dans un climat froid. Un jour, elle jeta un bouquet d'iris dans la neige devant la porte de Virginie. Les fleurs restèrent sur les marches glacées, fanées comme un journal mouillé, à moitié gelées. Dans un autre rêve, elle humilia Virginie devant sa «bonne fille». Dans un autre rêve encore, elle s'adressa à Virginie comme si elle était une malade mentale, lui disant qu'elle était seule à décider si oui ou non elle lui prodiguerait des soins. Dans ce rêve-là, la mère était un personnage distant, froid et condescendant qui se réjouissait de la dépendance de Virginie. Ce rêve indiquait clairement que la mère de Virginie aurait préféré que sa fille soit malade.

Par certains côtés, Virginie avait l'impression de ne jamais avoir eu de mère, l'impression que leur relation n'avait jamais existé. Comment avait-elle pu venir au monde? Puis elle rêva qu'elle devait faire un dernier effort pour rejoindre sa mère et se réconcilier avec elle. Mais elle n'était pas certaine de devoir le faire. Dans son rêve, elle consulta une amie, une personne pleine de bon sens qui était aussi psychothérapeute. Cette amie lui dit (en rêve) que son rêve essayait de lui dire de renoncer aux tentatives de rapprochement avec la mère qui la rejetait, et de se concentrer sur le développement de sa mère intérieure. À la fin du rêve, Virginie rencontre une thérapeute célèbre, ayant écrit de nombreux ouvrages sur la métamorphose féminine. La thérapeute dit savoir qui était Virginie, et qu'elle aurait aimé pouvoir la connaître mieux. À la fin de son rêve, Virginie se promène dans la forêt avec sa vieille et sage amie, heureuse de se trouver en compagnie d'une personne aussi amoureuse de la vie. Les deux guérisseuses du rêve de Virginie, soit la thérapeute plus âgée, de la génération de sa mère, et l'amie chaleureuse de son âge, sont les symboles du côté féminin de Virginie.

Virginie eut un dernier rêve de Reine des Neiges, dans lequel elle trouva sans l'ombre d'un doute la confirmation de sa capacité à prendre soin d'elle-même, aptitude qui s'était épanouie en elle.

> D'un geste glacial et souverain, la femme que j'aime tendrement comme ma mère me chasse de son royaume. Ainsi bannie et bouleversée, je m'éloigne, et je dois escalader une haute colline verte très à pic. Des animaux primitifs et gigantesques pénètrent dans la clairière du fond de la forêt: ce sont des chevaux géants et des mammouths laineux de l'Ère glaciaire. Épouvantée, je m'éveille, ne sachant si je dois battre en retraite jusqu'au royaume du rejet ou affronter les fauves millénaires et progresser vers une nouvelle vie. Je décide enfin d'aller de l'avant.

Se renseignant sur les mammouths, Virginie apprit qu'il s'agissait de bêtes gigantesques mais douces, particulièrement attachées à leurs rejetons. Cette image confirma Virginie dans sa certitude de pouvoir prendre soin d'elle-même. Elle était maintenant parfaitement consciente de son aptitude à se respecter et à respecter ses instincts.

LA GUÉRISON DE LA REINE DES NEIGES: UN CONTE DE FÉES

Pour guérir la Reine des Neiges, il faut que les émotions gelées puissent fondre. La nature offre une analogie à cette fonte: sur les grands glaciers, une bien maigre végétation parvient à survivre. Mais à mesure que les glaciers fondent, la vie réapparaît, les fleurs et les animaux renaissent. Si vous avez la chance de parcourir les fjords du Parc national de l'Alaska, vous verrez cela se produire sous vos yeux. En bordure du grand glacier, il n'y a que des rochers et des moellons. Puis, à mesure que vous vous éloignez de cette zone, une croûte noirâtre se forme, composée surtout d'algues. Plus loin, vous apercevrez des touffes de sphaignes, puis des épilobes et des buissons d'aulne et d'osier, et enfin de petits arbres, épinettes et sapins, qui, plus au sud, deviennent des forêts adultes. On peut ainsi voir la transformation graduelle, du roc nu à la revégétation, à mesure que l'on se déplace le long du fjord, de l'extrémité boréale du glacier jusqu'aux terres moins stériles.

Les Reines des Neiges et leurs filles peuvent trouver un encouragement dans ce processus naturel. Si elles parviennent à quitter la zone froide, le milieu glacial de la mère et les icebergs intériorisés qui se sont accumulés dans sa psyché, la vie renaîtra d'elle-même. Pour que le processus s'enclenche, une fonte spectaculaire doit souvent avoir lieu d'abord. Certaines femmes, captives du syndrome de la Reine des Neiges, s'efforcent de provoquer inconsciemment cette fonte par l'abus de l'alcool (eau de feu) ou par la promiscuité sexuelle, obsédées par la recherche d'une passion qui les laisse toujours sur leur faim. D'autres cherchent encore la chaleur et l'affection dans la nourriture, ou bien elles trouvent une compensation dans l'achat de beaux vêtements et en s'efforçant d'être séduisantes.

Ces recherches d'affection sont extérieures et souvent destructrices, de sorte qu'à long terme, elles n'apportent pas de satisfaction et n'entraînent pas de changement réel. La fonte productive, positive de la Reine des Neiges doit être le résultat d'une chaleur et d'un processus de guérison intérieurs et conscients. La Reine des Neiges doit accepter la souffrance et la blessure profonde qui lui ont donné naissance, et combattre la honte et le complexe d'infériorité qu'elle ressent en secret. Les larmes embarrassent la Reine des Neiges, car elle y voit de la faiblesse et de l'imperfection, aussi doit-elle en venir à admettre que pleurer du fond du cœur est ce qui peut faire fondre ses émotions gelées. Des larmes d'empathie pour elle-même et pour tous ceux qui sont prisonniers de ce froid peuvent réchauffer la Reine des Neiges. L'humour est aussi une voie vers la guérison, car elle doit apprendre à rire de ses imperfections et à ne pas se prendre au sérieux.

LA REINE DES NEIGES: UNE GUÉRISON

Dans les contes de fées, comme dans les rêves, chaque personnage peut être lu comme un aspect de nous-mêmes. *La Reine des Neiges,* un conte de Hans Christian Andersen, montre comment la Reine des Neiges blesse les autres, et ce qu'il faut pour que ces blessures guérissent. La Reine des Neiges du titre est une merveilleuse impératrice du Pôle Nord, qui vole sans cesse et ne vit pas sur terre. Faite de glace, elle peut vous congeler d'un regard. Kay, un jeune garçon dont les yeux et le cœur ont été crevés par les fragments d'un miroir du diable, devient méchant envers sa bonne amie Gerda. Puisque tout ce qu'il aperçoit lui semble laid, il tombe en fascination devant la perfection de la Reine des Neiges qui le fait prisonnier dans son palais de glace. On peut voir là le sens suivant: les femmes prisonnières du comportement de la Reine des Neiges sont comme des petits garçons gelés et retenus captifs sous l'armure glaciale d'une masculinité artificielle.

Pour sauver son ami, Gerda se rend au royaume de la Reine des Neiges, armée de sa seule spontanéité et de ses sentiments de bonté et d'affection. Parce qu'elle est vulnérable et large d'esprit, parce qu'elle écoute ce que dit la nature, gens, fleurs et animaux lui viennent en aide. Cette vulnérabilité est essentielle à la guérison des blessures que la Reine des Neiges inflige autour d'elle. Lorsque Gerda offre ses chaussures rouges préférées à la rivière en échange de son ami, elle montre qu'elle connaît la valeur de la vie et qu'elle est disposée à sacrifier quelque chose à l'amour. Le fait de sacrifier ses chaussures rouges peut signifier qu'elle renonce aux points de vue obsessifs et contraignants qui lui furent transmis de mère en fille, ainsi que l'exprime le poème d'Anne Sexton que j'ai mis en exergue au présent chapitre. C'est exactement ce que doit apprendre la Reine des Neiges aux sentiments pétrifiés, c'est-à-dire lâcher prise et se laisser porter par le courant de ses émotions. La position de pouvoir de la Reine des Neiges, là-haut sur son trône de glace, la maintient dans l'isolement et contraste tragiquement avec la vulnérabilité et l'innocence de l'enfant qui est en elle. Elle n'a plus accès à ce côté jeune et féminin d'elle-même, que Gerda représente dans le conte de fées.

La jeune héroïne voyage pieds nus, en symbole de son humilité et de son contact avec la terre. Le danger auquel elle fait face est que sa nature aimable, son besoin de plaire aux autres risquent de la détourner du but, elle peut être distraite par son amour du jeu, des choses belles et magiques, comme cela se produit lorsqu'elle est retenue au jardin d'une étrange vieille femme qui lui fait perdre la mémoire. La vieille femme, qui envie la gentillesse de Gerda, est en fait un autre aspect de la mère Reine des Neiges qui ne veut pas renoncer à sa fille tout en la rejetant. Pour ce faire, elle la séduira à force de beauté et d'amabilité factices, tout comme la mère dans *Sonate d'automne,* ou bien en accordant son attention à sa fille uniquement lorsque cette dernière est malade ou affligée d'un complexe d'infériorité, comme dans le cas de Virginie. Le côté possessif et dévoreur de la Reine des Neiges se dissimule souvent sous un masque de perfection, de sorte que la femme qui souhaite s'affranchir de la Reine des Neiges doit d'abord être prévenue que tout ce qui brille n'est pas or.

De chaudes larmes sont la grâce qui sauve Gerda. Elle pleure en cherchant des roses, symboles de son amour pour Kay, et ses larmes irriguent la terre, faisant de nouveau éclore les roses et lui rappelant qu'elle doit poursuivre sa route et le trouver. Ses larmes ne sont pas des larmes de victime, mais les larmes émouvantes de l'émotion normale qui parviendra à réchauffer la Reine des Neiges.

Les pieds de Gerda lui font mal et elle est fatiguée, mais elle ne renonce pas. C'est en renonçant que les femmes échouent à transformer la Reine des Neiges. Si vous voyagez dans une région froide et neigeuse et que vous vous arrêtez parce que vous êtes fatiguée, c'est alors que vous risquez de subir des engelures ou même de mourir de froid. Vous devez donc persévérer à la rencontre de la Reine des Neiges ou périr, en ignorant tout de la liberté qui vous attendait au bout de la route. Le risque de capituler, de se laisser paralyser par sa glaciale attitude est toujours présent. Pour mieux poursuivre votre route, vous devez parfois mettre fin à une relation destructrice, comme Virginie dut renoncer à sa relation obsessive avec sa mère Reine des Neiges pour mieux vivre sa vie. En quittant le royaume glacé de sa mère, elle rencontra les tendres mammouths laineux, symboles du gigantesque fond d'affection qu'elle portait en elle.

Dans le conte de fées, Gerda poursuit sa route et fait la rencontre d'un tas de personnages qui lui viennent en aide. Elle est aidée par un couple royal, qui l'invite à demeurer dans leur palais. Ils représentent son potentiel souverain, mais Gerda a encore un long chemin à parcourir pour y accéder. Elle accepte leur aide (un carrosse, de la nourriture, un chaud manchon) et reprend sa quête.

Sa rencontre avec une petite Voleuse symbolise la rencontre de son côté noir. Gerda est gentille, mais elle a besoin d'un peu de la ruse et de la finesse de la petite Voleuse pour parvenir à ses fins. Puisque la Reine des Neiges est en apparence parfaite, on ne peut la métamorphoser sans découvrir son côté noir, son ombre. Gerda échange donc son joli manchon de fourrure contre le vilain manchon de la mère de la petite Voleuse. Cet échange de manchons représente l'échange du savoir et l'acceptation de l'autre. La mère de la petite Voleuse boit beaucoup, ce qui met en garde contre l'usage néfaste de l'alcool pour réchauffer l'armure de la Reine des Neiges. Le manchon est à la fois un lien avec le côté sombre de la mère et une mise en garde.

La petite Voleuse offre aussi à Gerda un animal utile, c'est-à-dire un renne, qui la conduira au but. Animal à la fois indompté et doux, le renne peut survivre au froid des régions arctiques (où vit la Reine des Neiges). C'est un animal nomade qui émigre tous les ans à l'époque de la mise bas. Dans les sociétés chamaniques, le renne est le symbole de l'aptitude à voyager entre le monde des hommes et le monde des esprits. Tout comme nous devons jeter un pont entre le domaine personnel et le domaine archétype, en nous efforçant de comprendre comment nous ressentons en nous les forces universelles de la Reine des Neiges pour mieux nous transformer et nous affranchir d'elle, ainsi le renne permet-il à Gerda d'opérer la jonction entre ces deux royaumes et la conduit-il chez deux vieilles femmes qui sauront venir à son secours.

Symboles de deux aspects de la sagesse maternelle, la Lapone offre à Gerda le gîte et le couvert, tandis que la Finnoise lui confère la force spirituelle de harnacher les vents. La Finnoise habite au creux d'une cheminée brûlante, elle est couverte de suie et moite de chaleur (ou d'émotion), ce qui montre que la mère spirituelle dotée de sagesse et de pouvoir n'a pas une apparence aussi parfaite que la Reine des Neiges, mais qu'elle laisse l'émotion la toucher. La Finnoise, la mère spirituelle, n'a que faire d'une apparence parfaite. Ce qui compte, c'est qu'elle possède la sagesse de reconnaître les pouvoirs de Gerda et celle de savoir que, pour parvenir au bout de sa quête, Gerda doit découvrir ses propres forces. C'est le modèle de la mère qui transforme sa fille sans l'asservir, mais qui l'incite plutôt à faire un pas de plus en lui offrant au besoin un abri sûr.

Gerda doit entrer seule au royaume de la Reine des Neiges; le renne la dépose à ses confins. Elle a peur, ce vaste royaume glacé l'impressionne, mais elle affronte sa terreur de la Reine des Neiges. C'est parce qu'elle sait demander du secours qu'elle en reçoit. Ainsi trouve-t-elle Kay qu'elle serre contre elle tandis que ses larmes chaudes réchauffent le cœur gelé de son ami. Toute sa force est dans son amour, dans son courage, dans son innocence et dans sa capacité de pleurer. Les pleurs de Gerda permettent à Kay de verser à son tour des larmes, et ses propres pleurs emportent l'éclat de verre enfoncé dans son œil qui avait jusque-là obscurci sa vision. De même, si l'on veut s'affranchir de la Reine des Neiges, il nous faut pleurer de douleur pour que cette douleur emporte avec elle les émotions jusque-là paralysées et inaccessibles.

Pleurer avec quelqu'un d'autre peut être une expérience très salutaire, ainsi que ma mère et moi avons pu le découvrir. Lorsque Gerda et Kay pleurent ensemble, leurs larmes de joie font danser les glaces. Les glaces forment alors un mot, la solution à l'énigme que devait résoudre Kay pour gagner sa liberté. Ce mot, c'est *Éternité.* Il parle d'un amour divin plus vaste que l'amour humain, de sorte que les enfants rentrent chez eux en comprenant l'importance de l'innocence, de la foi enfantine et de l'amour.

La Reine des Neiges fige notre nature d'enfant. Au sein de notre vie actuelle, nous devons libérer cet enfant. Dans la vie d'aujourd'hui, Kay, l'enfant gelé, est peut-être une femme convaincue de la supériorité de l'homme. Ce conte de fées nous montre que l'héroïne qui réchauffe les émotions de la Reine des Neiges est jeune, pleine de vitalité, spontanée et chaleureuse et qu'elle n'est pas armée, ce qui représente la force *féminine* douce et vulnérable si souvent violentée, dénigrée ou ignorée par la société. Pourtant, pour trouver et démasquer cette version glaciale de la Femme indomptée, un courage proprement féminin est requis.

LE DRAGON

La mère dont les imprévisibles explosions d'émotion intimident ses enfants est un modèle courant de Femme indomptée. Ces mères Dragons terrorisent leurs filles et les dominent de leur fureur. Lorsqu'on leur résiste, elles ont une réaction exagérément émotive, elles pleurent ou se mettent en colère, et ainsi dirigent leur famille avec une poigne de fer. En imposant à sa fille sa manière d'agir, de réagir, de penser et de ressentir, le Dragon se persuade d'avoir toujours raison. Décidée à ce qu'on lui obéisse à tout prix, elle crie et hurle, elle recourt à la terreur, à la menace et à la domination, elle est toujours en position d'attaque. Sa fille, si celle-ci est d'un tempérament aimable, ressentira de la honte et de l'humiliation devant l'insensibilité de sa mère envers autrui. Sans cesse confrontée à une telle manifestation de pouvoir, la fille a souvent l'impression d'être dans une impasse. Une fille adulte rêva qu'elle était redevenue une petite fille et que, tentant de quitter le domicile familial pour voler de ses propres ailes, elle vit un énorme char d'assaut rouge conduit par sa mère qui essayait de la renverser. La rêveuse, une femme adulte et indépendante, était encore dominée par l'image intégrée de sa mère pourtant âgée et malade.

Certains enfants font référence au Dragon quand ils parlent de leur mère à leurs amis et aux autres membres de la famille. Crachant le feu et la colère, elle est un monstre à leurs yeux. Tout comme le feu détruit l'oxygène et rend l'air irrespirable, le Dragon prend toute la place quand il entre dans une pièce. Voulant toujours avoir le dernier mot, il crie pour l'obtenir. C'est une brute et un tyran qui mène des enfants à la baguette à force de jugements critiques et de colères. Cette femme est si barbare, si sauvage que personne de sa famille, même son mari, n'ose la contrarier. La honte et l'humiliation sont ses tactiques préférées, et elle sait comment s'y prendre pour culpabiliser ses enfants. L'insulte et la séduction verbale lui servent à manipuler les siens pour arriver à ses fins, et elle excelle à les rendre impuissants à réagir.

On ne peut avoir le dessus de cette femme, quoi qu'on dise ou fasse, car le Dragon doit toujours dominer. Souvent méchante, vicieuse, vindicative, retorse, vorace et sinistre, elle blesse, critique et chasse ceux qui osent se mettre en travers de sa route. Les exemples de Dragons au cinéma incluent Marthe, jouée par Elizabeth Taylor dans *Qui a peur de Virginia Woolf?* et la pathétique mère abusive incarnée par Joanne Woodward dans *De l'influence des rayons gamma sur le comportement des marguerites.*

Contrairement aux Reines des Neiges, les Dragons sont des femmes passionnées, mais leur ardeur est égocentrique. Leur passion n'est pas affectueuse; elle est glaciale jusqu'à l'os et brûle comme de la brume artificielle. Le Dragon fait rarement preuve d'empathie ou de compassion, car il ne s'intéresse pas aux émotions des autres. Il ne leur permet pas de vivre leur vie ou de respecter ce qui leur importe. Ces mères sont souvent jalouses de leurs filles et vindicatives, et elles ne tolèrent pas que celles-ci soient différentes. Les filles de Dragons sont si occupées à se défendre qu'elles parviennent difficilement à avoir avec leur mère une relation compatissante.

Sous la force explosive du Dragon se cache une femme qui fut une petite fille sensible et effrayée ou une enfant victime de la violence et de l'abandon des siens. Craignant de souffrir encore, elle attaque en premier. Parce qu'elle se souvient avec amertume d'avoir été victime de manques d'égards et d'injustices réels ou fictifs, elle se sent jugée quand on cherche à l'apaiser. Elle croit souvent qu'on la martyrise. La fureur gouverne la vie du Dragon, et si on l'en privait, il risquerait d'y perdre son identité, car c'est quand le Dragon est furieux ou emporté, quand il est le centre d'attention qu'il est le plus vivant. Si cette femme n'occupe pas le centre de la scène, elle s'éloigne en claquant les portes. Blessée elle-même, elle ne sait que blesser en retour. Elle a découvert que ses explosions de rage ont le pouvoir d'intimider, et elle déploie sa colère contre les autres pour les diriger. Mais au bout du compte, le Dragon se blesse lui-même. Pour échapper à sa furie, on l'évite, l'abandonnant à sa blessure originelle, à sa solitude et à son isolement. Sous son tempérament bouillant, le Dragon est terriblement vulnérable. Il hurle sa haine furieuse du monde qui l'entoure comme une petite fille emportée par sa colère et son impuissance.

QUELQUES EXEMPLES DE DRAGONS DANS LA VIE

Jeannette, fille d'un Dragon à la furie alimentée par l'alcool, se sentait incapable d'extérioriser sa fureur d'avoir grandi dans une ambiance de violence et de rage. La rage de sa mère était si envahissante qu'elle en était parvenue à exclure, à étouffer les émotions de Jeannette. Quelques années de thérapie lui permirent cependant d'accéder à sa propre colère et à sa force d'expression. Comme pour l'aider dans ce processus, ses rêves lui révélèrent tout ce qui éveillait sa rage, ils lui en firent l'inventaire complet. Nuit après nuit, elle rêva de moments où la colère l'avait envahie sans qu'elle ose l'exprimer. Dans ses rêves, elle pouvait dire tout ce qu'elle avait alors eu besoin ou envie de dire. Dans l'un d'eux, par exemple, elle reprochait à sa mère sa dépendance à l'alcool et son incompétence à veiller aux tâches domestiques telles que la cuisine et le ménage. Dans un autre rêve, alors qu'on la blâmait pour son obésité, Jeannette se défendit en déclarant: «Je suis une brave fille!» Rêvant que son employeur la ravalait, elle s'affirma en déclarant être une employée compétente. Les rêves lui montrèrent que le fait de s'affirmer peut être enthousiasmant, une façon de cesser de s'autodétruire, d'être obséquieuse ou de monter sur ses grands chevaux.

Anita, une mère Dragon, eut toute sa vie un rêve récurrent. Elle avait toujours voulu devenir avocate, mais elle avait grandi au début du siècle, quand les femmes devaient se contenter d'être épouses et mères. Anita était brillante et douée pour l'argumentation. Son mari, un homme d'affaires, voulut qu'elle mette ses dons au service de son entreprise. Elle devint donc sa comptable, effectuant sa tenue de livres, tandis que son intelligence restait en friche. Sa gigantesque énergie en fit le dictateur de son entourage, en particulier de ses enfants. Tous lui obéissaient au doigt et à l'œil. S'ils résistaient, elle explosait, faisait une scène et les punissait de mille et une façons. Son fils était sa victime préférée: elle s'emportait souvent contre lui. Quant à son mari, il acquiesçait à toutes ses exigences et approuvait ses décisions concernant les enfants. Ceux-ci apprirent à être dociles, à ne jamais se fâcher ni blesser quiconque. En retour, Anita exigea qu'ils ne fassent jamais de peine à leur père, car la moindre contrariété pourrait provoquer une crise cardiaque. Au lieu de s'affirmer devant leur Dragon de mère, le garçon et la fille lui obéirent, réprimant leur exaspération.

En dépit de ce pouvoir, Anita se sentait impuissante. Ses enfants s'éloignèrent d'elle en vieillissant, et elle se crut abandonnée. Sa solitude fut encore plus grande après la mort de son mari. Un cauchemar récurrent qu'elle avait eu tout au long de sa vie adulte lui indiqua la source de son problème. Dans ce rêve, elle était avocate, et elle avait accumulé toutes les preuves requises dans une cause qu'elle croyait gagnée d'avance. Elle détenait la vérité. Mais chaque fois qu'elle présentait ses arguments en cour, le juge hochait la tête. Elle avait beau présenter ses preuves, le juge n'en tenait pas compte. Elle sortait frustrée de ce cauchemar, se vengeant sur ses enfants tant qu'ils restèrent à la maison. Le rêve souligne l'ironie de la situation vécue par ce Dragon. Elle se croyait d'une part parfaitement justifiée d'agir comme elle le faisait. Bien entendu, cela avait pour effet à la fois d'intimider ses enfants et de les éloigner d'elle. D'autre part, elle était une véritable Femme indomptée en proie à l'autorité patriarcale du Juge. Son drame était que la société de cette époque n'ait pas encouragé son talent inné. Voyant ses aspirations niées, elle dut se contenter d'exercer sa domination sur son petit territoire domestique, faisant de ses enfants et d'elle-même les victimes de sa fureur.

Une femme qui ne parvient pas à surmonter l'intimidation qu'elle subit en confrontant le Dragon qu'est sa mère aura sans doute à affronter d'autres Dragons tout au long de sa vie. Le mariage copie parfois l'ambiance familiale que connurent chacun des partenaires. Incapable d'extérioriser sa colère, la fille d'un Dragon épousera souvent un homme animé d'une rage excessive. Les filles de Dragons épousent souvent des Dragons mâles, possessifs, jaloux et violents. L'une d'elles, Ginette, épousa un homme si obsédé par elle qu'il jalousait tous ses amis. Ginette se sentit prisonnière de son mariage comme elle s'était sentie prisonnière de sa mère. Elle rêva une nuit que sa mère était étendue dans son dos, au lit. Elle craignait qu'elle ne lui fasse des avances ou qu'elle ne l'étouffe. Rassemblant tout son courage, elle se tourna pour lui faire face, mais fut horrifiée d'apercevoir son mari au lieu de sa mère. À son réveil, Ginette comprit qu'elle avait tout simplement remplacé un Dragon par un autre. Dans un autre cauchemar, elle rêva qu'elle avait épousé sa mère, rêve fréquent chez les filles de Mères indomptées.

Le mari de Ginette explosait sans la moindre provocation, dans des scènes comme celles dont elle avait été victime dans sa famille, lorsqu'elle était enfant. Elle avait souvent eu l'impression que ses parents se comportaient de façon puérile, qu'elle et ses frères étaient les véritables adultes de la famille. Maintenant mariée à un homme très semblable à sa mère, elle se sentait prise au piège d'une relation de violence insatisfaisante. Par exemple, son mari devenait furieux au volant de sa voiture, ce qui la terrorisait, car elle était prisonnière de cet endroit clos. Un jour qu'il était au volant, son visage devint écarlate, bouffi de rage imminente. Elle l'imagina tout à coup comme un gros homme, gras et rougeaud, dans un corps et des langes de bébé. Cette vision burlesque lui permit de voir le bluffeur derrière la brute et de rire de la Femme indomptée plus grande que nature qu'elle voyait en sa mère et en son mari. Peu à peu, à mesure qu'elle admettait sa réaction de colère aux mauvais traitements qu'on lui faisait subir, Ginette sut affronter sa mère et son mari quand cela se révéla nécessaire.

Le cas d'une autre fille de Dragon est typique des femmes qui ont grandi auprès de ce type de Femme indomptée. La Femme indomptée en Julie lui apparut d'abord dans ses rêves, mais à la suite d'une recherche intérieure sérieuse, elle se transforma en présence secourable, tant dans ses rêves qu'à l'état de veille.

Julie grandit avec une mère débordée de travail et, son père étant mort avant sa naissance, dans une famille dépourvue de modèle masculin. Pour faire vivre sa famille, la mère de Julie était la plupart du temps absente de la maison. Quand elle rentrait, elle était épuisée. Elle éduquait sa fille en criant jusqu'à ce que celle-ci obéisse. Elle la culpabilisait aussi, lui rappelant sans cesse le martyre qu'elle endurait pour elle. Cet abus de pouvoir émotionnel fonctionna pendant toute l'enfance de Julie, car celle-ci, terrorisée par les cris de sa mère, se comportait comme une «bonne fille». Mais à quinze ans, elle s'efforça en vain de se révolter, se mettant en colère contre sa mère qui riait d'elle et ne la prenait pas au sérieux.

La mère de Julie était elle-même la fille d'un père alcoolique et irresponsable et d'une Reine des Neiges froide, critique et intransigeante. Privée d'un modèle féminin adéquat, elle réagit par une attitude opposée à celle de sa mère, cracha le feu au lieu d'être de glace, transmettant par la suite à sa propre fille la fureur qu'elle éprouvait. La mère et la grand-mère étaient toutes deux exagérément critiques. La mère de Julie, qui se préoccupait beaucoup des apparences, reprochait sans cesse à sa fille son obésité et ses goûts vestimentaires. Plus tard, quand Julie se maria et eut un enfant, elle critiqua sa façon de tenir maison et d'élever son fils. Consciente du fait qu'elle était elle-même critiquée, la mère de Julie projetait ses craintes paranoïaques contre sa fille. Comme de nombreuses mères indomptées et narcissiques, elle était incapable de voir en Julie un être autonome, séparé d'elle. Julie était à ses yeux son propre reflet. Elle ne pouvait par conséquent laisser Julie s'épanouir à sa façon.

Dans l'adolescence, Julie rechercha désespérément à remplacer l'amour que sa mère ne lui manifestait pas auprès de garçons qui, tôt ou tard, la rejetèrent, scénario connu des filles qui ont été rejetées par leur mère. Avec l'émergence du mouvement hippie des années soixante, Julie se sentit enfin une appartenance, elle fut à l'aise dans l'affection sans condition qui était la philosophie de ce mouvement. Elle appréciait que tous l'acceptent et la comprennent. Puisqu'elle était chaleureuse et affectueuse, son bien-être prit la forme d'une sorte de lien maternel: elle faisait la cuisine pour les autres, mais elle s'occupait peu d'elle-même.

Elle était très peu sûre de son charme et se préoccupait de l'opinion des autres, surtout des femmes, mais elle était aussi extrêmement craintive, attitude propre aux filles de Dragons qui les houspillent et les violentent. Julie craignait tant les réactions imprévisibles de sa mère qu'elle ne lui dit rien des trois occasions où on avait abusé d'elle: le fils de sa gardienne quand elle avait quatre ans; un évangéliste quand elle avait neuf ans; et un professeur de piano quand elle avait treize ans. Sa peur des figures de l'autorité devint si prononcée qu'elle en développa des symptômes: phobies, crises d'anxiété et migraines. Elle était apathique, si angoissée et dépressive qu'elle craignait même de monter dans sa voiture. Ces symptômes nuisirent à sa carrière d'artiste peintre. Elle devait se forcer pour participer à des expositions, surmonter sa peur des jugements critiques. Elle avait aussi le sentiment d'être une supercherie et d'être invitée par erreur à participer à des expositions, alors qu'en réalité elle était une artiste très accomplie. À l'âge de trente-neuf ans, elle se décida à consulter un thérapeute.

Julie savait que sa mère l'aimait à sa façon, sans le lui témoigner physiquement. Julie avait grandi en solitaire, échappant à sa solitude par la lecture. Sa mère, qui n'avait aucun penchant pour les choses de l'intellect, estimait que lire était «une perte de temps». Pour tenter d'apaiser son mal, Julie étudia la métaphysique. Sa mère ne comprenait pas son intérêt pour le mysticisme et la spiritualité et parfois même en avait honte, car elle ne savait pas regarder au fond d'elle-même.

Les rêves fascinaient Julie longtemps avant qu'elle n'entre en thérapie, et elle les notait depuis toujours. Pendant sa thérapie, elle eut une série de rêves étonnants, des rêves de Femmes indomptées qui cherchaient à la tuer. La Femme indomptée était généralement mince et désirable, vêtue de rouge ou de noir et chaussée de talons aiguilles. Ses vêtements ressemblaient à ceux de la mère de Julie. Tout comme celle-ci l'avait manipulée émotionnellement, la

Femme indomptée du rêve travaillait en général dans l'ombre, ayant sous ses ordres un homme chargé de tuer, un homme représentant l'animus négatif de sa mère.

Ses deux premiers rêves de Femmes indomptées rappelèrent à Julie sa mère et sa grand-mère. Selon Julie, le premier de ces rêves était le reflet de ses sentiments envers sa grand-mère, la froide et sévère Reine des Neiges:

> Une femme poursuit une petite fille à travers la maison en cherchant à la tuer avec un rasoir à lame. Impuissante, j'observe la scène.

Le second rêve indique que Julie perçoit sa mère comme une femme vorace, attribut propre aux Dragons:

> Dans une jungle marécageuse, j'aperçois une étrange créature, quelque chose qui tient à la fois de l'hippopotame et d'un énorme poisson des marais. C'est une mère en train d'étouffer sa fille.

Julie fit ensuite un rêve grâce auquel elle put faire face à la Femme indomptée qu'elle avait intégrée, un rêve où la femme d'un psychopathe est malade et a besoin d'aide.

> Je suis avec d'autres personnes dans le ghetto d'une ville. Un psychopathe nous pourchasse. Notre seule chance de survie consiste à descendre dans des égouts remplis de vomissures et d'excréments et de nous enfuir à la nage. Je vois le cadavre d'un Noir flotter sur ce vomi, mais il semble revenir à la vie quand je m'approche. Quand je suis de retour chez moi, le téléphone sonne. C'est un homme amical, mais je sais qu'il s'agit du meurtrier qui me poursuit. Il arrive chez moi accompagné de sa femme, une femme stricte mais belle, vêtue de noir et chaussée de hauts talons qui me font penser aux chaussures de ma mère. Je sais que cette femme est folle et qu'elle ordonne au psychopathe de m'attaquer avec un couteau. Tout à coup, la femme se met à vomir. Un enfant est assis sur ses genoux, et je constate qu'elle est malade. Comme je m'efforce de lui porter secours, le rêve prend fin et je m'éveille.

Ce rêve marqua un point tournant pour Julie. Elle prit conscience du danger et de la maladie de la Femme indomptée. En admettant la vulnérabilité de la Femme indomptée, en s'efforçant de lui venir en aide, non seulement Julie diminua-t-elle l'ascendant que sa mère avait sur elle mais elle comprit que cette dernière était une partie intériorisée d'elle-même, une femme folle qui, tout en voulant la tuer, était malade et réclamait son aide. L'enfant sur les genoux de la Femme indomptée symbolise l'émergence d'une vie nouvelle et l'enfant que, plus jeune, Julie n'avait jamais pu être.

Le rêve montre que Julie doit d'abord pénétrer dans l'égout de vomissures et d'excréments, qu'elle doit d'abord descendre aux enfers et y affronter tout ce qu'elle a dû refouler dans sa vie, tout ce qu'elle n'a pas pu «digérer». Chaque femme doit consentir à cette descente dans les ténèbres si elle veut rencontrer la Femme indomptée et ses serviteurs, c'est-à-dire les peurs, les souvenirs et les peines qu'il nous faut reconnaître et métamorphoser. L'homme noir qui revient à la vie représente une force importante, instinctive qu'il lui faut retrouver, celle que lui a niée sa mère dans la vraie vie mais dont elle a besoin pour combattre le Dragon. À l'époque où elle fit ce rêve, Julie prenait conscience du fait qu'elle reproduisait l'attitude du Dragon avec son propre fils, et qu'il lui fallait à tout prix comprendre ce côté noir d'elle-même. Elle refoulait sa force féminine et sa colère, car la domination de sa mère les lui faisait craindre, et cette fureur refoulée la tyrannisait. Elle sentait qu'à tout moment elle pourrait se tourner contre son enfant. Julie souffrait aussi quand d'autres personnes que sa mère se mettaient en colère contre elle, car, ses premières tentatives pour réagir aux rages injustes et manipulatrices de sa mère ayant été dominées, elle ignorait comment négocier la moindre saute d'humeur.

D'autres rêves relièrent la Femme indomptée à sa mère. Dans l'un d'eux, un jeune homme, malheureux en amour, se transforme en magnifique Femme indomptée qui pointe son revolver en direction de Julie, tire et manque sa cible. La Femme indomptée tire ensuite une balle dans la tête de la mère de Julie endormie. Julie s'empare d'une arme et tire à son tour sur la Femme indomptée qui rit, car elle a trompé Julie en chargeant l'arme à blanc. Dans ce rêve, la Femme indomptée est d'abord un jeune homme malheureux en amour, dans lequel Julie voit le symbole des amours malheureuses de sa mère et de son rejet puritain du sexe. S'efforçant de transmettre sa pudibonderie à sa fille, elle reprochait à Julie sa sexualité. Le rêve fit comprendre à Julie qu'elle devait être à l'affût des différents déguisements, des ruses de la Femme indomptée. Mais quand celle-ci visa la mère endormie à la tête, Julie perçut le lien entre la domination de sa mère, sa propre peur de la colère et le pouvoir de la Femme indomptée.

À peu près à l'époque où Julie fit ce rêve, elle avait eu avec sa mère une conversation téléphonique extrêmement blessante. Julie voyait clairement les rapports entre la façon dont la Femme indomptée archétype blesse les gens qui l'entourent, celle dont sa mère blessait ses proches, sa propre intégration de la Femme indomptée et sa façon de la projeter sur ceux qui la blessaient à leur tour. Dans un autre rêve, la Femme indomptée s'efforce de dominer des enfants. Julie sait que deux enfants vivant dans une maison délabrée ont tué leurs parents. D'autres enfants ont eux aussi des idées de meurtre. La Femme indomptée agit encore une fois dans l'ombre. Belle et ténébreuse sur ses hauts talons, elle tente de contrôler les enfants en les incitant à tuer leurs parents. Dans le rêve, Julie veut appeler à l'aide, mais les lignes téléphoniques sont coupées. C'est enfin grâce au secours d'un homme bienveillant qu'elle parvient par la ruse à déjouer les manipulations de la Femme indomptée.

Le rêve montre que le côté enfant de Julie était si furieux d'avoir été étouffé par l'autorité parentale que le meurtre restait la seule solution possible. La Femme indomptée agit dans l'ombre, guidant les enfants dans le meurtre de leurs parents. Pour éviter le meurtre (cette envie surgit souvent chez ceux qui se sentent démunis comme des enfants devant leurs parents tout-puissants), Julie doit exprimer sa fureur à sa mère. Elle doit aussi prendre conscience du fait que cette rage a été refoulée. Le rêve montre qu'une force intérieure bienveillante, masculine vient à son secours. Il peut s'agir de son thérapeute du moment.

Finalement, Julie fit son dernier rêve de Femme indomptée; elle retira beaucoup de courage de ce personnage intérieur et effectua d'importants changements dans sa vie.

> Armageddon, la fin du monde, a eu lieu. Avec des amis, nous nous efforçons de survivre dans une masure de montagne. Puis, la scène change, et je me rends dans un restaurant chi-

> nois avec un ami au tempérament proche de celui de ma mère. Un serveur exotique nous apporte le menu et m'apprend que je suis dans un temple. Il caresse mon corps avec sa main et dit qu'il s'agit d'un rituel. Quand il prend ma commande, j'ai le sentiment d'avoir été mal comprise, mais je me retiens de parler. Tous les autres se voient servir un repas oriental, tandis qu'on m'apporte un petit déjeuner typiquement américain. Ensuite, l'hôtesse, une très belle femme vêtue d'une longue robe de mandarin chinois, ses cheveux remontés en un chignon et ornés de baguettes, entre et presse le serveur de questions. Elle saisit une dague et la remet au chef, lui ordonnant de tuer le garçon qui s'est trompé dans la commande. Terrorisée, je cherche à m'enfuir avec mon fils pour mettre ce dernier à l'abri.

Ce rêve aida Julie à percer le paradoxe de la Femme indomptée. Elle semble d'un côté prête à tuer le serveur; de l'autre elle s'efforce en réalité de porter secours à Julie à qui on n'a pas servi le repas qu'elle attendait, mais bien un petit déjeuner banal et peu appétissant. D'une certaine façon, le «serveur» au fond de Julie devait être poignardé, car elle avait toujours été la domestique des autres sans veiller à son bien-être. Julie eut ces pensées au sujet de la Femme indomptée:

— Si cruelle que tu sembles, tu prends aussi mes intérêts à cœur.

Julie commençait à comprendre que la Femme indomptée était en mesure de lui venir en aide. Elle entama donc un dialogue actif avec le Dragon qui lui fit prendre conscience de sa force intérieure.

Julie comprenait peu à peu que son pouvoir féminin archétype (à la fois sombre et clair) devait s'exprimer, sans quoi il empoisonnerait sa vie intérieure et sa vie extérieure.

— Je ne pouvais plus, dit-elle, éviter cette question du pouvoir et de la colère, je devais regarder en face ma terreur de la confrontation. J'étais arrivée à un point de non-retour. Je le ferais, coûte que coûte. Au fond de l'abysse, on n'a d'autre choix que mourir, devenir fou ou découvrir en nous le courage de survivre et de nous transformer.

Munie de ce courage, Julie permit à sa colère de s'estomper. Elle confronta sa mère quand il le fallut, et peu à peu fit savoir aux autres qu'ils la blessaient. En laissant sa fureur s'exprimer normalement et en s'assumant devant les hommes et les femmes qui cherchaient à l'intimider (voisins, vendeuses, guichetiers de banque, serveuses, enseignants et quiconque était impoli avec elle), elle se prit en main et agit dans son intérêt réel. Elle ne ressentit plus le besoin de s'occuper de tout le monde. Elle intériorisa, au contraire, le côté positif du Dragon (confiance et sûreté de soi), et tant elle-même que sa créativité en profitèrent.

Les critiques que formulent sa mère et les autres personnes ne bouleversent plus Julie. Quand on la blesse, elle n'hésite pas à le dire. En s'assumant ainsi, elle a également suscité une transformation chez sa mère. En Dragon typique, celle-ci goûtait le pouvoir comme une drogue, mais elle devait apprendre que dominer les autres de cette façon a à long terme des conséquences négatives. Quand Julie put enfin tenir tête à sa mère, celle-ci renonça à ses jugements critiques et à ses exigences. Julie détenait la preuve que par l'individuation on peut aussi transformer les autres et cicatriser les blessures familiales.

Grâce au nouveau courage de Julie, les Femmes indomptées de ses rêves furent remplacées par d'énormes serpents amicaux et protecteurs. Julie s'était accordée au pouvoir de transformation du serpent, l'ancienne déesse féminine de l'instinct. Dans le domaine professionnel, elle consacra moins de temps à ses tâches de secrétaire qui l'amenaient à servir les autres, et davantage à son travail artistique.

Pour être en mesure d'affronter un Dragon dans notre vie de tous les jours, nous devons l'inviter à mettre cartes sur table et lui imposer des limites. Un Dragon refusa d'assister au mariage de sa petite-fille dont elle n'approuvait pas le choix d'un mari. Sa fille décida donc de ne pas l'inviter aux fiançailles. La vieille dame voulait aller à cette réception et exigea de s'y rendre. Mais sa fille demeura ferme dans son refus. Elle ne tolérait pas un tel comportement. Sans flancher, elle dit: «Si tu ne viens pas au mariage, tu ne viens pas non plus à la réception de fiançailles.» La force et la détermination de sa fille offusquèrent ce Dragon. Mais elle capitula, présenta ses excuses à sa fille et à sa petite-fille, et leur promit d'assister au mariage. En crachant du feu à son tour, comme l'avait fait Julie dans le cas précédent, cette femme sut faire appel à sa constance et à son courage pour être fidèle à elle-même et relever le défi que lui lançait sa Mère indomptée.

Pour guérir, un Dragon doit comprendre ce qu'il inflige aux autres. Il doit aussi percevoir qu'autre chose l'habite hormis la fureur. Si une telle femme parvient à voir les conséquences de sa rage et admettre qu'elle est en partie responsable des problèmes qui se présentent, elle pourra changer. Par exemple, dans le film *Bons baisers d'Hollywood,* Shirley MacLaine incarne une actrice vieillissante qui est un Dragon mère. Elle dirige la vie de sa fille, une belle jeune fille qui n'a rien fait de sa vie sauf s'adonner aux drogues pour échapper à la domination maternelle. À la fin du film, quand l'alcool conduit la mère Dragon à l'hôpital, celle-ci reçoit la visite de sa propre mère qui l'a toujours critiquée. La fille du personnage incarné par Shirley MacLaine, en phase de réhabilitation, constatant que l'histoire se répète (elle voit sa grand-mère critiquer sa mère comme celle-ci l'avait dénigrée elle-même) invite sa grand-mère à sortir de la chambre. Elle sait que sa mère a besoin de marques d'affection. Devenue vulnérable et humble, la mère reconnaît ses torts envers sa fille. Elle admet d'avoir toujours été jalouse d'elle et de l'avoir traitée comme elle avait été traitée elle-même.

Lorsqu'un Dragon constate que ses interventions font empirer les choses et que «Maman n'a pas toujours raison»; quand il parvient à exprimer sa vulnérabilité et son insuffisance et ne plus ressentir le besoin de toujours détenir la vérité, il peut découvrir d'autres aspects de sa personnalité et mettre cette énergie au service de sa créativité au lieu de s'en servir pour dominer son entourage.

LA MÈRE MALADE

Bon nombre de femmes héritent d'une Femme indomptée intérieure qui a torturé leur mère et l'a rendue malade. Il s'agit parfois d'une maladie physique; dans ce cas, la mère est invalide et inapte à la vie active. Cependant, certaines mères invalides se servent de leurs déficiences physiques pour retenir leurs enfants émotionnellement et psychologiquement. Par exemple, dans le film *Éclair de lune,* une mère «malade» rappelle son fils auprès d'elle en Italie. Aquiesçant au désir sa mère, il perd sa fiancée. Il peut s'agir, dans un tel cas, d'un trouble émotionnel débouchant sur une dépression nerveuse ou sur une forme de maladie mentale, ou encore d'une dépendance aux drogues ou à l'alcool.

Souvent, c'est le moi de la mère qui est fragmenté. Elle jette sa fille dans la confusion parce qu'elle-même est victime du chaos. Elle-même démembrée, elle s'efforce de faire éclater son entourage pour mieux en être le centre. Dotée d'une personnalité déséquilibrée et malsaine, elle a besoin de l'effet de miroir que lui procure sa fille pour se sentir en sécurité et trouver son équilibre.

En grandissant auprès de sa Mère malade, une fille a souvent le sentiment de devoir mettre d'énormes précautions à vivre, car on l'a culpabilisée et déstabilisée, et elle craint de déclencher les problèmes de santé physique ou mentale de sa mère. Elle marche sur la pointe des pieds pour ne pas la bouleverser tout en refoulant ses propres sentiments, en particulier la colère qui peut être perçue comme de la provocation. Pis, elle vit dans la peur de devenir comme sa mère, folle, malade ou toxicomane.

Claire rêva qu'elle traversait un champ de mines qui ébranlaient la maison maternelle. Elle vit sa mère, souvent atteinte de dépressions nerveuses, suspendue par les pieds devant une porte-fenêtre au moment où celle-ci était fracassée en mille morceaux. Pressentiments et intuitions caractérisaient les périodes dépressives de la mère de Claire. Elle en était effrayée et elle était portée à nier leur existence. Claire était aussi extrêmement intuitive et pouvait parfois prévoir la tournure des événements. Souvent, sa perception et sa connaissance prophétiques des autres lui faisaient peur et la bouleversaient. Sa mère craignait et dénigrait la nature intuitive de sa fille et cette perception peu commune où elle décelait son propre côté noir, et Claire en vint à penser qu'on se méfiait d'elle et que sa nature visionnaire effrayait son entourage. Elle crut qu'elle était sans doute déséquilibrée comme sa mère. Pourtant, ses intuitions étaient justes la plupart du temps. Comment une telle connaissance intuitive était-elle possible, et que devait-elle en faire? Claire avait souvent l'impression de ressembler à la prophétesse grecque Cassandre, douée d'une prescience à laquelle personne n'accordait foi. À la suite d'une longue thérapie et d'une profonde réflexion spirituelle, Claire admit que des deux, sa mère était malade, et non pas elle.

Lorsqu'elle était enfant, Claire était très troublée par les sautes d'humeur de sa mère, les crises de colère et les jugements critiques qu'elle déchaînait contre elle, aussitôt suivis par les reproches qu'elle s'adressait, tenaillée par la peur, la culpabilité et la terreur paranoïaque de subir à son tour le jugement de sa fille.

Hypersensible, Claire *ressentait* fortement la fragilité de l'état psychologique de sa mère, mais elle ne parvenait pas à comprendre pourquoi celle-ci voyait en elle un juge intransigeant. Elle chercha un réconfort auprès de son père. Il était doux et elle l'aimait, elle l'adorait même, mais il s'était toujours dévoué à sa femme malade et à sa protection. Il aimait beaucoup sa fille, conscient du courage inné et de la sagesse instinctive qu'elle manifestait depuis sa plus tendre enfance, et il lui faisait part de ses inquiétudes concernant la fragilité de sa femme, lui demandant de le seconder dans son rôle de protecteur. Claire devint donc une enfant sur qui on pouvait compter, une adulte avant l'heure, la compagne de son père et la gardienne de sa mère.

Aux yeux de Claire, sa mère était un Oiseau en cage. Ayant toujours craint sa nature intuitive innée que venait compliquer sa tendance à la dépression, elle n'avait jamais actualisé le potentiel créateur que promettait son intuition. Demeurées embryonnaires, les intuitions maternelles se mutèrent en peurs gigantesques et menaçantes qui en faisaient une prisonnière dans sa propre maison et l'empêchaient de s'aventurer hors de chez elle. Elles se dégradèrent aussi jusqu'à devenir ces opinions et ces désapprobations larvées dont elle accablait agressivement sa fille. L'attitude protectrice de son mari lui permettait de rester à la maison, mais elle en était par le fait même encore moins sûre d'elle-même. Son insécurité déboucha sur un énorme ressentiment et une grande colère qu'elle infligea à sa fille en critiquant cyniquement son caractère et la vie en général. Claire refusa le carcan d'un mariage comme celui de sa mère. Elle fuya toute relation stable pendant une bonne partie de sa vie, jusqu'à la quarantaine.

À peu près au même moment, Claire entra en thérapie, et c'est alors que le personnage qu'elle craignait le plus, la Femme indomptée, commença à lui apparaître en rêve. Une grande partie de son travail consista à faire face à ce personnage intérieur terrifiant, car elle devait guérir la Femme indomptée et malade qui avait persécuté sa mère. Claire eut pour tâche de transformer les forces destructrices de la Femme indomptée en forces créatrices.

La Femme indomptée apparut pour la première fois dans les rêves de Claire de la façon suivante:

> Je vais faire une promenade sur la plage en compagnie d'une amie; c'est elle qui conduit la voiture. Je veux lui montrer les

> dunes où, il y a longtemps, j'ai fait l'amour avec un homme, mais les vagues sont trop fortes pour que nous y parvenions. Il y a des agents de police dans les parages, de sorte que nous décidons de ne pas emprunter le sentier interdit qui pourrait nous y conduire. Pour éviter d'autres agents, mon amie s'engage dans une côte, sur une route qui se révèle être une allée privée conduisant à une vaste propriété. Il y a une grille large d'une dizaine de mètres et une guérite de gardien en haut de la colline. La grille se ferme à notre approche. J'ai peur qu'on nous surveille et je veux que nous partions au plus vite. Même s'il y a tout juste assez d'espace pour que la voiture puisse passer et faire demi-tour si la grille se ferme complètement, j'ai peur que nous restions prisonnières de l'autre côté. Mon amie se hâte de nous sortir de cette situation terrifiante, mais une espèce de folle, surgissant de derrière la colline, s'approche de moi. La femme semble hostile et nous tient des propos incohérents. Mon amie a peur; quant à moi, je suis mal à l'aise, mais la femme éveille ma curiosité. Quand elle en a fini avec ses marmonnements, je l'applaudis. Étonnée de ma réaction, elle sourit, se calme quelques instants, puis elle s'en retourne par où elle est venue, l'air plus amusé qu'hostile. Nous nous hâtons aussitôt de sortir de là.

Claire était étonnée et soulagée de constater la facilité avec laquelle la Femme indomptée pouvait passer de l'hostilité à l'aménité «si elle n'avait pas peur d'elle», comme ce fut le cas dans son rêve. Lorsque Claire salua la présence de la Femme indomptée en l'applaudissant, cette dernière mit fin à son comportement extravagant et laissa les deux amies tranquilles. Pour Claire, cela signifiait qu'en admettant la présence en elle-même de la Femme indomptée, elle pourrait peut-être instaurer une trêve entre elles sinon une transformation radicale de ses forces indomptées. Elle prit la décision d'affronter cette image intérieure et de lui parler. Claire dit que le fait d'applaudir la Femme indomptée représentait le contraire du traitement qu'avait subi Cassandre, dont les talents n'avaient jamais été reconnus ni acceptés.

En réfléchissant à la signification de ce rêve, Claire comprit qu'elle avait peur de rester enfermée dans la propriété de la colline, car il s'agissait en réalité d'une institution psychiatrique. Cette peur correspondait aussi chez elle à la peur de devenir prisonnière de sa tête. Les trop fortes vagues du début symbolisent sa peur de se laisser inconsciemment étouffer par sa mère, ce qui pourrait l'empêcher de nouer une relation affective avec un homme. L'abondance d'eau qui lui interdit l'accès au lieu de ses amours passées suggère aussi qu'il existe un lien entre les relations amoureuses et le danger que représente la présence bouleversante d'une Femme indomptée, y compris le risque de s'enfermer dans une relation amoureuse. Pour Claire, la Femme indomptée en sa mère était synonyme d'absence de limites: sa mère étant incapable de contenir ses émotions, celles-ci se déversaient sur sa fille, la terrifiant et menaçant de l'étouffer. Claire était donc l'otage des émotions incontrôlées de sa mère, d'où les «vagues trop fortes» du rêve. L'aptitude de Claire à extérioriser sa colère fut affectée par cela et fit obstacle à ses relations amoureuses.

La Femme indomptée qui s'était éloignée dans ce premier rêve revint dans un rêve subséquent.

> Je suis sur la pelouse devant une maison, en train de préparer un pique-nique. Je ne reconnais pas la viande que je m'apprête à faire cuire. Il y a là un gigot de mouton «plus grand que nature» et de la viande hachée. Une folle sort d'une forêt qui longe la maison. Elle s'empare du gigot et le dévore tout cru avec une telle intensité que j'en suis terrifiée et dégoûtée. Je songe à la tuer en lui fracassant une cruche en verre sur la tête. Je m'empare de la cruche et je m'approche de si près que nos yeux se touchent presque. Elle saisit une cruche à son tour, et je me rends compte qu'elle pourrait me tuer. Je décide de ne pas courir ce risque et je recule. Elle retourne dans la forêt. J'ai peur qu'elle ne revienne et que, cette fois, elle me fasse vraiment du tort. Je me dis que j'aurais sans doute dû la tuer même si je ne tenais pas tellement à le faire.

Dans ce rêve, Claire s'est trouvée face à face avec l'énergie féroce et dévastatrice de la Femme indomptée qui, une fois de plus, surgit de l'obscurité, de la forêt épaisse, symbole des ténèbres de l'inconscient. Consternée et dégoûtée par son intensité et son abandon, Claire envisagea de la tuer mais pensait que la Femme indomptée pourrait la devancer. Son instinct lui disait de ne pas la tuer, car elle devinait qu'en dépit de la répugnance qu'elle lui inspirait elle pourrait lui apprendre quelque chose. Tout comme les Ménades grecques, la Femme indomptée gruge des os. Et comme elles, elle ne peut être dominée, mais on doit l'accepter et saluer sa présence, l'absorber comme on absorbe de la nourriture.

La Femme dévoreuse du rêve symbolise l'expérience de Claire avec sa mère. Elle a vu sa mère détruire les autres avec ses exigences, et elle refuse de lui ressembler. Parce que la mère de Claire avait exprimé des besoins dévorants, le père de Claire lui avait demandé de sacrifier ses propres désirs pour répondre aux exigences de sa Mère malade. Ainsi, répondre à ses besoins lui parut à l'égal d'une gloutonnerie primitive, et elle jugea cela dégoûtant. Voilà pourquoi, dans son rêve, ce besoin de prendre ce qui lui revenait de droit équivalait à s'emparer de quelque chose pour le dévorer de façon grotesque. Dans la vraie vie, Claire devait apprendre à mieux accepter ses besoins. Prisonnière de son rôle de protectrice, elle se sentait responsable à l'excès et avait tendance à tout donner à son entourage, jusqu'à ne plus avoir de temps ou d'énergie à se consacrer. Elle dut apprendre à dire non et à admettre qu'elle ne pouvait pas s'occuper de tout, toute seule. La Femme indomptée représentait la force que Claire avait nié posséder en réaction à sa mère. Elle dut apprendre à intégrer l'énergie et la force de la Femme indomptée dans sa propre vie.

Comme c'est le cas pour beaucoup de femmes, les conflits les plus importants de Claire étaient ceux qui opposaient deux combattants archétypes, la Femme indomptée et le Juge[10]. Quand elle obéissait à ses visions intérieures, son Juge, un être perfectionniste et rationnel, lui reprochait et dénigrait ses aspirations vers une plus grande spiritualité. Lorsque Claire comprit que ce combat intérieur était la résultante de comportements que lui avait inculqués la dysfonction familiale à laquelle elle avait été exposée dans son enfance, elle put enclencher la guérison de la Femme indomptée en elle. Précocement adulte, Claire avait donné naissance en elle à un Juge intérieur qui la forçait à refouler ses émotions. L'excès de «sainteté» de son père (comme dans le cas de la Sainte) la rendit incapable de se fâcher avec lui et avec d'autres hommes. Sa mère lui avait légué bon nombre d'interdits, dont celui qui consistait à éviter de provoquer son père.

— Les hommes sont en réalité très sensibles, mais ils ne le montrent pas, sermonnait sa mère.

Ainsi, Claire devint tout autant la protectrice des émotions paternelles. Elle fit de nombreux rêves dans lesquels elle était invisible pour son entourage. Cette invisibilité est fréquente dans les rêves de femmes dont les sentiments authentiques et les perceptions féminines ont été méprisés. Se sachant en cela semblable à bon nombre d'autres femmes, Claire rageait contre la naïveté masculine de son père et de beaucoup d'hommes qui ne la «voyaient pas» telle qu'elle était, et aussi contre la société patriarcale qui ne tenait pas compte de l'importance de certaines expériences des femmes et de leurs facultés visionnaires et divinatrices.

Cette présomption masculine était aussi représentée dans ses rêves par des hommes grossiers et rougeauds qu'elle cherchait à éviter, et par des psychopathes. Tout en ayant tenté d'exprimer sa colère à son père, ses supérieurs au travail et d'autres hommes encore, elle avait l'impression de toujours affronter un mur d'incompréhension. Mais après être entrée en relation avec la Femme indomptée, Claire put espérer mettre sa colère à profit dans ses affrontements avec les hommes. Vers la fin de sa thérapie, elle dit ceci:

— Je sens qu'une relation devient possible avec la Femme indomptée et j'espère qu'elle ne ressentira pas le besoin d'attaquer les hommes sans mon consentement, ou alors, si elle s'échappe, que je la percevrai mieux et que je pourrai de la sorte préserver *le caractère humain* de mes rapports avec les hommes.

Claire était aussi davantage en mesure d'établir des rapports plus humains avec elle-même, à accepter ses limites physiques et émotionnelles, à dire non aux autres et à les confronter quand ils outrepassaient les limites qu'elle leur imposait.

Son travail sur elle-même aidait Claire à donner son amitié à la Femme indomptée. Elle fit ensuite ce rêve apaisant:

> Je marche dans la rue quand j'aperçois une femme qui marmonne toute seule. Elle est assise sur la chaîne du trottoir et semble «hors d'elle-même», pourtant, elle ressemble à une femme d'affaires et porte un tailleur convenable. Je suis attirée par elle et je me demande si je peux faire quelque chose pour l'aider. Puis je remarque que deux femmes se portent à son secours. L'une d'elles aide la Femme indomptée à se mettre à genoux pour que son troisième œil puisse se concentrer sur un certain édifice, tandis que l'autre s'apprête à canaliser les

> énergies apaisantes. Le médium est une guérisseuse et une artiste que j'admire, et je suis honorée d'assister à ce rituel. Tout à coup, je constate que je participe moi-même à la cérémonie et que l'on m'a choisie pour être le transmetteur de l'énergie qui doit passer de la guérisseuse à la Femme indomptée. Tandis que le fluide me traverse dans ce réseau triangulaire, je me mets à sangloter et je deviens incapable du moindre geste. Puis, le fluide est interrompu et la guérisseuse dit à la Femme indomptée: «Tu es sale», et elle s'éloigne avec son acolyte. Mes pleurs cessent, et je ne sais trop ce qui vient de se passer. J'éprouve de l'empathie pour la femme à genoux. Bien que j'aie su que la remarque de la guérisseuse concernait la sexualité de la Femme indomptée, je ne comprends pas pourquoi elle crut devoir être aussi cruelle. Je raccompagne la Femme indomptée chez elle. Nous nous comportons comme des adolescentes et nous essayons toutes sortes de vêtements. J'enfile une blouse mexicaine colorée que je porte comme une mini-robe, je me pavane de façon suggestive pour lui montrer comment on doit la porter. La scène est drôle et nous rions. J'apprends qu'elle a déjà été une prostituée. La femme devant moi est très belle et éclatante de santé.

Ce rêve révèle que Claire peut transmettre à la Femme indomptée un fluide guérisseur. Sa guérison achevée, la Femme indomptée cesse d'être menaçante pour devenir une femme belle, éclatante de santé, amusante et ludique. L'incongruité de son troisième œil et de son tailleur de femme d'affaires illustre le conflit auquel Claire fut si souvent mêlée, le conflit entre la Femme indomptée et le Juge. Elle a travaillé dans un bureau, ce qui exigeait d'elle une tenue convenable. Ses supérieurs étaient des hommes de nature patriarcale, appliqués à faire valoir les règles du jeu masculines du monde des affaires. Ils se sentaient menacés par ses facultés intuitives, symbolisées dans le rêve par le troisième œil, et elle affrontait souvent un mur d'incompréhension. La prostitution de la Femme indomptée représente le fait que Claire devait renoncer à son troisième œil quand elle s'efforçait de plaire à ses employeurs ou à ses parents et de se conformer aux attentes de la société en assumant le rôle de la bonne fille, tout en ne se prostituant pas complètement par la négation de ses facultés visionnaires. La beauté et la santé de la Femme indomptée du rêve montrent que Claire n'a pas subi d'irréparables dommages. Ce rêve est révélateur du dilemme entre l'ordre rationnel et pratique de la société et l'univers mystique, spirituel où Claire se sentait à l'aise. Pour extérioriser son esprit visionnaire, la Femme indomptée éprouva le besoin de changer son tailleur strict pour une tenue exotique et colorée.

La guérison eut lieu lorsque, dans le rêve, Claire se lia d'amitié avec la Femme indomptée et l'amena chez elle, où elle lui montra une robe mexicaine peu conventionnelle qui lui permettait d'affirmer sa personnalité truculente et pleine de vie. Après avoir réfléchi au dur jugement critique de la guérisseuse, Claire eut le sentiment d'avoir été éclairée par son amitié avec la Femme indomptée tout comme les maîtres zen emploient les paradoxes du koan pour réprimander leurs disciples et les forcer à sortir de la léthargie qui les maintient entre deux contraires apparemment conflictuels. Dans le cas de Claire, la Femme indomptée et le Juge représentaient ces oppositions. Une fois intégrés, les membres de ce duo pouvaient être mis au service de sa créativité. Tant que cette réconciliation n'avait pas lieu, ils la gardaient paralysée en quelque sorte ou sur un pied de guerre, situation qui peut rendre l'individu fou ou, plus généralement, détruire le monde. En sachant apprécier chacun à sa juste valeur (le chaos créateur de la Femme indomptée et les jugements discriminatoires du Juge), nous pouvons renaître et rendre notre terre plus habitable; nous pouvons transformer notre société dysfonctionnelle en une société saine et créative.

Quand Claire fit son troisième rêve de Femme indomptée, elle avait beaucoup travaillé en thérapie. Elle avait noté ses rêves et les avait étudiés, elle avait pu prendre conscience de la dynamique familiale qui l'avait façonnée selon un modèle qui ne lui correspondait pas, elle s'était efforcée de déceler les aspects de sa personnalité qui gagneraient à évoluer, elle avait fait l'effort de transformer ses comportements nuisibles et, surtout, elle avait appris qui elle était et à s'exprimer sans se trahir. Elle savait se différencier de la Mère indomptée et intégrer son moi créateur et intuitif dans son travail et ses relations personnelles. Après plusieurs années de formation en psychothérapie, elle quitta son travail et se lança dans la pratique privée. Non seulement cette pratique fut-elle prospère, elle comprit que sa profonde intuition pouvait être un secours pour ses semblables. Peu après ce dernier rêve, elle fit la connaissance d'un homme et put établir avec lui une relation stable et apaisante pour tous deux.

Claire faisait enfin confiance à son imagination, aux visions de sa psyché et aux vérités que celles-ci lui révélaient. Elle était sûre d'elle-même, de sa créativité et de son intelligence, et elle savait se respecter et extérioriser sa nature véritable maintenant qu'elle avait transformé la Femme indomptée folle et menaçante en saine et belle énergie féminine.

POUR COMPRENDRE LA MÈRE INDOMPTÉE

Nous avons tous été blessés à des degrés divers par une Mère indomptée. La réconciliation avec la mère est essentielle à notre guérison. Cependant, comme je l'ai déjà dit, il ne nous est pas toujours possible de nous réconcilier avec notre mère réelle, car il se peut qu'elle soit prisonnière de sa propre fureur et incapable de nous écouter; il se peut aussi qu'elle soit trop malade ou même qu'elle soit décédée. Lui écrire une lettre peut parfois être utile dans ces cas-là, car l'écriture nous permet de cicatriser la blessure de notre moi. Après la mort de mon père, j'optai pour l'écriture afin de guérir les blessures de notre relation. Ce projet donna naissance à un livre, *La fille de son père.* Bien qu'il m'ait fallu sept ans pour mener ce douloureux projet à terme, il me permit d'évacuer ma rage et mes larmes et d'éprouver de la compassion envers cet homme blessé qu'était mon père. Je fus ensuite libre de passer à d'autres étapes de ma vie. Plus tard, je pus guérir, dans la vraie vie, ma relation avec ma mère.

On peut aussi instaurer des rapports harmonieux avec notre mère par l'intermédiaire du rituel. Par exemple, un groupe de femmes qui se rencontraient toutes les semaines pour discuter de questions féminines convinrent de consacrer une journée à un rituel qui puisse les aider à se libérer de leur colère accumulée envers leur mère. Chacune se présenta à la réunion vêtue comme sa mère et essaya de relater son histoire. À leur grand étonnement, elles constatèrent, ce faisant, qu'elles les connaissaient bien peu. En s'exprimant à leur place, elles virent à quel point ces femmes avaient été prises au piège. De s'entendre formuler les messages qu'elles avaient reçus d'elles, «Cesse de ronchonner», «Fais ce que tu dois faire», «Ne perds pas ton temps à réfléchir», «Assume les conséquences de tes actes», elles surent combien il avait été difficile pour cette génération de femmes de s'affranchir. Le rituel aida ces filles à évacuer leur souffrance et leur colère, mais pas comme elles s'y étaient attendu. Cela leur permit aussi de renoncer à leurs souvenirs secrets et aux images qu'elles projetaient sur leur mère. En allant ainsi à la rencontre de leur Mère indomptée, la plupart éprouvèrent une plus grande compassion à leur égard et purent ensuite guérir la mère qu'elles portaient en elles.

Le renouvellement du lien parental par la thérapie peut aussi refermer la blessure maternelle. Le travail sur les rêves fournit des images et des histoires qui relatent les comportements inhibiteurs que nos mères nous ont légués et nous montre souvent la route à suivre, l'itinéraire féminin propre à chacune de nous. Peindre ces images, les danser, en faire des masques, les chanter, dialoguer avec le personnage de la mère incarné dans les rêves sont des moyens que nous avons à notre disposition pour accéder à la mère négative intérieure que nous devons parvenir à transformer. Le travail sur le corps, qui a pour but d'évacuer les traumatismes, peut nous aider à retracer nos origines et s'avère d'une grande utilité quand il s'agit de découvrir et de guérir nos blessures initiales.

Finalement, guérir les blessures occasionnées par la Mère indomptée exige que nous renoncions au ressentiment et à la victimisation, cela exige aussi de nous la prise en charge et la concrétisation de notre force proprement féminine. Un pas vers la guérison consiste, pour les filles, à accepter l'amour de leur mère, même si celle-ci l'exprime maladroitement ou d'une manière surannée. Au niveau le plus fondamental, nous pouvons apprécier nos mères en les remerciant de nous avoir donné la vie. Cela rend hommage au mystère de la maternité tout en tenant compte des problèmes et des particularités de chacune. Les filles peuvent se montrer généreuses envers leur mère en parvenant à un plus haut niveau de conscience et en leur indiquant une autre voie. Car la Mère indomptée est elle-même une fille blessée en mal d'empathie, de compréhension, de compassion et d'amour. En nous guérissant nous-mêmes, nous pouvons espérer guérir nos Mères indomptées et mettre fin au cercle vicieux qui nous retient toutes prisonnières. La réconciliation ne saurait avoir lieu si on ferme les yeux sur la douleur et sur la colère qui sont en nous. Mais si nous leur faisons face, nous pourrons les dépasser et nous engager sur une autre voie.

Sur le plan spirituel, nous avons trop oublié de remercier notre mère la Terre pour ses bienfaits. Sur les plans planétaire et écologique, nous ressentons la fureur de la Femme indomptée pour la façon dont nous avons traité la planète. Une femme a dit que «notre mère la Terre prend sa revanche» sous forme de cataclysmes, de l'effet de serre, d'espèces en voie de disparition, d'épidémies qui sont de véritables fléaux, de la destruction possible de la planète. Les individus et les groupes sociaux doivent porter attention à la Femme indomptée sans se mettre sur la défensive, sans tenter de se justifier en tant que victime ou en tant que Juge, et ils doivent agir de façon responsable individuellement et socialement.

Nous pouvons tirer ici un enseignement du mythe d'Inanna et d'Ereshkigal tel que raconté par les anciens Sumériens. Quand Ereshkigal, la grande et sauvage déesse des profondeurs, fit prisonnière la déesse du monde de la lumière, Inanna, et menaça de la tuer, deux minuscules créatures androgynes descendirent aux enfers pour plaider avec Ereshkigal. Elles ne discutèrent pas avec elle, elles ne la supplièrent pas, et n'usèrent ni de ruse ni de force. Elles pleurèrent avec elle et lui exprimèrent de l'empathie, elles partagèrent son chagrin. Dans sa gratitude pour leur compassion, pour leur participation à sa rage douloureuse, Ereshkigal soupira de soulagement et libéra la déesse Inanna en lui enjoignant de transmettre au monde le message et le savoir de sa sœur des Ténèbres. Si nous parvenions à aller à la rencontre de la Femme indomptée qui est au fond de nous toutes et à prêter une oreille attentive à son message, sans doute pourrions-nous, nous aussi, frayer à l'humanité le chemin de la paix universelle.

1. La codépendance est une assuétude qui consiste à trouver son centre hors de soi. Les codépendants s'attachent aux problèmes d'autrui, soit en les contrôlant, soit en les nourrissant, de préférence à leur vie personnelle. Pour une analyse plus en profondeur, voir mon ouvrage intitulé *Witness to the Fire: Creativity and the Veil of Addiction,* Boston, Shambhala, 1989.
2. Ingmar Bergman, *Sonate d'automne.*
3. Ibid.
4. Ibid.
5. Ibid.
6. Ibid.
7. Ibid.
8. Ibid.
9. Ibid.
10. Voir *Witness to the Fire,* pp. 115-164.

3

L'Oiseau en cage

Le chant perlé, craintif
de l'oiseau en cage
évoque des bonheurs inconnus
espérés
et son chant résonne
au-delà des collines,
car l'oiseau en cage
chante la liberté

Maya Angelou
«L'oiseau en cage»

Il y a plusieurs années, la poétesse Muriel Rukeyser écrivit: «Que se passerait-il si une femme disait toute la vérité sur sa vie?/Le monde se fendrait en deux[1].» Rukeyser a aidé beaucoup de femmes à comprendre qu'elles étaient enfermées comme des oiseaux en cage, et elle a su lancer pour elles un appel à la liberté.

Aujourd'hui, les femmes ont beau défendre ouvertement leur droit à vivre en fonction de leurs rythmes naturels, de leurs besoins, de leurs désirs et de leurs aptitudes, les structures sociales dans lesquelles nous vivons ne facilitent pas encore la réalisation de tout notre potentiel créateur. Dans *The Politics of Reality,* Marilyn Frye signale que la mobilité des femmes est freinée par un réseau systématique d'obstacles et de pouvoirs, exactement comme les barreaux de la cage enferment l'oiseau et le privent de sa liberté. Ces barreaux qui font obstacle à la liberté de la femme vont des limitations légales et des règles sociales qui leur dictent ce qu'elles doivent et ne doivent pas faire, à l'intégration, par les femmes elles-mêmes, de leur interprétation de ces contraintes[2].

Notre imaginaire des femmes contribue aussi à les mettre en cage. Dans les contes de fées, La Belle au Bois dormant est retenue prisonnière derrière une haie de ronces, et Blanche Neige est empoisonnée, puis enfermée dans un cercueil de verre. Dans chaque cas, une Femme indomptée est à l'origine de cet enfermement – belle-mère négligée, sorcière vorace, mère folle et jalouse. Les héroïnes de ces contes sont sauvées grâce à une intervention masculine. Quand nous étions petites, nous lisions souvent les histoires de ces jeunes filles prisonnières d'une Femme indomptée, que des hommes libéraient de leur cage, souvent celle de la Mère indomptée. Mais ces jeunes filles ne quittaient leur cage que pour entrer dans une autre, patriarcale ou sociale, et reproduisaient ainsi le motif de l'Oiseau encagé.

Aujourd'hui, les femmes sont tenues d'ouvrir leur cage sans intervention masculine. Pour y parvenir, elles doivent aller à la rencontre de la Femme indomptée qui les garde captives, l'identifier, comprendre les motifs de sa fureur, libérer son énergie à des fins constructives et tenter de l'aider pour mieux s'aider elles-mêmes.

Avant les années soixante, dans la génération de nos mères, une vie d'Oiseau en cage était typique. Une femme convenable était une épouse soumise; elle restait à la maison, vaquait aux soins du ménage et s'occupait de son mari et de ses enfants. Cet idéal emprisonna beaucoup de femmes et de filles, qui devaient en accepter le modèle de féminité et s'y conformer en refoulant la colère que leur inspiraient les limites de leur rôle, ou bien se révolter d'avoir ainsi été mises en cage par une société patriarcale. Bon nombre de ces Oiseaux en cage perdirent en quelque sorte l'esprit, freinées qu'elles étaient dans leur aspiration à mener une vie conforme à leur vraie nature. Pour certaines, il s'est agi d'une lente descente au fond de l'ennui, d'une léthargie masquant un état dépressif ou débouchant sur des malaises psychosomatiques. D'autres tentèrent de s'échapper dans l'alcool, les médicaments, la nourriture, le magasinage, ou la télévision. Les femmes qui voulurent mettre fin au *statu quo* ou qui purent demeurer fidèles à leur nature furent souvent déclarées folles et enfermées dans des institutions psychiatriques, comme ce fut le cas de l'écrivain néo-zélandaise Janet Frame, de la sculpteur française Camille Claudel et de l'actrice américaine Frances Farmer[3]. Mais il y eut quelques entêtées qui luttèrent avec courage et fermeté et qui parvinrent à s'enfuir de leur cage. L'écrivain américain Charlotte Perkins Gilman fut du nombre. Si plusieurs de nos contemporaines sont encore prisonnières des attentes de leur famille ou de la société, d'autres parviennent à transformer leur existence, à devenir des êtres indépendants, courageux et exemplaires, et à repousser ainsi sans cesse les limites de l'espoir et de la guérison.

LES CAGES

Quels sont les différents types de cages où nous sommes enfermées? L'Oiseau en cage est parfois prisonnière d'un mariage étouffant. Parfois c'est une secrétaire ou cadre d'entreprise confinée dans un rôle subalterne, qui fait le travail dont son employeur s'attribue le mérite quand tout va bien, et qu'il tient responsable quand les choses tournent mal. Il peut aussi s'agir d'une fille dominée par des parents possessifs. Elle est parfois victime d'une relation de violence ou d'une toxicomanie. Elle peut être l'emblème du rang social de son époux ou de son amant, ou encore d'une vedette prise au piège de l'opinion publique et du narcissisme social, comme ce fut le cas pour Marilyn Monroe. La femme qui reste enfermée dans sa cage dorée est de connivence avec ses geôliers et pose elle-même des entraves à sa liberté.

La cage peut être la conséquence de conventions sociales qui empêchent notre évolution et l'épanouissement de notre personnalité ou de notre maturité. Il peut s'agir de nos propres principes rigides, de nos normes perfectionnistes ou de la façon dont nous pensons devoir agir. De nos jours, elle consiste souvent en biens matériels ou en rêves de richesse, de sécurité, de gloire ou de fortune. Notre cage est tout ce qui comble notre vide intérieur en nous empêchant d'affronter les défis de l'existence. Tout processus mental fossilisé, sévère et absolu qui n'offre aucun débouché sur le dehors est une forme de cage.

L'une des cages les plus courantes est celle que nous construisons au moyen des idées que nos parents, notre famille, la société dans laquelle nous vivons, nos enfants et nos amis projettent sur nous[4]. Par exemple, bon nombre de jeunes adolescentes découvrent que leur mère, elle-même encagée, espère les voir reproduire la vie qui a été la sienne. Si la fille se démarque de la mère, elle est forcée de se révolter pour s'enfuir de la «cage» où sa mère l'a enfermée. Si la mère est elle-même un Oiseau en cage, la fille refusera généralement de suivre son exemple. La fille d'une femme au foyer restera souvent célibataire et aura des ambitions professionnelles, tandis que celle d'une femme de carrière qui s'est tuée au travail optera pour la vie familiale. Telle mère fut une épouse de guerre pour échapper à son pays ravagé après la Deuxième Guerre mondiale, mais cette sécurité lui valut de vivre dans la violence conjugale. Sa fille, qui refusa d'envisager ce martyre, demeura célibataire.

La cage où une mère enferme sa fille est parfois faite des rêves, des désirs déçus qu'elle espère voir sa fille réaliser à sa place. Il peut aussi s'agir du portrait négatif qu'une mère se fait de sa fille. Si certaines filles parviennent au fil des ans à se rebeller et à affirmer leur indépendance, elles le paient souvent de la détérioration de la relation mère-fille, avec ce que cela entraîne de tensions et de souffrance, de mauvais augures et de conflits. Qu'y a-t-il d'étonnant, dans ces circonstances, à ce que tant de filles choisissent de se soumettre à leur enfermement?

Il n'est pas rare que le mari prenne la relève des parents geôliers et que la fille, ayant cru échapper par le mariage aux limites de son rôle, continue de vivre dans le même isolement. Elsa me dit que sa mère, souhaitant avoir une fille bonne et obéissante, lui imposa des mœurs sexuelles puritaines. Elsa se révolta et se maria jeune pour échapper à cette emprise. Avec son mari, qui s'était toujours montré fier de son intelligence, Elsa poursuivit ses études jusqu'à l'université et surpassa son mari. Tant qu'il s'était senti supérieur à elle, il avait encouragé sa femme à s'améliorer, mais maintenant que les succès de cette dernière étaient manifestes, il sabotait ses efforts et cherchait à contrôler l'épanouissement de sa personnalité et ses accomplissements. Mais Elsa, qui attachait beaucoup de prix à son évolution personnelle et à sa carrière, sentit le besoin de mettre fin à leur union. Elle se remaria plus tard avec un homme capable d'apprécier ses réussites professionnelles.

Les artistes créateurs subissent souvent la contrainte des attentes familiales ou s'efforcent de transcender par leur art ces restrictions physiques et mentales. Les poétesses Anne Sexton et Sylvia Plath nous fournissent des exemples de ces femmes prises au piège, psychologiquement victimes de leurs rôles d'épouse et de mère. Toutes deux firent en sorte de reverser leur fureur dans l'écriture. Elles nous ont fait don, par leur poésie, de leur intuition et du souffle qui les inspirait, bien que toutes deux aient tragiquement succombé à leur désir de suicide. La comédienne Liv Ullmann écrit comment elle est devenue un Oiseau en cage dans sa relation avec Ingmar Bergman. Pour acquérir son autonomie, elle le quitta. Sa lutte pour préserver son intégrité est un exemple d'espoir pour toutes les femmes appelées à transformer leur existence.

La littérature, l'opéra, le cinéma, le ballet, tous ces arts regorgent d'Oiseaux en cage. Nora, l'héroïne d'Ibsen dans *La Maison de poupées,* est une femme que son mari adore, protège et étouffe. L'Oiseau Nora parvient à s'échapper, au contraire de la protagoniste de Tolstoï dans *Anna Karénine.* Anna est la victime des lois strictes de son époque et de sa société, de la sévérité de son mari et de la servitude de sa passion adultère. Elle n'a d'autre issue que le suicide. Un exemple similaire est celui de *Madame Bovary,* aux prises avec un mariage ennuyeux, qui aspire à une vie d'éclat et d'amour. De nombreuses femmes, de nos jours, se désespèrent dans une existence terne et cherchent à occuper leur temps par le lèche-vitrine, le magasinage, la rêverie que leur procurent les revues populaires, les romans d'amour, le cinéma et les feuilletons télévisés. Les déséquilibres alimentaires et les toxicomanies constituent aussi des tentatives de fuite, mais ils emprisonnent la femme encore davantage comme le démontre le film *Une Femme sous influence.* Le cinéma de l'après-guerre, quand les femmes «différentes» passaient pour folles, offre de nombreux personnages d'Oiseaux en cage. *Journal intime d'une femme mariée,* produit en 1970, au moment où la société de la fin des années soixante entamait sa lutte contre la perception que l'on avait alors des femmes, en est un bel exemple. Souvent, ces héroïnes tragiques se contentaient de vivre secrètement leur désespoir et restaient passives, subjuguées par leur mari, leurs parents et leur entourage. L'épouse traquée jusqu'à la léthargie par les conventions sociales est admirablement illustrée dans le film basé sur les œuvres de Evan S. Connell, *Mr & Mrs Bridge.*

Parmi les films récents, *Recherche Susan désespérément* montre un Oiseau en cage pris au piège du mariage, que pousse à se libérer le personnage vibrant de la Femme indomptée, un esprit libre et révolté incarné par Madonna. Quant au film *Thelma et Louise,* il illustre le pouvoir libérateur de la colère lorsque deux femmes échappent à leur ennui professionnel, à un mari violent et à la terreur du viol. Mais le prix de la liberté des femmes dans une société patriarcale est souvent la mort. À la fin du film, Thelma et Louise préfèrent la mort à la prison. En proposant à l'Oiseau en cage différents moyens de fuir sa prison et transformer son existence, ces films contemporains dépeignent des femmes qui choisissent en toute conscience d'échapper à leur sort. Dans *Shirley Valentine,* la protagoniste est si furieuse contre son mari insensible qu'elle hurle et parle aux murs. Ayant décidé d'effectuer un voyage en Grèce, elle y fait la rencontre d'un homme qui l'aide à s'apprécier *telle qu'elle est en réalité.* Ainsi métamorphosée, elle retourne chez elle en sachant qu'elle pourra transformer le caractère contraignant de son mariage. Le film de Woody Allen, *Alice,* illustre la métamorphose d'une autre femme au foyer qui, fuyant un mariage stérile, réalise son rêve de se rendre en Inde visiter Mère Teresa. Parce qu'elle a su concrétiser ses aspirations, Alice se découvre le courage de quitter la sécurité ennuyeuse de son mariage new-yorkais bourgeois et de travailler avec les enfants d'un quartier défavorisé.

Tous, tant que nous sommes, hommes et femmes, souffrons du syndrome de l'Oiseau en cage dans une société patriarcale dont les normes et les idéaux ont été rigoureusement établis. L'homme traditionnel qui «protège» sa femme en insistant pour qu'elle reste à la maison, érige en réalité une cage pour lui et elle en s'obligeant ainsi à subvenir aux besoins de cette dernière et à avoir un certain train de vie. Beaucoup d'hommes se voient aujourd'hui prisonniers de leur rôle de pourvoyeur. Eux-mêmes captifs d'une grosse entreprise, ils en viennent souvent à perdre le goût de la vie, de la liberté et de l'indépendance. S'ils tentent de s'affranchir des attentes de l'entreprise qui les emploie, de la société ou de leur famille, qui voient en l'homme un objet de réussite professionnelle, ils se culpabilisent, car ils croient manquer de virilité. Les femmes ont beau se plaindre de l'insensibilité des hommes, elles ne tiennent pas forcément à ce qu'ils renoncent à leur brillante carrière, au prestige et au rang que leur réussite leur confère dans l'échelle sociale et à la sécurité que leur procurent ces rôles, et elles appréhendent la nouvelle personnalité de l'homme affranchi[5].

LE SYMBOLISME DE L'OISEAU

Pourquoi les humains tiennent-ils à capturer des oiseaux et à les mettre en cage? Pourquoi certaines personnes tiennent-elles à s'enfermer elles-mêmes? Que symbolise l'oiseau en liberté? Dans les contes et légendes de nombreuses cultures, l'oiseau symbolise le cheminement spirituel. C'est lui qui peut nous conduire à la transcendance. L'oiseau, par sa faculté de voler, est un médiateur entre la terre et le ciel. Dans la tradition hindoue, l'oiseau est le symbole de l'élévation spirituelle. Chez les anciens Égyptiens, il représente l'âme humaine. En Afrique, les oiseaux symbolisent la force vitale. Le phénix mythique est l'image de l'immortalité et de la renaissance de l'âme qui renaît de ses cendres. Pour les mystiques soufis, l'oiseau en vol représente le long itinéraire qui conduit à l'union avec le divin. En libérant l'oiseau en nous, nous nous ouvrons émotionnellement à l'expérience spirituelle et nous entreprenons notre voyage vers la connaissance de soi et l'intériorisation. Le poète Rûmi a traduit cet envol transcendant dans des vers où l'amour et la liberté sont mis en parallèle:

> Celui qui aime est celui qui s'envole vers le secret du ciel
> Et fait à chaque instant tomber cent voiles;
> D'abord il renonce à la vie,
> Ensuite il s'avance sans l'appui de ses pieds[6].

Dans la mythologie russe, le bel Oiseau de feu est célébré comme source de créativité. Igor Stravinski, entre autres, a adapté ce conte de fées dans son ballet *L'Oiseau de feu*. Voici une ancienne version de cette légende:

Mariouchka, une jeune orpheline, excelle dans l'art de la broderie, et la beauté de ses travaux suscite l'émerveillement de tous. Des marchands, voulant profiter de ses talents, rivalisent de ruse pour la convaincre de leur céder l'exclusivité de son travail. Mais elle refuse toujours, car elle tient à sa liberté. Un méchant sorcier qui veut la mettre en cage et s'approprier ses dons la métamorphose en un Oiseau de feu lorsqu'elle refuse de l'épouser. Selon certaines variantes, l'Oiseau de feu sacrifie même sa vie plutôt que d'épouser le sorcier diabolique en renonçant à sa liberté. Une fois mort, l'Oiseau de feu laisse tomber ses plumes multicolores sur la terre, où les humains capables de reconnaître leur origine divine peuvent s'en inspirer pour faire œuvre de beauté. Dans des variantes plus tardives, un roi désire posséder l'Oiseau de feu et ordonne à son fils de le capturer et de le mettre en cage. Le prince lui donne sa liberté, car il perçoit la nature transcendante de l'Oiseau de feu et sait qu'aucun pouvoir humain n'a d'emprise sur lui. Il trouve à son tour une belle princesse et l'épouse, fait qui symbolise l'union dans l'âme humaine du divin et du sacré. Ceux qui, comme le sorcier, tentent d'emprisonner l'Oiseau de feu sont condamnés à la folie et à la mort.

Le ballet de Stravinski met en scène les vaines tentatives de ceux qui emprisonnent l'Oiseau de feu et son talent créateur. Au cours d'une chasse en forêt, le prince Ivan aperçoit un scintillant Oiseau de feu qui s'abandonne à une danse joyeuse et semble toujours sur le point de prendre son envol. Émerveillé par cette magnifique créature au visage et aux bras de femme et au corps d'oiseau couvert de plumes éblouissantes et colorées, il veut la capturer. Quand il parvient à l'attraper par surprise, l'Oiseau effrayé danse et se débat frénétiquement et supplie le prince de lui laisser sa liberté. Voyant qu'il a affaire à une créature surnaturelle, Ivan relâche son étreinte. L'Oiseau de feu le remercie en lui offrant une plume rouge vif, qui est en réalité une plume magique. S'il a un jour besoin qu'on lui vienne en aide, il n'aura qu'à l'agiter dans les airs.

Le sorcier cruel, Kaschei, règne sur la forêt. Il a capturé de belles jeunes filles qu'il garde prisonnières derrière une haute clôture avec un arbre magique dont les pommes d'or attirent l'Oiseau de feu. Se trouvant à son insu dans la forêt enchantée, émerveillé de sa rencontre avec l'Oiseau de feu, Ivan aperçoit quelques-unes des jeunes captives. La plus jolie d'entre les princesses le prévient que le sorcier capture les voyageurs innocents pour les changer en pierre. Ivan et la princesse tombent amoureux l'un de l'autre, mais au coucher du soleil, la princesse s'enfuit avec les autres jeunes filles apeurées, abandonnant Ivan ébahi au cœur de la forêt magique. Tout à coup, le cruel Kaschei fait son entrée, entouré de ses esclaves monstrueux, et attaque Ivan dans l'intention de le tuer. Se souvenant de l'Oiseau de feu, Ivan agite la plume rouge dans les airs, ce qui suscite la folie des monstres. L'Oiseau de feu fait irruption dans la forêt en tourbillonnant si vite qu'il sème le chaos. Puis il s'éloigne en dansant et remet à Ivan un sabre d'or qui doit servir à tuer Kaschei. Ivan retrouve la princesse, et tous les deux se prosternent devant l'Oiseau de feu qui leur a sauvé la vie. L'Oiseau de feu, dans une gracieuse danse solitaire, condamne les monstres à un éternel sommeil, restaure la paix et la sérénité, puis il prend son envol. Le ballet se termine sur un chant d'action de grâce à l'adresse de l'Oiseau de feu, puis Ivan et la princesse se marient au cours d'une cérémonie remplie de beauté et de joie.

Ces légendes anciennes nous rappellent que nous devons entreprendre notre propre quête spirituelle. Elles font valoir l'impossible capture de l'esprit humain et la gravité des conséquences que doit subir celui qui l'enferme dans une cage, qu'il s'agisse d'un système politique, d'une société patriarcale, d'une vision étriquée de la vie, ou de nos idées préconçues sur nous-mêmes et sur notre entourage. Mais par certains côtés nous aspirons tous à la sécurité et aux possessions matérielles, et nous tentons d'établir des lois qui régissent sévèrement nos comportements plutôt que de laisser libre cours aux forces de notre nature. Ce goût de la domination est particulièrement évident dans une société patriarcale basée sur l'acquisition, le pouvoir et la mise en cage.

LA VIE ENNUYEUSE DE MME BRIDGE

Généralement docile en apparence, une femme encagée est agitée intérieurement par l'amertume et la fureur d'être ainsi possédée, contrôlée ou dominée. Elle ne s'exprime pas, ses aptitudes restent en friche, et elle souffre ouvertement ou en secret de son manque d'assurance et d'estime de soi. Ne parvenant pas à s'affirmer, elle vit une autre vie que la sienne, elle ne parle jamais de ses problèmes et recourt à des stratagèmes pour combler ses besoins et ses désirs. Si elle s'affirme, si elle fait ce qu'elle veut, elle s'en culpabilise. Les dehors timidement complaisants ou ceux de victime pourvoyeuse de l'Oiseau en cage sont connus des codépendants qui partagent sa prison. Mais derrière ces ternes apparences, la Femme indomptée, reléguée à l'arrière-plan, rage et menace d'exploser. Le poème qui suit illustre bien le désespoir d'une jeune femme qui lutte pour sortir de sa cage:

PIÈGE

Captive des ténèbres, au cœur de moi-même
Un oiseau prisonnier aspire à la liberté.
Ses ailes battent furieusement, à tout moment
Il risque la blessure,
Mais il combat la peur des muettes asphyxies.

Pour une liberté inconnue, pour la passion déchaînée,
Il se meurtrit et se blesse, ses ailes se marquent de taches vives.
Il saigne, il lutte en aveugle, il se heurte à la cage,
Poussé par d'anciens désirs et sa rage refoulée.
Oublieux du mur impénétrable et cruel de l'illusion,
Il s'élance contre les barreaux colorés qui le repoussent, et tombe.
Tandis qu'il tremble et meurt sur le sol recouvert de saillantes éclisses,
Il souffre et ne voit pas, là-haut, la porte de sa prison depuis toujours ouverte.

De nos jours, l'Oiseau en cage est plus susceptible d'être conscient de son état, mais bon nombre de femmes ignorent toujours qu'elles sont prisonnières et ne parviennent jamais à intégrer l'énergie de la Femme indomptée en elles. Prenons l'exemple du personnage de India Bridge dans le film *Mr & Mrs Bridge*. Mme Bridge, une douce femme au foyer d'une cinquantaine d'années qui vit dans une banlieue du Middle West, est depuis toujours l'épouse de M. Bridge, un avocat issu d'une lignée de juges et d'officiers militaires. S'identifiant à des hommes au tempérament guerrier, il ne peut ou ne veut pas exprimer la tendresse qu'il ressent. En homme d'honneur et de droiture, il prend toutes les décisions à la place de sa femme et s'en fait le protecteur, allant jusqu'à lui cacher ses problèmes cardiaques. Éduquée dans la notion voulant qu'une femme convenable reste auprès de son mari coûte que coûte, elle lui obéit, vote pour le parti de son choix, et se satisfait d'être prise en charge par un homme.

Mme Bridge aime ses enfants adolescents, mais elle ne les comprend pas car elle est prisonnière des idées puritaines de sa génération. Elle est prude, les valeurs sexuelles et la révolte de ses enfants la choquent. Incapable de compassion pour leur souffrance ou leur colère, elle dissimule sa confusion derrière les lieux communs qu'on lui a inculqués dans sa jeunesse. Mme Bridge ne tolère pas d'être «différente». Elle accorde énormément d'importance aux apparences. Elle apprécie ses semblables en fonction de leur propreté, de leur tenue à table et de la qualité de leurs chaussures. Elle est toujours courtoise, même quand le désaccord des autres l'offusque. Habile à masquer tous les malaises, elle comble comme elle peut les silences de la conversation.

En dépit de sa vie facile, Mme Bridge s'ennuie, comme beaucoup de ses amies. Elle joue aux cartes pour passer le temps et s'efforce de se distraire en faisant du lèche-vitrine et en s'adonnant au papotage. Mais le vide gigantesque de sa vie commence à se faire sentir. Tandis que les membres de son groupe d'amies s'efforcent de ne pas tenir compte de leurs angoisses passagères, sa meilleure amie, Grace, se pose quelques questions.

— Nos préoccupations sont-elles celles que nous devrions avoir? fait-elle, sachant qu'elle a très peu connu la vie[7].

Ce questionnement bouleverse Mme Bridge.

À mesure que ses enfants acquièrent de l'indépendance et quittent la maison pour entrer à l'université, et depuis que son mari consacre toutes ses énergies à son travail, Mme Bridge est de plus en plus désemparée. La bonne vaque aux soins du ménage; elle n'a donc pas grand-chose à faire. Elle s'agite. Les journées s'allongent interminablement. Toujours incertaine de ce qu'elle voulait faire de sa vie ou de ce que la vie attendait d'elle, Mme Bridge a l'impression d'attendre quelque chose, mais elle ignore de quoi il s'agit ou pourquoi elle attend. Elle se surprend souvent à fixer le vide, habitée par le pressentiment oppressant que ce qui compte pour elle sera bientôt détruit. Mais elle s'efforce de chasser ces doutes de sa pensée. «Comment aurait-il (M. Bridge) pu deviner pourquoi cette vie de loisirs, cette exquise oisiveté qu'il lui avait procurée en lui donnant tout, était en train de la rendre folle[8]?»

Pour une part satisfaite de sa vie conventionnelle, Mme Bridge aspire néanmoins à s'en libérer. Mais elle ne comprend pas les admonestations de son professeur d'art plastique, qui lui enjoint de se laisser aller dans sa peinture. Sur les conseils d'une amie, elle entreprend la lecture de l'ouvrage de Thornstein Veblen, *Théorie sur les gens qui disposent de loisirs* (1899).

Lorsqu'elle tente d'en discuter avec M. Bridge, elle est blessée de l'entendre dire que ce ne sont là que des niaiseries socialistes. Elle s'indigne de son manque de sensibilité et menace de divorcer, mais M. Bridge parvient à lui faire oublier ses sentiments du moment en lui offrant une gorgée de bière et en la prenant sur ses genoux.

Mme Bridge affronte néanmoins ses moments de vérité. Un jour, dans un magasin, une cage d'ascenseur s'écroule à dix pas d'elle. Bouleversée, elle aperçoit par la trappe le regard ahuri des passagers de l'ascenseur et y décèle sa propre confusion. Un soir, avant de se mettre au lit, en appliquant distraitement une crème sur son visage tout en se demandant comment occuper sa journée du lendemain, elle se regarde tout à coup plus attentivement dans la glace. Qui est cette femme en face d'elle? Pourquoi vit-elle? Elle constate qu'elle ne sourit pas sous la crème; que la crème a toujours masqué un cri silencieux.

Déprimée, Mme Bridge sent qu'elle a besoin d'aide et annonce à son mari qu'elle a décidé d'entreprendre une psychanalyse. Son amie Mabel, déjà en analyse, lui en a parlé comme d'une découverte de soi. Ayant mis plusieurs semaines à rassembler son courage, elle choisit, pour lui en parler, un moment où son mari est de bonne humeur. Mais quand elle exprime enfin son espoir qu'une psychanalyse pourra la secourir dans sa dépression, M. Bridge continue de lire son journal sans écouter ce qu'elle dit.

— La psychanalyse ne vaut pas mieux que les diseuses de bonne aventure, fait-il.

Puis il offre de lui acheter une nouvelle voiture, comme si cela pouvait résoudre ses problèmes. Mme Bridge refuse son offre et déclare que le débat est clos.

Lorsque Grace lui avoue avoir peur de perdre la raison, Mme Bridge fait peu de cas de sa crise, ratant ainsi l'occasion qui leur était offerte de s'aider mutuellement à s'évader de leur enfermement psychologique et physique. Grace demande, en larmes:

— À quoi tout cela sert-il?

Elle supplie Mme Bridge de renoncer à sa gaieté factice et de l'écouter. Mais Mme Bridge est tout juste capable de lui tapoter la main en lui servant des clichés réconfortants, de sorte que Grace la quitte en mettant fin à leur amitié. Mme Bridge refuse d'admettre que, dans son désespoir, Grace vit exactement ce qu'elle-même traverse, c'est-à-dire, un vaste vide intérieur, «un chancre sur son univers» qui lui laisse un goût amer dans la bouche, mais qui en fait aussi la proie «d'un sauvage, sauvage désir[9]». Mme Bridge sait que Grace lui ressemble et ressemble à ses amies, à cette différence près qu'elle s'est permis de ressentir et d'exprimer la vacuité de leur existence commune.

Mme Bridge s'éveille au beau milieu de la nuit, avec le pressentiment que quelque chose ne va pas. Au matin, elle apprend la mort de Grace. Elle cache la vérité, elle ment, elle déclare à qui veut l'entendre que Grace est morte des suites d'une intoxication alimentaire. Elle ne dit la vérité qu'à ses amies intimes et à son mari: Grace a absorbé trop de somnifères. Dans sa douleur, elle se tourne vers son mari, mais celui-ci se contente de blâmer Grace et d'ajouter que son mari, qui lui a tout donné ce que peut désirer une femme, est bien à plaindre.

En s'efforçant de renouer avec sa vie habituelle, Mme Bridge s'enfonce dans le chaos. Consciente de la Deuxième Guerre mondiale, elle n'en comprend pas les inutiles cruautés. Éprouvant un sentiment d'irréalité qui la dépasse, elle rêve de façon de plus en plus obsessionnelle aux yeux hagards des enfants affamés et des réfugiés. Elle perd confiance en l'avenir. Tout comme son amie Grace, Mme Bridge se défait peu à peu, mais elle s'efforce de chasser ces sentiments en se remémorant les moments heureux de sa vie.

Puis vient le coup final. Un jour, M. Bridge s'écroule à son bureau et meurt, terrassé par un infarctus. Mme Bridge se retrouve seule. Cherchant à fuir la réalité dans l'oubli, elle dort de plus en plus. Elle voit approcher la vieillesse et se déplace de plus en plus difficilement. Elle vit dans le passé, reste à la maison en attendant le courrier ou un coup de téléphone, elle feuillette son album de photographies et s'efforce de ressusciter le passé. Un jour d'hiver, alors qu'il neige, Mme Bridge décide d'aller flâner dans les magasins. Le moteur de sa voiture cale et celle-ci reste coincée entre les portes du garage. Le moteur refuse de tourner. Les portières sont bloquées et ne s'ouvrent pas assez grand pour lui permettre de sortir. Elle essaie d'attirer l'attention. Elle appelle:

— Hou-hou! Il y a quelqu'un[10]?

Mais personne ne la voit et personne ne l'entend. Mme Bridge reste prisonnière du froid glacial. Il n'y a rien d'autre à faire qu'attendre dans une cruelle métaphore de sa vie. Passive, dépendante, elle s'est enfermée dans la cage de ses émotions glacées.

Dans le roman, Mme Bridge attend en vain dans le froid, mais personne ne l'entend. Elle glisse peu à peu dans l'inconscience et meurt gelée. Dans la version filmée, M. Bridge est toujours vivant. Il a essayé en vain de joindre sa femme au téléphone et a cru qu'elle s'était absentée pour aller faire des courses. En rentrant, il a tout à coup envie de lui acheter des roses et, s'installant au volant de sa voiture, il fredonne sa chanson préférée, «Où sont-ils donc, ces hommes pleins de courage?» Apercevant sa femme coincée entre les portes du garage, il la libère *in extremis,* mais il oublie de lui offrir le bouquet de fleurs. Le film laisse entendre que M. et Mme Bridge poursuivront leur petite vie, sans y déroger.

Mme Bridge peut sembler une relique d'une autre génération, mais beaucoup de femmes actuelles lui ressemblent et souffrent de mener une existence débilitante d'ennui, de routine ou de pauvreté. Hollywood a opté pour une fin heureuse où M. Bridge sauve sa femme, mais qui cache, comme nous le faisons sans cesse, la vraie, l'inévitable tragédie. La peur de connaître le sort de Mme Bridge est courante et fondée sur des probabilités. Personne n'est exempt de cette tendance à préserver le *statu quo,* à fermer les yeux sur les sentiments troublants, à éviter le changement pour protéger sa sécurité et se savoir à l'abri. Au siècle dernier, Charlotte Perkins Gilman fit le récit d'une vie similaire à celle de Mme Bridge, une vie dépourvue de sens et de but, une vie inutile, celle d'une femme entièrement protégée et dominée par son mari et par la société, qui débouchera sur la passivité et la folie froide. Cette tragédie de Gilman s'intitule *The Yellow Wallpaper.*

UNE DESCENTE DANS LA FOLIE: *THE YELLOW WALLPAPER*

The Yellow Wallpaper relate l'histoire d'une femme au talent créateur, prise au piège d'une vie conventionnelle et affligée d'un ennui mortel. Cette nouvelle fut écrite à la fin du dix-neuvième siècle par Charlotte Perkins Gilman, qui lutta, en écrivant son histoire, contre une maladie nerveuse semblable à celle de son personnage. Ayant eu à affronter les obstacles dressés devant sa propre liberté psychologique, Charlotte Gilman, une féministe avant la lettre, se battit pour montrer aux femmes comment on les privait de leur liberté. Près d'un siècle plus tard, *The Yellow Wallpaper* nous rappelle encore qu'une femme qui réprime ses talents peut devenir victime et prisonnière de ses propres élans créateurs. Si elle nie son énergie créatrice, cette énergie débouche sur un réflexe d'autodestruction qui peut prendre la forme d'une toxicomanie, d'une dépression, de phobies, de réactions anxieuses. Parfois même, elle conduit au suicide.

Il est intéressant de constater que le personnage de *The Yellow Wallpaper* n'a pas de nom. Elle n'a d'identité que dans son rôle d'épouse et son obéissance à un mari paternaliste. Elle a beau vouloir devenir écrivain, son mari et son frère, tous deux médecins, lui disent qu'un travail, quel qu'il soit, nuirait à son état nerveux. Selon eux, l'écriture est particulièrement dangereuse, car elle peut donner accès à des imageries qui, en alimentant l'imagination fertile d'une femme, troubleraient son repos. Ils lui disent que la moindre expression de sentiments lui serait néfaste. Quand elle ressent un élan de colère, ils lui enjoignent de le refouler, ce qu'elle fait, même si ce refoulement l'épuise. Elle se tait, elle dissimule ses émotions et ses conflits, elle cache à tous ses aptitudes, car son mari affectueux la protège. Il veille sur son emploi du temps, d'heure en heure, il l'appelle «sa gentille petite oie» et il l'assure qu'elle est son seul et unique réconfort dans la vie, son bien le plus précieux.

Son mari s'oppose à son désir d'avoir une chambre à elle — une pièce du rez-de-chaussée donnant sur le jardin, et qui l'inspire — et il la relègue plutôt à l'étage, dans une ancienne chambre d'enfants avec des barreaux aux fenêtres (et un lit, pour être près d'elle la nuit). Cette pièce la désole avec son papier peint délavé et déchiré d'une horrible couleur jaune. Le papier dégage même une odeur jaune, une odeur révoltante. Le motif vieillot semble prendre des formes torturées qui l'étourdissent. Le papier jaune la bouleverse, il envahit confusément son cerveau et sa vision.

L'écriture est son seul remède contre le papier peint envahissant et les idées étranges qui se pressent en elle, car elle peut ainsi composer avec ses motifs extravagants. Mais son mari et sa sœur, qui est aussi la gouvernante de ce dernier, s'entendent pour dire qu'écrire aggrave son état, de sorte qu'elle doit se cacher pour écrire comme une alcoolique cache ses bouteilles. Elle aimerait avoir des amis avec qui partager sa passion de l'écriture, mais elle n'a aucun confident.

Son séjour dans cette pièce l'amène à remarquer que deux yeux absurdes bougent et l'observent derrière les lambeaux de papier. Elle en est nerveuse et agitée, mais elle cache ses larmes aux autres. Avec le temps, le papier peint éveille sa curiosité. Sous les motifs dérangeants qui tournent dans tous les sens à la surface du mur, une ombre vague, imprécise, la regarde. Elle constate un peu plus chaque jour que cette silhouette ressemble à une femme voûtée qui semble ramper à la recherche d'une issue.

Une nuit de lune, elle s'effraie de la silhouette qui se déplace ainsi, et elle essaie de dire à son mari que la chambre la rend malade. Il lui rappelle qu'il est médecin et constate qu'au contraire sa santé s'améliore. Il lui conseillera plus tard de faire une sieste après chaque repas, habitude qu'elle déteste. Mais elle juge préférable de lui mentir, car elle le craint et commence à le croire fou de vouloir ainsi contrôler ses moindres gestes.

Elle est de plus en plus déterminée à rester seule et à dominer les motifs erratiques du papier jaune. Pendant la journée, dès qu'elle pense l'avoir traqué, il se retourne hypocritement contre elle comme un cauchemar visuel et se transforme à mesure que change l'éclairage de la pièce. La nuit, quand la lune éclaire sa chambre, elle aperçoit derrière les barreaux la silhouette d'une femme qui veut s'enfuir. La femme courbée est la furieuse Femme indomptée, prisonnière des certitudes masculines et des jugements de son mari et de la société patriarcale. Elle s'absorbe dans le mystère du papier peint et s'efforce de l'éclaircir comme s'il s'agissait d'un roman de série noire. Elle constate que le motif bouge quand la femme le secoue en rampant. Parfois, ce sont plusieurs femmes qu'elle voit ainsi s'acharner contre les barreaux jaunes. Un jour que la silhouette s'échappe du papier peint, elle se déplace furtivement avec elle, puis elle verrouille la porte pour que son mari et sa belle-sœur ne puissent pas la voir. Elle veut aider la femme rampante à s'échapper du papier peint jaune. Toutes deux arrachent du mur de grands lambeaux de papier. En se traînant dans la chambre avec la folle, elle s'aperçoit qu'elle peut comme elle entrer sous le papier peint et en sortir à sa guise. Mais à d'autres moments, la pensée de ressembler à cette Femme indomptée la terrifie, et elle s'attache à son lit pour se protéger, pour s'empêcher de sortir et d'être découverte. Forçant la porte de sa chambre, son mari la découvre sur le sol jonché de lambeaux de papier. Stupéfait, il lui demande ce qui se passe.

— Je suis sortie enfin... malgré toi... Et j'ai arraché le papier. Tu ne pourras plus m'y enfermer, répond-t-elle d'un air de défi[11].

L'histoire se termine au moment où elle passe et repasse en rampant sur son mari évanoui devant elle.

ARRACHER LES BARREAUX PAR L'ÉCRITURE: CHARLOTTE PERKINS GILMAN

L'héroïne de *The Yellow Wallpaper* a succombé à la folie, mais sa créatrice, Charlotte Perkins Gilman, trouva son salut dans l'écriture. Comme ce fut le cas pour la protagoniste de son histoire, son médecin lui intima l'ordre de se consacrer à son rôle d'épouse et de mère, et de «ne plus toucher à une plume, à un pinceau ou à un crayon de sa vie[12]».

Mariée jeune à un artiste de talent, idéaliste et solitaire comme elle, Charlotte le décrit comme un homme tendre, sexuellement attirant, qui assumait sa part des travaux du ménage. Mais si libéral qu'il paraisse, il était persuadé qu'une femme indépendante comme Charlotte trouverait son bonheur dans la sécurité et l'amour du mariage après avoir été ainsi ballottée par la vie dans sa recherche d'expression. Dès les premiers temps de sa vie conjugale, Charlotte connut des moments de grave dépression, comme si «une brume grise recouvrait mon cerveau, que s'y répandait un nuage noir[13]». L'insomnie, la fatigue, l'incapacité de travailler la rendaient malheureuse. Pendant cette période, elle mit au monde un fille dont elle ne put s'occuper en raison de son état de santé.

L'obéissance à son médecin lui coûta presque sa santé mentale, note-t-elle dans son autobiographie. Son angoisse était telle, qu'elle échappait à sa détresse en se cachant sous les lits et dans les placards. Au cours d'un voyage en Californie, elle constata que l'éloignement d'avec son mari améliorait sensiblement son état de santé. Mais sitôt revenue à sa vie familiale, la fatigue et la dépression reprirent possession d'elle. Au bout de quatre ans de mariage, elle divorça, jugeant préférable pour leur fille de vivre auprès de son mari et de sa meilleure amie, qu'il épousa. Devant les possibilités qui s'offraient à elle, en l'occurrence, une vie créatrice ou la passivité du mariage traditionnel, Charlotte ne put qu'opter pour la première, car elle se remémorait sa propre enfance auprès d'une mère malheureuse et tourmentée.

La mère de Charlotte avait eu trois enfants en trois ans, et n'avait pu ni recevoir ni donner d'amour physique. Son mari abandonna le toit familial peu après la naissance de Charlotte, en 1850, en Nouvelle-Angleterre. Charlotte grandit sans recevoir de tendresse de sa mère, une Reine des Neiges froide et distante qui était aussi un Oiseau en cage. Pour survivre, Charlotte devint une personne déterminée, entêtée, perfectionniste et curieuse de tout. Elle hérita d'un sens du devoir et des responsabilités proprement puritain, et se jeta passionnément dans le travail. Jeune fille, Charlotte avait appris de sa grand-tante, Harriet Beecher-Stowe, que les femmes étaient victimes des injustices de la société. Déterminée à transformer cet univers en écrivant et en donnant des conférences, Charlotte voulut toute sa vie «découvrir les maux dont souffrait la société et les moyens les plus simples et les plus naturels de les guérir[14]».

En 1890, elle s'installa en Californie où elle donna des conférences sur les droits de la femme, enseigna, travailla dans un journal et écrivit *The Yellow Wallpaper.* La période entre 1890 et 1894 fut pour elle la plus difficile, car elle devait sans cesse lutter contre la léthargie, la dépression, la fatigue et l'hostilité de l'opinion publique. Le rédacteur en chef de *The Atlantic Monthly* refusa *The Yellow Wallpaper.* À sa publication en 1892, les critiques furent mitigées. Le texte échappa à l'oubli lorsque William Dean Howells, qui l'admirait, l'inclut dans son édition de 1920 de *Great Modern American Stories.*

En écrivant l'histoire de Femme indomptée de *The Yellow Wallpaper,* Charlotte Perkins Gilman opéra la métamorphose de la Femme indomptée qui vivait en elle. Elle parvint à vaincre sa peur débilitante de l'enfermement, devint une écrivain et une conférencière féministe dont la réputation s'étendit au monde entier, et publia des poèmes, des nouvelles, des romans utopiques et des essais dans lesquels elle critiquait les systèmes économiques et sociaux qui gardaient les femmes otages, formulant déjà les aspects de la vie de famille aujourd'hui considérés dysfonctionnels. Elle abordait principalement la question du comportement autoritaire du père/époux, «propriétaire» de la femme qui lui est inférieure, soumise et dépendante. Dans son effort pour libérer les femmes de ce carcan afin qu'elles puissent vivre dans le respect d'elles-mêmes et s'épanouir, elle plaida en faveur des garderies et des cuisines communautaires, du respect du travail des femmes, quel qu'il soit, et de l'égalité des droits des femmes sur le marché du travail.

Pendant les premières années de sa vie professionnelle, Charlotte mena une existence nomade: elle donna des conférences partout aux États-Unis et en Europe, effectua des recherches et se consacra à l'écriture. Elle s'efforçait autant que possible de partager la compagnie de sa fille Katherine. Son entourage comptait alors énormément pour elle. À l'invitation de Jane Addams, elle fit un séjour de quelques mois à la Hull House de Chicago, où elle put se reposer, se régénérer et vivre auprès des intellectuels et des réformateurs du jour tels que John Dewey et Robert Ely. Pardessus tout, elle eut la chance de partager la vie de quelques femmes exceptionnellement brillantes.

Pendant que sa vie professionnelle s'épanouissait, elle était privée dans sa vie personnelle de l'intimité des rapports quotidiens. Des dépressions périodiques l'épuisaient, elle appréhendait encore l'enfermement d'une relation stable et se voyait forcée de choisir entre l'amour et le travail. Son écriture lui permit d'intérioriser ses émotions et son expérience, de noter et comprendre que ses dépressions avaient une origine autant interne qu'externe. Elles eurent beau revenir de façon périodique, elle apprit à ne plus les craindre, car, constatant qu'elles ne parvenaient pas à la détruire, elle accepta leur nature cyclique et découvrit en elle un fort instinct de survie. Elle s'efforça de «vivre comme je voudrais que ma fille et que toutes les femmes vivent, sûres d'elles-mêmes, sachant s'aimer et s'apprécier[15]». Elle s'efforça de concilier les nombreux dilemmes auxquels elle était confrontée, son personnage public et son personnage privé, son besoin d'indépendance et son besoin d'une relation d'intimité, d'amour et de travail.

Vers la fin de la trentaine, elle renoua avec son cousin avocat George Hampton Gilman, son cadet de sept ans, un homme doux, aimable, affectueux et son égal sur les plans culturel et intellectuel. Elle s'ouvrit à lui de sa peur de l'abandon, de ses dépressions récurrentes et de ses conflits intérieurs. Mais le mariage pointa à l'horizon, et elle sombra dans une profonde dépression. Malgré sa peur, elle ne recula pas devant Gilman et leur vie commune. Après avoir transcrit sa plus grande terreur, celle de la Femme indomptée de *The Yellow Wallpaper*, et après s'être consacrée à améliorer le sort des femmes dans la société, elle se sentit assez forte, à quarante ans, pour s'engager dans une relation affective stable. Leur couple étant fondé sur l'amitié plutôt que sur la passion impulsive, et son mari se dévouant davantage à sa famille et à son mariage plutôt qu'à sa carrière, Charlotte se sentit confiante et en sécurité auprès de son époux. Leur mariage dura plus de trente ans, jusqu'à la mort de George, et procura à Charlotte la stabilité nécessaire à son travail le plus créateur.

En 1898, elle publia *Women and Economics*. Le livre eut un retentissement immédiat, et ses nombreuses traductions la firent connaître partout dans le monde. Dans cet ouvrage, elle remettait en question les systèmes patriarcaux qui soumettaient les femmes. Comme dans d'autres livres, elle y soutenait que notre gagne-pain est ce qui commande le plus notre existence. Ainsi, lorsqu'une femme dépend financièrement de son mari, ses «gains» découlent de ses atouts sexuels et de son rôle de servante. Cette façon de «s'enrichir» engendre une dépendance étouffante qui restreint à la fois les possibilités du couple et celles de leur progéniture. La famille subit alors une influence négative, car le rôle subalterne de la femme incite les deux membres du couple à un comportement égoïste. Par exemple, Charlotte constata que les hommes affables dans leur vie professionnelle sont souvent tyranniques et violents à la maison, et que leur épouse devient exigeante et avide. Au lieu d'être un havre de paix, le foyer devient une «école de mécontentement» pour le malheur de tous. Selon Charlotte, le système patriarcal forme les femmes dans un rôle de pourvoyeuses de sexe et de ménagères, comme on entraîne artificiellement une vache à donner plus de lait. Une femme formée à devenir un objet sexuel perd sa relation privilégiée avec la nature, sa force et son indépendance. Elle place en parallèle la «laiterie ambulante» qu'est la vache domestiquée et la vache dans son milieu naturel, en même temps vache maternelle et «créature légère, forte, agile et musclée, capable de courir, de sauter et, au besoin, de se battre[16]». Pour que les femmes puissent acquérir leur indépendance, soutient-elle, elles doivent pouvoir s'épanouir naturellement, ce qui suppose qu'elles peuvent gagner leur vie. L'émancipation des femmes de leur rôle artificiellement confiné débouchera sur l'émancipation de tous, sut-elle prédire dans ses romans utopiques *Moving the Mountain* (1911), *Herland* (1915) et *With Her in Our Land* (1916), qui dépeignent des sociétés plus saines. Pour Charlotte, une femme capable de devenir «la servante du monde» plutôt que «la servante de la maison» rendrait la terre plus hospitalière pour ses enfants et pour le reste de l'humanité.

Dans ses œuvres subséquentes, Charlotte écrivit que, puisque notre univers se compose de processus sociaux interdépendants, l'individualisme constitue un obstacle à notre bonheur. Elle soutint que notre plus grande satisfaction consiste à travailler pour le bien de la communauté humaine. Ce travail est aussi naturel que l'air que nous respirons, car nous avons été créés pour nous consacrer à des tâches importantes qui favorisent l'harmonie entre les êtres.

Charlotte remit aussi en question la notion du droit de propriété et démontra comment cette notion pouvait déboucher sur la prétention des hommes à dominer les femmes. Elle soutint que la concurrence et la récompense, encouragées par une littérature d'hommes qui met en valeur les thèmes du désir et de la guerre, n'incite pas à la vraie connaissance et débouche sur des critères d'excellence proprement masculins. Elle était d'avis que les femmes écrivains pouvaient ouvrir la voie à de nouveaux domaines créateurs, car «l'instinct de la femme est d'accumuler, de rassembler, de construire». Elle conclut en disant que les valeurs féminines de persistance et d'entraide enrichissent la vie humaine et soutint que la religion même était dominée par la valeur que le patriarcat accorde à la propriété et sa tendance à tenir la femme (Ève) pour responsable du péché originel et de la déchéance de l'humanité. À l'opposé de l'obsession masculine de la mort et du bonheur éternel, fit-elle remarquer, les femmes font valoir la naissance, la croissance, l'affection, la formation et la construction, de sorte qu'elles s'efforcent d'œuvrer pour un avenir meilleur dont bénéficieront les générations futures. Ces valeurs féminines constituent le fondement de la religion en tant que source de courage pour le bien commun.

— Les femmes se sont toujours efforcées de guérir, d'enseigner et d'aider, dit-elle.

Comprenant que «Dieu» est le souffle de vie qui nous anime plutôt que le Juge et le patriarche que prônent tant de structures religieuses, Charlotte Perkins Gilman allégua qu'une religion féminine fondée sur la naissance encouragerait l'évolution de l'humanité au lieu d'accroître sa puissance guerrière. Même au début de ce siècle, parce qu'elle avait pu s'évader de sa cage psychologique, physique et sociale, elle sut que l'envol de l'esprit féminin ne serait possible qu'à la condition de retourner à une religion féminine et d'inculquer à l'humanité la sagesse créatrice des femmes. De nos jours, ces cultes d'un Dieu femme sont en constante progression à mesure que les femmes redécouvrent les voies d'une connaissance qui leur est propre et qu'elles ravivent les rituels magiques de la Wicca (le culte de l'Essence à la fois mâle et femelle des forces de la nature) et d'autres pratiques spirituelles fondées sur l'harmonie avec la nature et ses cycles saisonniers. L'histoire qui suit montre comment s'effectue ce processus dans les rêves et l'évolution d'une femme contemporaine.

LA DÉLIVRANCE DE L'OISEAU EN CAGE: L'HISTOIRE DE CONSTANCE

Constance fut une bonne partie de sa vie un Oiseau en cage. Pendant la traversée difficile de la quarantaine, elle vit en rêve une Femme indomptée. En affrontant ce personnage de ses rêves, en faisant des exercices d'imagination active qui lui permirent de déceler et de transformer une codépendance débilitante, Constance put s'affranchir et transformer la furieuse énergie qu'elle renfermait en une façon de vivre et de s'exprimer positive et personnelle. Comme tous les processus de transformation profonde, l'itinéraire de Constance vers la découverte de son identité créatrice eut lieu progressivement, «une marche à la fois», et grâce à un engagement renouvelé chaque jour, dit-elle plus tard.

Constance entra en thérapie car elle se sentait prise au piège de son mariage et inapte à découvrir et à exprimer ses forces créatrices. Heureuse d'être mère, elle aimait ses enfants et appréciait leur compagnie, mais elle craignait de les étouffer si elle ne trouvait pas d'autres formes d'expression. Sa propre mère avait connu des états émotionnels extrêmes, et elle s'était montrée tour à tour possessive et distante envers Constance. Elle avait voulu que sa fille lui ressemble et l'imite, tout en souhaitant qu'elle s'affirme. Constance refusait de reproduire ce comportement avec ses enfants.

Lorsqu'elle était enfant en Alaska, Constance s'était sentie prisonnière. Comme bon nombre d'adultes qui ont grandi au sein d'une famille dysfonctionnelle, Constance avait eu une enfance traumatisante. Elle avait été abandonnée par un père alcoolique, mort par la suite avant trente ans alors qu'elle-même n'en avait que sept. Ne l'ayant pas connu, il devint pour elle un personnage séduisant et inaccessible. Ce fut le fondement de son attirance, plus tard, pour des «amants fantômes», romantiques et non disponibles. Après que son père fut devenu inconstant et en raison de la jeunesse de sa mère encore adolescente, Constance fut recueillie par ses grands-parents. Mais quand elle eut deux ans, sa mère l'enleva au beau milieu de la nuit pour l'amener vivre avec elle et avec son nouveau mari, un homme violent qui battait Constance, comme il battait son père quand ce dernier tentait de la voir.

Le chaos régnait dans la maison. Enfant unique, Constance était terrifiée par les colères de son beau-père et par les émotions imprévisibles et les crises de rage de sa mère. Soit que celle-ci, traversant une phase maniaque, dépense tout son argent pour s'acheter des vêtements de luxe, soit que, en phase dépressive, elle passe la journée au lit, malheureuse et apathique. Les émotions de sa mère envahissaient tout, ne laissant aucune place aux sentiments de Constance et ne lui permettant pas de développer son identité. Elle se sentait comme «une enfant abandonnée».

Quand, à l'adolescence, Constance eut un début de vie sociale, sa mère se montra jalouse de tous ses amis et lui interdit de sortir. Elle se comparait à sa fille, qui était fort jolie, et souffrait d'un complexe d'infériorité qui la poussait à critiquer et à culpabiliser Constance. Elle désirait inconsciemment que sa fille prenne soin d'elle et qu'elle partage ses souffrances et son enfermement. Tout au long de son adolescence, la mère de Constance l'accusa d'être égoïste et lui répéta: «Tu ne penses jamais qu'à toi.» Un soir, prise d'une rage peu commune, elle la chassa de la maison à tout jamais. Constance parvint à surmonter ce rejet, mais elle en souffrit, tant au niveau physique que moral. Ses menstruations s'interrompirent pendant toute une année. Elle se sentit à l'étroit en société et à l'école. Elle prit beaucoup de poids. Elle envisagea le suicide.

À l'université, Constance tomba amoureuse d'hommes qui, comme son père, étaient séduisants mais manquaient de maturité, et qui tôt ou tard lui préféraient les drogues ou l'alcool. Son intelligence et son assiduité lui permirent de terminer ses études. Son désir de sécurité financière et d'une vie dépourvue de conflit la poussèrent à épouser un brave type, un homme passif qu'elle pouvait dominer et qui lui procurait une certaine stabilité. Elle évitait ainsi d'être à nouveau abandonnée ou blessée. Pendant un certain temps, sa cage fut un havre où elle trouva la sécurité dont elle avait manqué dans son enfance.

Consciemment, Constance voulait une vie prévisible et contrôlable. Mais inconsciemment, elle nourrissait des rêveries romantiques. Elle était encore éprise d'un séduisant hors-la-loi qu'elle avait fréquenté dans son adolescence, et qui nourrissait son imagination romanesque. Elle se sentait prise au piège à la maison, et se surprenait parfois à houspiller son mari et ses enfants. Elle en fut bouleversée, car elle les aimait et ne voulait pas reproduire les comportements de sa mère. Ce sont ces conflits qui l'amenèrent en psychothérapie.

Très tôt, la Femme indomptée surgit dans ses rêves:

> Je suis avec des bandits devant la masure d'une femme dans la soixantaine. Tout à coup, elle sort de chez elle, portant dans ses bras deux chats qui ressemblent aux miens. À notre stupéfaction, la vieille femme les décapite et les démembre avec ses dents. Paralysés de peur, ils ne cherchent pas à se défendre. Nous restons là, figés, incapables de réagir à cette violence épouvantable. Je m'éveille, saisie d'horreur.

Pour Constance, ces chats étaient le symbole de son côté féminin naturel et instinctif. Leur incapacité à se défendre de la Femme indomptée lui fit songer à son inaptitude à se préserver des atteintes de sa mère. La Femme indomptée du rêve de Constance ressemble aux Ménades de la légende grecque dont il a été question précédemment, tout autant capables de décapiter et de démembrer des bébés et des animaux (comme dans le rêve) que de nourrir des fauves au sein. Les Ménades symbolisent aussi l'énergie sauvage qui procure le courage de rompre les barreaux d'une cage.

Ce rêve bouleversa Constance, mais il lui indiqua aussi qu'elle abritait en elle une Femme indomptée apte à détruire et à créer, mais capable aussi de l'aider à s'évader. Elle voyait comment cette figure féminine furieuse avait été intégrée comme une image miroir de sa Mère indomptée. Il ne lui servirait à rien de blâmer sa mère pour sa vie malheureuse. Les Ménades lui indiquèrent deux voies possibles: celle de la création et celle de la destruction. Constance dut affronter la Femme indomptée en elle, vaincre sa fureur et orienter efficacement son énergie.

En s'adonnant à l'imagination active spontanée, Constance vit l'image d'un alligator femelle. L'alligator captura Constance entre ses énormes mâchoires et l'y maintint en position fœtale.

Paralysée de terreur, elle demanda à l'alligator (qui était une version animale de la Femme indomptée) ce qu'il lui voulait. L'alligator répondit: «Ta force», et recracha Constance. Par cette imagerie, Constance put clairement prendre conscience de la façon dont la Femme indomptée absorbait son énergie, tout comme sa mère l'avait dévorée dans son enfance. Constance comprit aussi que l'alligator pouvait symboliser son aptitude à protéger ses forces créatrices, car l'alligator mère représente aussi le côté protecteur de la Mère indomptée qui désire voir son rejeton devenir adulte et voler de ses propres ailes. L'alligator retient ses bébés entre ses mâchoires jusqu'à ce qu'ils puissent vivre leur vie, et attaque quiconque les menace, surtout l'alligator mâle qui dévore parfois sa progéniture. Encore une fois, Constance prenait conscience de la force primitive féminine et sauvage en elle, qui devait subir une transformation.

Le rêve, associé à l'imagination active et à beaucoup de travail sur elle-même et ses peurs, réussit là où la mère de Constance avait échoué: il lui fit connaître les moyens à prendre pour voler de ses propres ailes et s'épanouir. Au début, elle ne se savait pas enfermée, mais ce processus thérapeutique lui fit prendre conscience des limites qu'elle s'imposait, et elle ressentit douloureusement sa réclusion. En traversant les souffrances qui accompagnèrent sa descente dans son inconscient tourmenté, elle comprit l'importance de la liberté et de la réussite professionnelle. La combinaison de son travail thérapeutique et de ses efforts créateurs lui permirent de trouver son identité, de se connaître et de connaître ses besoins, toutes choses que son enfance tumultueuse l'avait empêchée de découvrir.

Ayant retrouvé son identité, Constance poursuivit sa recherche intérieure pour parvenir à se différencier de sa mère. Comme la plupart des filles, Constance lui était inconsciemment soudée. Lorsque sa mère la réprimandait, Constance ressentait physiquement sa colère en dépit de la grande distance qui les séparait. Constance souffrait périodiquement de malaises et d'états dépressifs reliés, d'une façon ou d'une autre, à la vie chaotique de sa mère. Si Constance restait prisonnière de cette symbiose, elle ne pourrait pas se trouver. Son existence était celle d'une morte-vivante. Elle était la plupart du temps malheureuse ou apathique. La rupture de ce cordon ombilical pourrait seul mettre fin à ce cercle vicieux. Il lui faudrait puiser dans l'énergie de la Femme indomptée pour y parvenir.

Constance prit sa vie et ses actes en main. En décidant ce qu'elle ne voulait pas, elle sut ce qu'elle désirait. Elle mit fin à l'illusion voulant qu'elle ait besoin des autres pour se définir elle-même. Elle sut jusqu'où aller dans sa relation avec sa mère, et en fixer les contours. Constance apprit à être ferme et à dresser les limites nécessaires. Elle refusa la culpabilité dont sa mère s'efforçait de l'accabler, et fit en sorte de ne pas s'exposer à ses jugements critiques. Elle cessa d'avoir peur de sa mère et de ses émotions en dents de scie, car elle avait identifié, reconnu et intégré sa propre fureur.

Constance se sentait aussi moins prise au piège dans sa vie de femme mariée, moins inextricablement et malsainement entremêlée à son mari et à ses enfants. Elle se savait dotée d'un vaste potentiel demandant à être exploré. Un rêve qu'elle fit la confirma dans la certitude de son épanouissement: des diamants tombaient de sa bouche. Elle sut au réveil qu'elle pourrait se défaire de l'insécurité qui l'empêchait de s'exprimer et de communiquer, peur récurrente qui puisait son origine dans l'adolescence, lorsque sa mère l'avait chassée de sa maison. Au travail, elle s'aperçut que, non seulement elle s'exprimait sans peine, elle rédigeait aussi d'excellents rapports. Maintenant apte à formuler et à concrétiser ses idées, elle envisagea de nouveau la carrière d'écrivain dont elle avait toujours rêvé.

Pendant sa thérapie, Constance rêva souvent de «maisons». Ce symbole était pour elle riche de significations, représentant à la fois le corps, le moi et la vie intérieure. Il signifiait aussi la cage où elle s'était sentie prisonnière en grandissant dans une famille dysfonctionnelle et, plus tard, l'ennui et l'oppression de son mariage. Au début de sa thérapie, Constance rêvait souvent de taudis, de masures délabrées comme celle de la Femme indomptée avaleuse de chats. Souvent, de vieux pervers rôdaient dans les alentours, cherchant à l'attaquer et à abuser d'elle. Ces taudis menaçants symbolisaient par certains côtés la cage où elle était tenue prisonnière. Avec les progrès de sa thérapie, Constance rêva de maisons plus neuves, dont certaines étaient tout à fait uniques et extravagantes. Une fois, elle rêva que deux gigantesques cathédrales surplombaient la maison minuscule où elle vivait. De grandes rénovations étaient déjà en cours dans l'une d'elles. Ce rêve confirma non seulement les transformations que subissait Constance, il lui promettait aussi une grande évolution spirituelle et l'accession à un niveau plus élevé de conscience, et il lui permit d'envisager son avenir avec plus de précision. Son moi jusque-là enfermé, sa mésestime de soi se voyaient peu à peu remplacés par une meilleure appréciation d'elle-même et de la femme qu'elle devenait.

Vers la fin de sa thérapie, Constance fit un rêve apaisant qui la remplit d'émerveillement et de bonheur. Il s'agissait encore une fois d'une maison. Le rêve montrait la guérison, la métamorphose de la Femme indomptée et de l'Oiseau en cage en une femme en harmonie avec sa nature profonde.

> Je me promène dans la nature, quand j'aperçois une maisonnette en bois à l'orée de la forêt. La porte étant ouverte, je pénètre dans la maison. Le sol est recouvert de beaux tapis tissés dans des couleurs de terre, des bruns, des orange, des verts. Une femme m'offre du thé dans une jolie tasse en porcelaine. Elle est plus âgée que moi, sereine et réconfortante, comme son foyer. Je sens que j'appartiens à cette maison et je suis rassérénée par la présence de la femme et par l'ambiance chaleureuse. Je regarde par une des nombreuses fenêtres, ravie d'apercevoir un grand nombre d'animaux: des chevreuils, des chats, toutes sortes d'oiseaux. Les animaux sont amicaux, ils regardent sans crainte à l'intérieur de la maison. Les chevreuils sont vifs; les oiseaux chantent et volettent; des vieux hiboux sages ont aussi les yeux tournés vers nous. J'éprouve une sorte de communion mystique avec ces animaux qui ont envie de nous rejoindre. La femme de la maisonnette est entière, sensuelle, nature. Je suis contente qu'elle n'affiche pas une personnalité de façade, factice et voyante. Sa vie me semble correspondre à ce que révèle l'ambiance chaleureuse et colorée de cette maison ouverte sur la nature.

Pour Constance, cette femme vivant dans son élément symbolisait la transformation de la Femme indomptée en une femme mûre et sereine, à l'aise dans la nature tout autant qu'au coin du feu, ouverte et libre, en harmonie avec elle-même.

OUVRIR LA CAGE

Comment les femmes peuvent-elles ouvrir la porte de leur cage pour libérer leur esprit et lui permettre de prendre son envol? La première étape de cette transformation consiste à identifier la cage qui nous emprisonne et admettre que nous y sommes enfermées. Nos rêves peuvent nous aider à déceler les contours et les dimensions de notre cage, la façon dont nous y sommes prisonnières, et parfois même certains moyens d'évasion. Par exemple, Claudette rêva que des amis lui offraient un oiseau jaune en cage pour son anniversaire de mariage. Elle se demandait pourquoi l'oiseau ne chantait jamais. Puis, un jour, elle entendit un pépiement faible. Prêtant l'oreille, elle comprit que l'oiseau lui répétait sans cesse:

— Je suis malheureux, je suis toxicomane.

Au réveil, Claudette était bouleversée. Que signifiait ce rêve? Elle n'était pas alcoolique, elle ne se droguait pas. Elle finit par comprendre qu'elle était codépendante, que le rêve lui montrait combien elle était prisonnière de son mariage. En travaillant sur ce rêve, elle put surmonter sa codépendance et améliorer sa relation avec son mari.

Julie, quant à elle, envisageait de divorcer. Son mari était un homme merveilleux, mais elle se sentait à l'étroit dans son mariage. Pour mettre du piquant dans sa vie, Julie eut une aventure, puis elle se força à choisir entre les deux hommes. Elle fit des rêves récurrents où lui apparaissait un oiseau enfermé dans une cage. Elle ouvrait parfois la cage pour que l'oiseau puisse s'ébattre en liberté dans la maison. Elle craignait cependant d'oublier une fenêtre ouverte: l'oiseau risquerait de s'enfuir ou d'avoir un accident fâcheux. Elle appréhendait aussi qu'un chat, profitant de la cage ouverte, attrape l'oiseau et le tue. Bien entendu, Julie était elle-même cet oiseau qui cherchait désespérément à s'évader tout en ayant peur de voler de ses propres ailes. Les rêves se répétèrent jusqu'à ce qu'elle soit sûre que l'oiseau ne risquait rien si elle ouvrait sa cage. Elle décida alors de mettre fin à son mariage et à la liaison qui se substituaient à son épanouissement.

Parfois, un rêve de cage représente l'attachement à un parent. Renée, une femme célibataire, voulait à tout prix se marier. Elle rêva qu'elle était une petite fille enfermée dans une énorme cage aux barreaux noirs. Appelant à l'aide, elle vit son père se promener librement à cheval dans un pâturage voisin en paraissant ne pas l'entendre. Renée se débattit, tenta de s'évader, mais la cage tomba et elle y resta enfermée. En analysant son rêve, Renée se vit enfermée dans son amour pour ce père qui l'avait abandonnée, et craintive d'être à nouveau abandonnée par les hommes qu'elle aimait. Ses peurs faisaient obstacle au développement d'une réelle intimité. Elle était donc prise au piège d'une prophétie qui déclenche l'événement: ses relations affectives ne se concrétisaient jamais. Le rêve «capta» l'attention de Renée. Elle s'efforça de comprendre son réflexe pour le transformer et fuir sa «cage» de terreurs.

Les rêves peuvent aussi aider les parents à voir comment leur propre enfermement les conduit à enfermer leurs enfants à leur tour. Marguerite, une mère répondant au modèle de la Reine des Neiges, rêva qu'elle était prisonnière d'un énorme tuyau d'égout. Quand elle voulut en sortir, les deux extrémités en étaient obstruées par des parois de glace impossibles à casser. Marguerite comprit en s'éveillant qu'elle n'avait pas pu compatir à la dépression dont souffrait l'une de ses filles, et que cette situation la vidait de toutes ses forces. Elle sut que ses émotions étaient gelées, comme l'avaient été celles de sa mère. Marguerite entra en thérapie avec sa fille. Au cours d'une séance, elle éclata en sanglots. Ses larmes firent fondre la «glace» entre elle et sa fille. Toutes deux purent s'étreindre pour la première fois depuis plusieurs mois. Après quoi, les «barreaux gelés» fondirent, et la dépression de la fille s'estompa.

L'Oiseau en cage est aussi un motif récurrent des rêves d'hommes. Un homme jaloux du nom de Robert gardait sa femme prisonnière. Indépendante, elle réclama sa liberté et demanda le divorce. Une nuit, Robert la vit morte dans un cercueil en forme de cage. Une voix lui dit que s'il ouvrait les portes de la cage elle s'envolerait et reviendrait à la vie. Au début, il n'osa pas ouvrir la cage, mais il comprit bientôt que si sa femme était libre de sortir, elle serait aussi libre de revenir de son plein gré. Robert ouvrit la cage en rêve. Il fit de même dans son mariage. Il comprit que sa jalousie le portait à enfermer sa femme. En s'analysant, il constata qu'il modelait le comportement de son père, qui préservait jalousement son intimité avec sa femme. Robert reproduisait le comportement paternel en voulant être le centre d'intérêt de son épouse et en s'en prenant à quiconque lui volait son attention. Il ne tenait pas davantage à relâcher les liens qui l'unissaient à sa mère. En enfermant sa femme, il recherchait inconsciemment l'amour excessif d'une mère. Quand il se montra moins exigeant avec sa femme, celle-ci put respirer librement et leur mariage s'en porta mieux.

Les rêves reflètent aussi le processus qui met fin à un comportement d'Oiseau encagé. Une femme rêvait souvent qu'elle était enfermée dans une cage. Mais à mesure qu'elle se perçut et se comprit mieux, cette cage devenait plus spacieuse, et elle put bientôt y voler librement. Plus tard, elle rêva que la porte de la cage s'ouvrait et qu'elle volait prudemment à proximité. Ces rêves symbolisaient la liberté toujours plus grande qu'elle s'efforçait de gagner.

Pour ouvrir la cage, nous devons avant tout admettre que nous y sommes prisonnières et savoir ce que nous avons à gagner à être libres. Certaines femmes sont des victimes consentantes du syndrome de l'Oiseau en cage. Elles justifient ainsi leur passivité et évitent d'affronter les risques du changement. Leur cage a beau avoir été construite il y a longtemps par leurs parents ou par la société, ce sont elles qui ont choisi d'y rester. Il faut du courage et de la persistance pour ouvrir une cage. Il faut renoncer à son ancienne identité, renoncer à une quelconque dépendance ou à ce qui nous rassurait, et renaître, avec la ferme décision de plonger résolument dans l'inconnu.

Il arrive qu'on doive forcer la porte. C'est alors que la force de la Femme indomptée entre en jeu. La rage s'avère parfois nécessaire pour ébranler les barreaux d'une cage. S'il nous faut puiser dans notre colère envers les forces extérieures qui nous ont gardées prisonnières, nous devons aussi admettre que nous nous en voulons d'avoir consenti à cette victimisation. La thérapie peut nous aider à affronter la peur que la colère éveille en nous et devenir le havre où nous consentons à cet affrontement en toute sécurité. Par la thérapie, nous construisons métaphoriquement un abri temporaire dont la porte s'ouvre sur notre fureur sous la seule surveillance du thérapeute, pour nous apprendre à l'apprivoiser et à la vaincre. Différents types de thérapie peuvent ainsi nous aider à identifier la nature exacte de la cage qui nous emprisonne. Par exemple, en thérapie de l'art, les toxicomanes se voient souvent enfermés dans une cage entourée par des flammes, symboles de la dépendance qui les consume.

Les femmes victimes de violence doivent admettre qu'elles sont victimes de violence et rassembler assez de courage pour s'évader. Mais tant qu'elles n'auront pas admis que la colère les étreint, elles seront les victimes de leur agresseur. Un bon nombre d'entre elles doivent prendre conscience que la peur de leurs émotions les empêche bien souvent de partir. Pourtant, même après avoir enfin pris la décision de s'en aller, ces femmes laissées pour compte par le système judiciaire se voient encore menacées, battues ou tuées par des hommes violents. Nous devons orienter les femmes vers les organismes qui peuvent leur venir en aide et persister dans l'amélioration des formes d'aide auxquelles elles peuvent recourir. En combattant la violence en nous-mêmes et dans la société, nous ouvrons la porte de la cage.

Une fois la colère admise et exprimée, nous devons la transformer pour qu'elle ne durcisse pas, qu'elle n'évolue pas vers l'amertume, la dépression, la maladie ou l'anxiété, qui sont des cages encore plus solides. L'Oiseau en cage a une forte tendance à la dissimulation. Souvenez-vous de Mme Bridge, de la façon dont elle cachait sa colère aux yeux de tous, y compris d'elle-même. En dissimulant ses frustrations, elle trahit son amie Grace et laissa s'échapper une occasion de guérison. Une femme qui se confie à d'autres femmes, qui reconnaît sa douleur et sa peine et qui lui imagine un dénouement différent, invente une nouvelle histoire où son personnage se transforme, s'épanouit, s'aide et vient en aide aux autres.

La vie d'un Oiseau en cage peut révéler aux femmes leurs forces secrètes, telles la patience et le courage, vertus essentielles à tout épanouissement, ainsi que la diplomatie, la vulnérabilité et la douceur. Le sens de la stabilité, celui de ses limites et celui de l'ordre que retire l'Oiseau en cage est un instrument positif et nécessaire à son évolution. Savoir quand extérioriser ses sentiments et quand les garder pour soi est essentiel pour qui veut vivre sainement et avec maturité. La cage que l'on peut transformer en un foyer généreux qui procure l'équilibre et la stabilité devient un nid de réconfort.

Le conte de fées qui suit, œuvre d'une femme d'aujourd'hui, exprime de façon touchante comment l'Oiseau en cage peut s'épanouir, puis s'évader de sa cage pour construire son propre nid.

Il était une fois une petite d'oiseau
qui vivait dans la maison d'un roi.
Le roi fit cadeau à sa mère d'un bel anneau d'or
et elle resta toujours à ses côtés.

La petite d'oiseau charma le vieux roi
car elle était douée
pour dessiner en volant des cercles parfaits.

Mais elle se perdait parfois en rêveries
enchanteresses
et jouissait des rayons du soleil.
Dans ces moments-là, ses (demi)-cercles
devenaient erratiques, érotiques,
imparfaits.

Le roi se fâchait
et la frappait du côté droit du dos,
à la jonction de l'aile.
Il aimait son duvet tendre comme du duvet de pêche
qui scintillait quand elle plongeait et tournoyait...
Mais il lui brisa l'aile de dépit.

Un jour, un jeune roi lointain se présenta.
Il l'enleva, l'emporta dans son palais-prison
où il lui fit un pansement d'or.
Elle guérit.
Il adorait ses vols fantaisistes
et admirait, émerveillé,
son duvet de pêche.
Il ouvrit la porte de la cage
et elle vola partout aux alentours,
construisant des nids dans les abricotiers,
les pommiers et les genévriers.
Chaque nid embaumait d'un parfum si... magnifiquement
différent.
Le jeune roi devait sans cesse partir à la recherche
de la petite d'oiseau
quand elle s'aventurait dehors.
Et puisqu'une méchante mère
lui avait planté une épine dans le cœur,
à chaque fois son cœur lui faisait mal.
Sa Majesté en devint si furieuse
qu'il se mit à frapper son aile guérie.
Naturellement, la petite d'oiseau s'envolait,
trouvait refuge dans un nid.
Naturellement, il souffrait quand il la ramenait auprès de lui,
et il la punissait encore.

Un jour, elle s'enfuit une fois de trop
et le roi claqua sur son (petit) dos
la porte de la cage.

Il trouva d'autres petites d'oiseaux
sans nids privés où se cacher,
des petites d'oiseaux qui voulurent bien rester enfermées pour le distraire.

Notre petite d'oiseau,
son aile encore une fois guérie,
prit son envol,
puis elle construisit un nid de boue
pour elle toute seule.
Elle en recouvrit le fond avec son duvet de pêche.
Puis elle guérit... puis elle tournoya
de nouveau.
Cette fois,
sans avoir personne à contenter,
sans que personne ne la ramène à la maison,
sans que personne ne la punisse,
sinon elle-même.

LA MARCHE POUR LA LIBERTÉ

Un des exemples les plus extraordinaires de l'intégration de la force spirituelle de la Femme indomptée avec la transformation de l'Oiseau en cage nous est offert dans le film *La marche pour la liberté*. Nous sommes témoins de la condition malheureuse de deux femmes en cage, une riche femme au foyer de race blanche, vivant en banlieue, et sa bonne de race noire. L'action a lieu dans le Sud des États-Unis et relate le combat des Noirs pour s'évader de la cage de la ségrégation. Manifestant contre la ségrégation dans les transports en commun, les Noirs décident de boycotter les transits urbains. Ils optent pour la solution la plus difficile: marcher. La bonne noire, interprétée par Whoopi Goldberg, effectue chaque jour à pied le long trajet qui la sépare de son travail, même lorsqu'elle est exténuée et que ses pieds se couvrent d'ampoules. Ne se prenant jamais pour une victime, ne se plaignant jamais, elle offre son courage à cette cause commune. C'est une femme de bon sens, stable, affectueuse envers sa famille et envers la fillette de ses employeurs. Mais parce qu'elle est noire, elle est prisonnière du racisme.

La femme blanche qui l'emploie, jouée par Sissy Spacek, en vient vite à admirer le courage et le dévouement de sa bonne. Se souvenant de l'amour et de la dévotion qu'avait pour elle sa nourrice noire lorsqu'elle était petite, elle endosse en secret la cause de sa domestique. Au début, ses motifs sont égoïstes: elle ne souhaite pas qu'elle soit en retard au travail. Enfermée dans son mariage et dans ses préjugés banlieusards, menant une existence débilitante et dominée par un mari ambitieux, elle aide d'abord sa domestique en cachette.

Les Blancs exercent de plus en plus de représailles contre les Noirs, et quand son mari découvre ce que son Oiseau blanc en cage a fait, il s'emporte et lui reproche sa faiblesse et son étourderie. Elle réfléchit. Apprenant que les Noirs ont mis sur pied un système de covoiturage, elle s'en informe auprès de sa bonne. Celle-ci veut bien la renseigner, mais avec circonspection, sans l'inciter à y participer. Elle se contente de dire qu'avec le temps, soutenus par leur foi, les Noirs acquerront peu à peu l'égalité des droits. Elle prévient la femme blanche des problèmes et de l'ostracisme qu'elle affrontera si elle se porte volontaire.

Prenant conscience des bornes de son existence, la femme blanche confronte son mari. Il devient furieux et menace de la quitter si elle continue de conduire leur domestique. Malgré son ton menaçant, elle lui désobéit, et agit selon sa conscience et son sens des valeurs. Elle décide de se joindre au groupe de covoiturage.

Entre-temps, les hommes blancs de la municipalité se sont regroupés et menacent les Noirs qui défendent leurs droits. Un soir, des hommes armés et furieux s'approchent des femmes qui attendent dans un terrain de stationnement les voitures devant les ramener chez elles. Apercevant parmi elles une femme blanche, ils la menacent et démolissent sa voiture. Puis ils s'attaquent à un Noir qui se tient en retrait. La tension monte, et les Blancs hostiles se tournent vers les femmes.

Pendant un moment, les deux groupes — hommes blancs d'un côté, femmes noires de l'autre — se font face en silence. Puis, la domestique noire s'avance doucement, tenant tête à la horde furieuse des hommes. La violence est imminente. Une de ses sœurs, le regard fou, se détache du groupe de femmes noires et vient la rejoindre. Le regard rageur, elle la prend par la main, comme s'il s'agissait d'une ancre, et les deux femmes entonnent un gospel. Ahuris, les hommes les regardent, paralysés de peur et de surprise devant le regard décidé et fou des deux femmes. Voyant leur hésitation, les autres femmes se joignent aux deux premières pour chanter avec elles et affronter les hommes. La femme blanche, en larmes, se mêle au groupe des femmes qui chantent. Chantant ainsi, toutes les femmes, la Blanche et les Noires, tiennent tête aux hommes qui reculent, n'en croyant pas leurs yeux, terrorisés par cette courageuse expression d'énergie spirituelle féminine. Lorsqu'on l'intègre à un esprit solidement féminin, l'énergie de la Femme indomptée peut vaincre les ennemis les plus puissants qui soient.

En tant qu'êtres humains, nous sommes plongées dans un dilemme: nous aspirons à la liberté et à l'indépendance, en même temps qu'à la sécurité et à la stabilité. Nous devons accepter certaines contraintes tout en évitant l'enfermement dans un carcan de conventions. Nous avons toutes mis en cage certaines facettes de nous-mêmes. Nous sommes toutes, à des degrés divers, des Oiseaux en cage. Nous devons assumer différents rôles, porter différents vêtements selon les occasions si nous voulons vivre en société. Jung appelle cette nécessaire adaptation de l'ego la *persona,* ou le masque que nous portons pour affronter le monde extérieur. Nous devons apprendre à porter le masque qui reflète le mieux notre personnalité, plutôt que ceux qui nous sont imposés ou proposés. Nous avons beau aimer ce que nous faisons, à la maison avec les enfants ou dans le monde du travail, certains côtés de notre personnalité qui ne sont pas tout à fait développés ont quand même besoin de s'exprimer. Si nous nous limitons à un seul rôle ou à une seule identité plutôt que de nous efforcer d'intégrer toutes nos facettes en une vie épanouie et saine, nous devenons nos propres geôliers. C'est alors que l'énergie de la Femme indomptée émergera en nous.

Pendant que je relatais l'histoire de Mme Bridge, j'étais angoissée. Pourquoi, songeai-je, suis-je si anxieuse puisque ma vie de femme de carrière autonome est si différente de celle de Mme Bridge? Quelle part de moi est donc enfermée? Je me rendis bientôt compte que sous les dehors calmes de Mme Bridge, sous l'ennui et l'angoisse qu'elle s'efforce si désespérément d'étouffer, l'inquiétude prophétique qu'éprouve la Femme indomptée face à ce qu'est devenue la nature humaine brûle de s'exprimer. La menace de la guerre et de la destruction qu'elle avait ressentie il y a cinquante ans ne s'est pas estompée. Elle est au contraire encore plus vivante pour nous aujourd'hui sous l'aspect d'une dévastation à l'échelle planétaire. Nous sommes tous des Oiseaux en cage dans notre finitude et notre mortalité terrestres. C'est seulement si nous nous avouons à nous-mêmes et les uns aux autres que nous sommes égoïstement obsédés par notre désir personnel de sécurité, de confort matériel, de victoire et de domination au détriment des autres êtres vivants et de notre propre humanité, que nous parviendrons à sauver la planète de la destruction. Si nous réussissons à ouvrir nos cages d'autojustification, nous permettrons à l'esprit qui est en nous de prendre librement son envol.

1. Muriel Rukeyser, «Kathe Kollwiotz», dans *No More Masks: An Anthology of Poems by Women,* Florence Hawe et Ellen Bass éd., New York, Doubleday Anchor Books, 1973, p. 103.
2. Marilyn Frye, *The Politics of Reality: Essays in Feminist Theory,* Trumansburg, NY, Crossing Press, 1983, pp. 4-7.
3. Voir l'analyse de Phyllis Chesler dans *Women and Madness,* New York, Avon Books, 1973.
4. J'ai étudié l'enfermement de la fille par le père dans *La fille de son père: Guérir la blessure dans la relation père-fille,* Montréal, Le Jour éditeur, 1990.
5. Voir Robert Bly, *Iron John: A Book about Men,* Reading, MA, Addison-Wesley, 1990, et Sam Keen, *Fire in the Belly,* New York, Bantam Books, 1991.
6. Jalaleddine Rûmi, *Les Ruines du cœur.*
7. Evan S. Connell, *Mrs Bridge,* New York, Viking Press, 1959, p. 35.
8. Ibid., p. 202.
9. Ibid., p. 173.
10. Ibid., p. 246.
11. Charlotte Perkins Gilman, *The Yellow Wallpaper,* Old Westbury, NY, Feminist Press, 1973, p. 36.
12. Citée par Ann J. Lane, *To «Herland» and Beyond: The Life and Work of Charlotte Perkins Gilman,* New York, Pantheon Books, 1990, p. 121.
13. Ibid., p. 99.
14. Ibid., p. 182.
15. Ibid., p. 188.
16. Charlotte Perkins Gilman, *Women and Economics,* New York, Harper and Row, 1966, pp. 43-44.

4

La Muse

En un certain sens, son étrangeté, sa naïveté, son désir de l'autre moitié de son identité, tout cela était la conséquence de l'oisiveté de son imagination. Si elle avait possédé des couleurs, de la glaise; si elle avait pratiqué la danse; si elle avait fait de la musique; si quelque chose avait pu passionner son immense curiosité et son don de la métaphore, elle aurait peut-être échangé son agitation et son inquiétude contre une activité qui eût pu combler ses désirs. Et comme tout artiste dépourvu de moyen d'expression, elle était devenue dangereuse.

Toni Morrison, *Sula*

Dans mes jeunes années, j'ai rêvé d'être la Muse de quelqu'un. J'avais entendu parler de Madame de Staël et d'Alma Mahler, qui accueillaient chez elles tous les plus grands génies d'Europe. Ma préférence allait à Lou Andreas-Salomé, qui avait su inspirer le poète Rilke et le philosophe Nietzsche, mais qui écrivit aussi elle-même et étudia plus tard la psychanalyse avec Freud. Comme ce serait merveilleux, me disais-je, d'inspirer un grand poète, un grand artiste à faire œuvre de beauté et de spiritualité, et d'apporter ainsi ma contribution à la culture universelle!

Il est tentant d'être une Muse, car ce rôle a de tout temps été reconnu acceptable pour une femme et comme idéal féminin. Sur le plan archétype, en tant qu'«éternel féminin», la Muse inspire l'esprit et guide l'âme sur la voie de la création, comme Béatrice le fit pour Dante. Inspirer signifie insuffler la vie et allumer le feu créateur.

Les femmes qui reçoivent l'énergie de la Muse sont souvent des êtres mystérieux à la riche spiritualité. La source de leur inspiration est l'amour. Elles apprécient les dons créateurs de l'autre et les encouragent. Elles sont généreuses et donnent sans rien attendre en retour. Elles sont souvent confiantes, fraîches, réceptives et affectueuses, leur simplicité permet à de nouvelles images et de nouvelles idées de prendre forme. Elles aiment la beauté et elles savent créer une ambiance d'émotion où l'amour généreux stimule la floraison de l'imaginaire. L'ennui pour ces femmes est qu'elles inspirent souvent les autres à leur détriment. Un homme qui veut qu'une femme l'inspire sans créer elle-même peut la rendre folle. Le rôle de Muse, de *femme inspiratrice,* peut être pénible à supporter, rempli de frustrations; il peut aussi correspondre à une forme de passivité.

Selon Jung, les Muses ont une aptitude particulière à refléter l'«anima», c'est-à-dire l'esprit féminin, l'âme de l'homme. Tels des caméléons, elles se transforment et se fondent dans le décor où l'homme souhaite qu'elles se tiennent au lieu d'être totalement elles-mêmes. Elles deviennent de simples reflets, le miroir des désirs et des volontés d'un autre. Ces femmes ne savent pas qui elles sont, car elles n'ont pas accédé au cœur de leur féminité.

LA MUSE INTÉRIEURE

Qui donc étaient les muses? Quel est le sens, quelle est la nature de leur souffle inspirateur? Dans la mythologie grecque, les muses étaient honorées pour leur aptitude à créer de beaux chants et de beaux poèmes. Elles étaient filles de Zeus et de Mnémosyne, déesse de la mémoire, qui connaissait l'histoire de l'humanité depuis la nuit des temps, et qui savait la raconter. Les muses reprirent ces contes et les mésaventures des héros et des héroïnes, elles en firent des vers et des chants pour que les hommes ne puissent les oublier. Chacune des neuf filles de Mnémosyne possédait un don unique, capable de transposer les souvenirs de sa mère en une forme différente. Terpsichore était la muse de la danse et de la musique; Calliope, celle de la poésie épique; Erato était la muse de la poésie lyrique et des hymnes; Clio possédait le don de l'histoire,

Urania celui de l'astronomie; Euterpe jouait de la flûte et Polyhymnia était mime; Melpomene était la muse de la tragédie et Talia celle de la comédie. Les muses savaient si harmonieusement chanter en chœur que les oiseaux en devenaient muets d'admiration. Elles savaient inspirer les rois et amuser les dieux. Elles étaient les protectrices des arts et de la pensée. Elles savaient apaiser l'angoisse humaine. Le poète mortel Orphée, qui chantait si merveilleusement en s'accompagnant de la lyre et parvenait même à enchanter les dieux des enfers, était fils de Calliope, la muse de la poésie épique.

Hommes et femmes poètes, par exemple, Yeats et Rilke, May Sarton et Anna Akhmatova, reconnaissent en la Muse une source féminine de créativité. Les artistes de toute nature comprennent que la Muse symbolise une énergie transcendante qui échappe à notre contrôle. Ils chérissent cette force intérieure, ils sont reconnaissants de sa présence, ils souffrent lorsqu'elle vient à disparaître.

Parmi les femmes qui ont invoqué le secours des Muses, qui ont inspiré d'autres artistes mais aussi su créer elles-mêmes, il y a Lou Andreas-Salomé; Maud Gonne, qui inspira Yeats et s'engagea néanmoins dans la lutte pour la libération de l'Irlande; Anaïs Nin, inspiratrice de Henry Miller, qui fut aussi romancière et donna au journal intime ses titres de noblesse grâce à la sensibilité et à l'intuition féminines de son écriture; Simone de Beauvoir, qui inspira le philosophe Sartre et signa à son tour une analyse magistrale de la condition féminine ainsi que de nombreux romans et essais. Dans le film *Casablanca,* Ingrid Bergman incarne la Muse aimante qui inspire un homme à changer de vie et à se consacrer au bien. Bergman a inspiré les cinéphiles partout dans le monde; elle a été admirée et adulée. Pourtant, dans les années cinquante, quand elle obéit à son cœur et partagea la vie du metteur en scène italien Roberto Rossellini dont elle avait aussi été la Muse, le public américain puritain de l'époque, révolté, ne sut que la châtier. Elle fut bannie d'Hollywood pendant de longues années. Mais vers la fin de sa vie, les cinéphiles purent l'admirer à nouveau pour son courage et son intégrité. Par son interprétation du rôle de Golda Meir dans le film *Golda,* elle montra comment l'énergie de la Muse peut s'intégrer à celle de la Révolutionnaire et militer pour la justice sociale.

DU MÉSUSAGE DE LA MUSE

Le rôle d'inspiratrice de la Muse peut également être utilisé dans une intention destructrice. La célèbre Hélène de Troie, à la beauté du diable, nous fournit un exemple de Muse détournée à des fins guerrières. La propagande des nations en conflit comporte souvent des actrices ou des chanteuses qu'on idéalise dans le but d'éveiller le patriotisme. Le film de Rainer Werner Fassbinder, *Lili Marleen,* met en scène le sort tragique d'une belle et affectueuse chanteuse dont les talents furent ainsi détournés. Dans une société de consommation dominée par l'appât du gain, l'appétit de gloire, de succès et de pouvoir, la Muse peut se voir réduite à un modèle de beauté et un objet sexuel dans la publicité, sur les panneaux-réclames, à la télévision et au cinéma. La force inspirationnelle intérieure de la Muse devient alors une projection externe unidimensionnelle que les femmes veulent imiter et que les hommes veulent posséder, une image correspondant aux fantasmes des hommes auxquelles tant de femmes cherchent à se mesurer, souvent au détriment de leur santé mentale et physique.

Ce mésusage de la Muse alimente le côté destructeur de la Femme indomptée. Les femmes assoiffées d'amour jeûnent littéralement pour atteindre l'idéal de minceur et de beauté qui nourrit les fantasmes masculins, et souvent souffrent d'anorexie ou de boulimie, deux dangereuses affections alimentaires qui prévalent chez les femmes de notre époque. Certaines vont jusqu'à s'imposer des tortures psychologiques et physiques: chirurgies faciales, liposuccion, et même le remodelage des os du visage. Sur le plan psychologique, elles vendent leur âme à celui qu'elles aiment à force de désirer *en être* la Muse. Elles sacrifient leur propre vie créatrice pour seconder un homme dans ses rêves de gloire et de fortune, pour lui inspirer ses œuvres, comme ce fut le cas des maîtresses de Picasso, ou encore pour alimenter son narcissisme. Songez à la femme qui néglige ses dons créateurs pour stimuler son mari dans ses ambitions ou pour réaliser son idéal d'amour et de vie domestique.

Parce qu'elles n'acceptent pas ce sacrifice, ne serait-ce qu'inconsciemment, certaines femmes refoulent leur colère qui prend alors des voies détournées telle que le magasinage, le sexe, l'alcool, la nourriture et les comportements codépendants. D'autres se rebellent contre la femme idéale, belle mais passive, à qui il suffit d'attirer et d'inspirer les hommes, et elles s'efforcent d'exercer sur autrui leur pouvoir dominateur. Ces femmes refoulent ou carrément étouffent souvent leur Muse intérieure. Pour elles, la Muse n'est qu'une ombre, et elles tolèrent difficilement les femmes qui l'incarnent. Elles sont souvent prises dans l'engrenage de la Reine des Neiges et du Dragon, qui manipulent et méprisent les hommes et les femmes Muses tout autant que leur propre potentiel créateur. La sirène qui séduit les hommes puis les détruit froidement est en quelque sorte une Muse sombre qui réunit les caractéristiques de la Reine des Neiges et du Dragon. Les films *Jules et Jim* ainsi que le classique du cinéma allemand *L'ange bleu* mettent en scène la fureur de la Muse devenue destructrice.

SUR LE PIÉDESTAL: LA FEMME INDOMPTÉE EN TANT QUE MUSE

La Muse est aussi perceptible chez toute femme qui s'efforce d'incarner l'idéal féminin de son amant au lieu de développer sa nature profonde. Il se peut qu'elle retienne l'idée que se fait son mari ou son ami de leur relation sans jamais faire valoir ses besoins ou sa nature. Il se peut aussi qu'elle soit un Oiseau en cage, prisonnière des points de vue de la société ou de sa famille sur ce que doit être une bonne épouse, une bonne fille ou une bonne mère. De l'extérieur, ces femmes semblent parfois heureuses et en sécurité dans leur rôle; elles sont confiantes, bien vues en société, aimées et même adulées par leur mari, leurs amis, leur amant. Mais les Muses suscitent souvent l'envie, parfois même la haine de leurs sœurs «moins fortunées». Elles ont beau être l'objet de beaucoup d'attention et recevoir de luxueux présents des hommes qu'elles séduisent, ou être entretenues financièrement par leur mari ou leur amant, leur estime d'elle-même et leur dignité sont souvent fragiles. Car, ne serait-ce qu'inconsciemment, elles se rendent souvent compte que l'importance du rôle qu'elles ont choisi d'assumer dépend entièrement des idéaux des hommes de leur vie ou de la société, ou du regard que les autres posent sur elles plutôt que sur leur nature profonde ou sur leur identité réelle.

La Muse traditionnelle, qu'elle soit une maîtresse, une épouse, une amante ou une mère, vit sa vie en fonction de quelqu'un d'autre, reflétant ses idéaux et ses aspirations, ses désirs et ses volontés, parfois même ses passions dangereuses et obscures. La Muse peut devenir l'esclave de la folie d'un homme et ainsi se voir précipitée dans un état d'esprit confus et frustré. La Muse charme parfois une personne, quelques-unes ou toute une société. Qu'elle soit une déesse lumineuse ou une sombre femme fatale, qu'elle soit un objet de culte ou une simple femme au foyer, sa vie s'incarne dans les rêves d'autrui, non pas dans les siens. Elle appartient à l'individu ou à la société qu'elle a captivés et qui l'ont placée sur un piédestal.

Parmi les Muses contemporaines, on trouve l'actrice, la chanteuse, la reine de beauté, le mannequin et la vedette devenue objet de culte. Les enseignantes et les thérapeutes, de même que celles qui stimulent instinctivement la création artistique de quelqu'un d'autre sont aussi des Muses. La maîtresse ou l'épouse qui encourage la créativité de son compagnon au détriment de la sienne est une évocation de la Muse, tout comme l'étudiante qui sait inspirer son professeur, la secrétaire d'un cadre de société, l'épouse qui, croyant au génie de son jeune mari, finance ses études, et la femme d'un homme fortuné qui veille sur son bien-être et dont la vie est régie par l'emploi du temps de son époux. Dans ces exemples, la Muse est une femme qui n'existe que par son mari, mais le même scénario peut exister au sein de couples homosexuels, chez les gays et chez les lesbiennes, et même chez les hétérosexuels où c'est l'homme qui est la Muse de sa femme, de sa maîtresse ou de sa mère.

Les hommes sont souvent la Muse de leur mère, s'efforçant parfois d'incarner ses dons créateurs refoulés. Charles voulut ainsi plaire à sa mère, pour se rendre compte que, quels que soient ses accomplissements, sa mère trouvait de bonnes raisons de les critiquer. Il devint rapidement incapable du moindre effort créateur. Quand la Femme indomptée envahit son sommeil et l'attaqua en rêve, il en fut terrifié. Cette Femme indomptée lui fit comprendre qu'il devait accéder à la colère qu'il ressentait parce qu'il s'était laissé aller à devenir la Muse de sa mère, intériorisant ses jugements critiques et freinant sa propre créativité. Un autre, Alain, longtemps la Muse de sa mère, avait grandi dans une famille de Mormons. Quand il sut qu'il était gay, cette découverte mit fin à son rôle, son orientation sexuelle s'opposant aux idéaux de sa religion et de sa mère. Accédant à la rage de la Femme indomptée qui vivait en lui, Alain put se dégager des attentes de sa famille et de son église. Bien que jugé «fou» par ses coreligionnaires, en établissant le contact avec la Femme indomptée Alain put préserver son identité et son autonomie. La Femme indomptée lui procura la force nécessaire pour déceler les vertus féminines qu'il possédait et se les approprier plutôt que d'obéir aux idéaux imposés par la société en matière de comportement.

Les hommes se donnent souvent à la Muse qu'ils épousent au lieu de se forger une identité propre, croyant sans doute que les femmes sont par nature plus aptes à définir leur vie pour eux en prenant soin d'eux, ou qu'elles sont naturellement plus douées pour les arts que les hommes. Les deux premières épouses de Michel furent ses Muses. Il les encouragea à développer leurs talents créateurs mais, ce faisant, il négligea ses propres dons. Il croyait chacune d'elles plus sensible que lui aux choses de l'esprit, à la beauté, à l'esthétique et aux valeurs morales. Il fut pour chacune le partenaire pratique, assurant sa sécurité matérielle et négligeant son travail créateur. En même temps, il mit son épouse en cage et voulut retirer un prestige personnel de son talent et de sa beauté. Il écrivit des poèmes destinés à sa première épouse, qui l'inspirait et était son unique lectrice. Jouissant de son admiration exclusive, il ne retravaillait pas ses poèmes en vue de les publier. Il encouragea les talents musicaux de sa deuxième femme, mais il refusait qu'elle chante ailleurs qu'à la maison, comme un Oiseau en cage. Ses deux épouses furent des Muses incapables de se donner pleinement à leur art. Elles se nourrirent de l'adoration de Michel et jouirent de la sécurité matérielle qu'il leur procurait. Aucune ne développa ses dons créateurs. Ces deux mariages se conclurent par un divorce. Après une longue auto-analyse, Michel comprit que, pensant que son soutien n'avait pas été apprécié, il en voulait énormément à ses épouses. Ce ressentiment envers ses Muses lui dévoila le visage de la Femme indomptée qu'il hébergeait en lui, furieuse qu'il ne se consacre pas à son art. Michel cessa peu à peu de se projeter sur de belles inspiratrices et se mit au travail. Il se joignit à un groupe de création poétique, s'astreignit à un horaire d'écriture et soumit ses travaux à différents éditeurs. Ils furent publiés et appréciés par la critique. Maintenant en contact avec sa Muse intérieure et apte à créer pour elle, il put se remarier tout en demeurant fidèle à ses valeurs esthétiques et spirituelles.

Une religieuse, qui s'affranchit de son rôle de Muse dans la hiérarchie sacerdotale en reconnaissant la forte présence en elle-même d'une Femme indomptée, relate ainsi sa métamorphose:

> J'ai donné ma vie à l'Église catholique, et j'ai travaillé pour un prêtre dans un système patriarcal. Je suis restée en religion pendant trente-quatre ans. L'homme de ma vie était l'Église. La communauté à laquelle j'appartenais faisait partie de ma vie, vivait dans ma maison. Mes dons ont permis à ce prêtre de s'imposer, et je l'ai secondé, renonçant pour lui à ma propre autorité. J'ai quitté le voile au milieu de ma vie. Dorénavant, recentrée et affranchie de la domination masculine, j'exercerai mon ministère pour moi.

Extérieurement, la Muse peut être belle et intelligente, charmante et aimable, fascinante et séduisante, douce et réservée. En dépit de ses attraits, la colère de la Femme indomptée sourd en elle, parce qu'elle s'est scindée de ses dons et de ses désirs. Elle est outragée et honteuse de s'être trahie. Dans *Le Deuxième sexe*, Simone de Beauvoir souligne la corruption et la perfidie auxquelles se soumet une femme satisfaite d'être un objet de culte. Dans une relation aussi déloyale, la Muse infidèle à elle-même est une esclave. Elle devient codépendante, la proie d'une existence dysfonctionnelle qui la sépare de son axe créateur.

Ces femmes sont parfois des victimes, des pions que l'homme déplace à ses fins. Il leur arrive de manipuler les autres avec finesse grâce à leur aptitude à refléter les désirs d'autrui et à charmer. Les hommes se servent d'elles et elles se servent des hommes. La Muse peut parfois parvenir à exercer un certain contrôle sur sa propre vie. Elle peut prendre des amants. Si elle sent faiblir l'adoration d'un homme, si elle constate que cette adulation reprend des proportions humaines, elle peut le quitter pour un autre qui la remettra sur son piédestal. Certaines Muses recherchent la compagnie des hommes par crainte de la solitude. Si elles n'ont pas su devenir autre chose qu'un accessoire ou une présence utilitaire, elles prennent panique devant le vide de leur vie. Une Muse se servira de ses semblables pour obtenir tout ce qu'elle désire et pour avoir du succès dans sa carrière, à défaut de quoi elle changera de partenaire ou de milieu.

Le sentiment de sa propre importance est ce qui leurre la Muse à développer ce type de comportement. On l'idéalise, on en fait une déesse, on la juge une épouse parfaite. Ainsi au-dessus de la dimension humaine, vivant une vie de rêve, il lui est difficile de revenir sur terre. En tant que Muse, elle a le droit — ou le devoir — de demeurer un idéal, toujours en puissance, n'ayant que rarement la possibilité de se mesurer aux combats de l'humanité pour accéder à la connaissance. Bien qu'elle ait souvent peur de se réaliser, de développer ses aptitudes et ses talents, il se peut qu'elle se haïsse en secret parce qu'elle ne parvient pas à s'épanouir.

La Muse est souvent une artiste cachée qui apprécie les dons créateurs et la beauté. Mais être artiste soi-même exige que l'on soit maître de sa propre vie. Cela exige aussi de se vouer pleinement à son art, de la discipline et une grande dose de travail. Une femme qui demeure passive et néglige ses dons en vient souvent, consciemment ou non, à détester les amants qui la maintiennent dans ce rôle en l'idéalisant.

Zelda Fitzgerald fut une célèbre Muse dans la littérature et dans la vie. Ses talents littéraires furent jugés moins grands que ceux de son mari, F. Scott Fitzgerald, bien que certains spécialistes soient aujourd'hui d'avis qu'elle a signé certains passages de l'œuvre de Fitzgerald. Scott l'idéalisait aussi, et trouva en elle le modèle de ses plus remarquables personnages féminins. Zelda était sujette aux dépressions nerveuses et fut souvent hospitalisée à force d'être déchirée entre le rôle de Muse et celui d'écrivain. Sa biographe, Nancy Milford, a vu dans la folie de Zelda son désir d'incarner le «rêve américain», projection culturelle qui a conduit les Américains et le reste du monde à la surconsommation et au factice.

Dans les cas extrêmes, la vie artificielle de la Muse peut cacher de terribles sentiments d'inaptitude et de «déshumanisation». Consciente de ce sentiment, la Muse s'emploiera parfois à déshumaniser les autres. Songez aux nombreuses biographies d'actrices célèbres qui mettent au jour leur tempérament cruel et les mauvais traitements qu'elles ont infligés à leurs enfants, surtout à leurs filles. Et songez à notre propre curiosité envers les Femmes indomptées qui vivent dans ces modèles de perfection. La Femme indomptée nous attire, quel que soit son déguisement. Nous voulons la connaître, car elle fait partie de nous, elle est tapie en nous. Nous percevons sa présence chez nos idoles les plus fameuses, nos déesses obscures. Mais tout en dévorant ces biographies des vedettes de l'écran, l'histoire de leurs sautes d'humeur, nous ne savons pas reconnaître la Femme indomptée en nous-mêmes.

La Femme indomptée est une puissance effrénée qui peut se déchaîner chez la Muse, venant la terroriser en rêve ou l'intimider dans sa vie de tous les jours sous l'apparence de femmes en colère qui l'effraient et la harcèlent, ou qui terrorise les gens qui l'entourent lorsque la Muse s'adonne à l'alcool, envisage de se suicider ou attaque violemment la sensibilité d'autrui. Parce que la Femme indomptée met en évidence les conflits intérieurs que vit la Muse en tant qu'image miroir passive de quelqu'un d'autre, de nombreuses femmes veillent encore plus à refouler son énergie. La Femme indomptée s'efforce de nous transformer; elle veut troubler ce qui stagne, nous secouer, nous pousser hors de nos réflexes routiniers. De nombreuses Muses, au centre de la vie de quelqu'un d'autre, ne parviennent pas à faire face aux changements qui pourraient se produire en elles-mêmes ou dans les circonstances extérieures de leur vie.

Gabrielle, une artiste contemporaine, fit le rêve suivant qui montre l'ambivalence que ressentent un grand nombre de femmes devant l'émergence de la Femme indomptée.

> Je suis dans une grande salle à manger et je prends dans mes mains la carte de visite d'un homme avec lequel j'ai rendez-vous pour la première fois. Avant de quitter la maison, je me regarde dans une glace et j'aperçois des taches rouges sur ma joue droite. Au début, je pense qu'il s'agit d'une réaction allergique, mais je remarque bientôt que des perles en cristal rouge délimitent mon front à la racine de mes cheveux. Les perles grossissent; ce sont des cristaux rouge sang. L'homme m'attend dehors pendant que je me demande quoi faire pour les faire disparaître. Finalement, j'essaie de les cacher. Quand je sors retrouver l'homme qui m'attend, je l'étreins dans l'espoir qu'il ne regardera pas mon visage et qu'il ne remarquera pas les cristaux rouges. Je m'éveille en ayant peur que quelqu'un les voie.

Pour Gabrielle, les cristaux rouge sang représentaient l'énergie créatrice contenue dans la matière. Dans son rêve, elle craignait qu'on y voie un signe de folie. Elle avait assisté à une conférence sur la créativité au cours de laquelle de nombreuses femmes avaient exprimé leur fureur, en particulier des femmes plus âgées qui regrettaient de ne plus être aimées ou désirées des hommes.

Certaines d'entre elles avaient été des Muses dans leur jeunesse, mais maintenant, elles attendaient autre chose de la vie. Pour les femmes d'un certain âge ou pour les femmes âgées, l'absence de sublimation de la colère et de la douleur que suscite la perte de leur jeunesse et de leur beauté les empêche souvent de s'épanouir, de s'apprécier en tant que femmes mûres et sages. Gabrielle craignait que les cristaux rouges sur son front ne la rendent moins séduisante au regard des hommes, surtout si ceux-ci devinaient sa colère intérieure. Mais les cristaux rouges symbolisaient aussi la leçon que Gabrielle retirait de la douleur de vivre, leçon qui pouvait trouver à s'exprimer dans son art. Elle apprenait en effet à dominer sa souffrance de ne pas être comprise par les hommes ou appréciée pour ce qu'elle était. Au lieu de se défouler sexuellement comme elle l'avait fait plus jeune, Gabrielle s'efforçait de contenir sa colère et sa souffrance et de les sublimer par l'art. Les cristaux rouge sang symbolisaient son aptitude à canaliser la passion de la Femme indomptée dans la force visionnaire de son travail créateur.

Certaines Muses affrontent consciemment comme Gabrielle le conflit qui oppose leur désir d'un lien durable et leur besoin d'indépendance et de croissance personnelle. Cette lutte peut s'incarner dans l'épanouissement et l'individuation. Mais celles qui s'emprisonnent dans leur rôle de Muse au détriment de leurs dons créateurs s'enlisent souvent dans la frustration et l'amertume. Examinons l'histoire d'Alma Mahler, une femme belle et talentueuse ayant vécu au début de ce siècle, à une époque où les femmes avaient encore moins qu'aujourd'hui la possibilité de développer leurs dons innés.

LA DÉESSE D'OR: ALMA MAHLER

Alma Mahler fut la Muse de plusieurs hommes. L'artiste Oskar Kokoschka lui écrivit quelques-unes des plus belles lettres d'amour de tous les temps, des lettres-éventails peintes à la main maintenant devenues pièces de musée. Elle fut aussi l'inspiratrice et l'épouse du compositeur Gustav Mahler, celle de l'architecte du Bauhaus Walter Gropius et celle du poète et romancier Franz Werfel. D'autres génies de leur époque dans différents domaines l'aimèrent aussi. Misant sur sa beauté et sa prestance, Alma Mahler vécut sa vie en tant que Muse. Comme de nombreuses Muses, elle appréciait sincèrement le talent créateur, mais elle sacrifia aux autres ses propres dons. Alma aurait voulu écrire de la musique, mais elle vivait à une époque où les femmes compositeurs avaient peu de chance de voir leur travail reconnu. Même pour une femme aussi brillante et douée qu'elle pouvait l'être, la beauté et le charme furent ses meilleurs atouts, parce qu'elle n'était pas un homme. Avec le temps, la Femme indomptée en elle perça la surface et se manifesta dans sa psyché et son comportement. Tout en ayant épousé deux Juifs (Werfel et Mahler), elle tenait à son héritage «aryen» et chrétien, et elle était attirée par l'extrémisme fascite et antisémite. Tout au long de sa vie, la Femme indomptée de son inconscient voulut détruire les hommes qui l'adoraient. Ce conflit interne et externe la déchira. Elle regretta amèrement les sacrifices auxquels elle avait consenti pour eux, sombra dans l'alcool et pleura sa beauté perdue.

Alma, comme de nombreuses Muses, avait été l'objet de l'adoration de son père, Emil Jakob Schindler, qui fut le plus célèbre peintre paysagiste d'Autriche à la fin du dix-neuvième siècle. Elle était sa princesse, il couvrait sa fille aînée d'amour et de fantaisie, il nourrissait son imagination en lui racontant de merveilleuses histoires. La maison féerique où elle grandit à l'orée de la forêt de Vienne développa son goût du luxe et des beaux objets. «Veille à séduire les dieux» lui avait dit son père un jour qu'ils étaient au bord de l'océan et qu'ils se perdaient dans la contemplation de la crête blanche des vagues, d'où la légende fait surgir la déesse Aphrodite[1]. Son père mourut quand elle avait douze ans, mais sa mère, une femme robuste et terre à terre, continua de lui prodiguer son affection.

Avec le remariage de sa mère à un galeriste, Alma fut projetée dans la vie artistique de Vienne et fut courtisée par de nombreux artistes, y compris son professeur de musique Alexander von Zemlinsky et le célèbre peintre Gustav Klimt. Souvent qualifiée de «plus belle fille de Vienne», Alma, qui était dotée d'un charme merveilleux, était habituellement le centre d'attention en société. Pour compenser une surdité qu'elle s'efforçait de dissimuler, elle écoutait les autres avec ferveur, fixant ses grands yeux bleus sur une seule personne, qui en était alors énormément flattée. Alma apprit de la sorte à cajoler et à apaiser l'ego masculin.

Elle fit la connaissance de Gustav Mahler à l'âge de vingt-deux ans. De vingt ans son aîné et criblé de dettes, le compositeur s'était converti au christianisme pour préserver sa carrière. En dépit de ces différences, Alma fut attirée par lui. Elle était douée pour la musique et avait déjà composé plusieurs *lieder*. Charmé par la jeunesse d'Alma, par sa beauté et son intelligence, Mahler lui demanda de l'épouser mais à la condition qu'elle soit sa femme, et non pas sa collègue. Mahler se désintéressait des *lieder* d'Alma. Il lui fit parvenir un jour une lettre d'amour dans laquelle il disait: «Vous devez être à moi *sans condition*, que le moindre détail de votre vie future s'accorde entièrement avec mes besoins et que vous ne désiriez rien en retour, sinon mon *amour*[2]. [...]» En dépit de son grand désir d'écrire de la musique, Alma accepta d'épouser Mahler. Elle modela sa vie autour de sa rigoureuse discipline de travail, veillant à ce qu'il ne soit pas interrompu, administrant ses finances et recopiant ses œuvres.

Gustav était heureux, Alma était privée de tout. Dans le journal intime où elle confessait ses souffrances, elle le décrivit comme un égocentrique et avoua aimer son art et souhaiter recommencer à le pratiquer. Alma était un Oiseau en cage, prisonnière de sa maison, de ses enfants et de son rôle d'administratrice. Elle détestait être traitée à l'égal d'une domestique et d'une enfant par Mahler, mais elle persistait dans son rôle de Muse, encourageant la carrière artistique de son mari et donnant naissance à deux filles. Quand l'aînée mourut à l'âge de cinq ans, Alma sombra dans la maladie et la dépression. La santé de Mahler s'en ressentit aussi. Craignant de n'être plus séduisante, elle s'épancha dans son journal de son besoin de vie et d'amour. Elle fut la proie de crises de panique, d'accès de mélancolie et de plusieurs dépressions nerveuses. La vie auprès de Mahler affectait son système nerveux. Le médecin lui prescrit une longue cure dans une station thermale. Mahler, qui dépendait beaucoup de sa femme, craignit de ne pouvoir supporter leur séparation.

Pendant son séjour à la station thermale, elle fut envoûtée par un jeune et bel architecte tombé amoureux fou d'elle, Walter Gropius. Gropius écrivit à Mahler pour demander sa main, croyant qu'il était son père. Alma resta fidèle à son mari, mais Gustav éprouva une forte jalousie et craignit de perdre sa femme. Il consulta le psychanalyste Sigmund Freud qui lui révéla que l'amour excessif d'Alma pour son père la rendait incapable d'aimer un homme qui ne soit pas, comme Gustav, une figure paternelle. Freud ajouta que Mahler recherchait inconsciemment chez Alma, souvent souffrante, sa propre mère malade et rongée par le chagrin. Quand, obéissant aux recommandations de Freud, Mahler s'occupa davantage de sa femme, allant jusqu'à écouter ses *lieder* et insister pour qu'elle se remette à composer, elle lui fit savoir qu'il était maintenant trop tard pour qu'elle se consacre sérieusement à sa musique.

Mahler mourut en 1911 après dix ans de mariage, laissant à sa veuve de trente et un ans amplement de quoi vivre. Plusieurs admirateurs se manifestèrent bientôt, dont l'artiste prometteur Oskar Kokoschka. De sept ans plus jeune qu'Alma, Kokoschka idéalisait les femmes et tombait éperdument amoureux d'elles. La jeune veuve le fascinait, solitaire et belle dans son deuil tragique, et il lui semblait l'entendre chanter pour lui seul le *Liebestod* de *Tristan et Iseut.*

Une idylle passionnée prit naissance entre la Muse Alma et le génial Kokoschka. Ils s'imaginaient qu'elle était la salvatrice de Kokoschka, comme dans l'opéra de Wagner, *Le Hollandais volant.* Oskar, qui voulait ne faire qu'un avec Alma, se montrait jaloux de tout amant potentiel et même des amis auxquels Alma consacrait du temps et de l'énergie. Il allait jusqu'à signer ses lettres de leurs deux noms, Alma Oskar Kokoschka[3]. Le charisme d'Alma était sa raison de vivre.

Après qu'elle lui eut dit qu'elle ne l'épouserait pas avant qu'il ait peint un chef-d'œuvre, Kokoschka peignit pour elle des lettres-éventails. Alma lui inspira de nombreuses toiles, y compris son célèbre chef-d'œuvre *Die Windsbraut* (*La Fiancée du vent),* représentant deux amants étendus sur un tourbillon de couleurs. La femme (Alma), beaucoup plus grande que son amant, dort, couchée sur son épaule. L'homme (Kokoschka) est éveillé et anxieux. Oskar écrivit un jour à Alma: «Mon Alma, je t'aime plus que moi-même. [...] Il faut que tu sois bientôt ma femme, sans quoi mon talent périra misérablement. Tu dois me raviver la nuit comme une potion magique. [...] Tu es la Femme et moi l'Artiste. [...] Je sais que tu peux me rendre fort et que si ma force est toujours activée, je serai capable de grandes choses. Tu redonnes vie aux êtres inutiles, et moi, celui à qui tu es destinée, pourquoi devrais-je souffrir de ton absence[4]?» Vers cette époque, Oskar peignit une murale où il était représenté, entouré de serpents infernaux, tandis qu'Alma montait au ciel dans une langue de feu. Ses lettres parlaient de désespoir et de mort, laissant entendre qu'Alma tenait sa vie entre ses mains.

Dans son journal, Alma écrivit que chacun doit trouver son courage en lui-même, admettant ainsi que les désirs inconscients qui avaient embrasé sa vie et l'avaient poussée dans les bras de Gustav pouvaient aussi la ramener à sa musique. Mais elle se consacra néanmoins à sa liaison avec Oskar. Elle tomba enceinte, mais voyant qu'Oskar ne pouvait tolérer la présence chez elle du masque funéraire de Gustav, elle se fit avorter.

Bien que fascinée par Oskar tout au long de sa vie, elle ne supporta pas qu'il dépende autant d'elle après avoir connu la dépendance de Mahler. Elle aspirait à la liberté, mais elle appréhendait encore la solitude. Les deux amants voyagèrent et se donnèrent des rendez-vous romantiques à travers toute l'Europe pendant plusieurs années. Sans cesse oscillant entre son rôle de Muse et son désir de se concentrer sur sa musique et son épanouissement personnel, Alma revit Walter Gropius, le jeune architecte qui avait voulu l'épouser. Elle le convainquit de son amour, et il redevint amoureux d'elle. Le malheureux Oskar s'engagea dans l'armée et partit à la guerre. Déchirée entre sa passion pour Kokoschka et sa passion pour Gropius, Alma choisit d'épouser ce dernier, dont le talent et la beauté «aryenne» la séduisirent. Elle espérait se retrouver à son contact. Elle fut quelque temps heureuse et lui donna une fille, Manon.

Alma tint salon le dimanche, invitant de nombreuses célébrités du temps. Ces salons étaient pour elle l'occasion de partager une ambiance stimulante avec des gens doués, mais ils lui fournissaient également la possibilité d'être admirée des hommes. À l'occasion d'une de ces rencontres, elle fit la rencontre de son futur amant, le poète et romancier Franz Werfel. Bien que la judéité de Werfel et ses idées révolutionnaires et social-démocrates aient déplu à Alma, elle aimait ses poèmes et sa sensibilité musicale. Il chantait tandis qu'elle l'accompagnait au piano. Elle ressentait avec Werfel une affinité absente de sa relation avec le sévère et sérieux Gropius. Une autre liaison passionnée commença. Alma tomba de nouveau enceinte, sans trop savoir qui, de Gropius ou de Werfel, était le père de son enfant. En dépit du fait que Gropius était le plus souvent absent au front, elle vint à la conclusion qu'il était le père de son fils, né prématurément au péril de sa vie. Alma était déchirée entre ses deux amours. Elle-même souffrante, elle parvenait mal à s'affirmer et à exprimer ses sentiments de peur de blesser les autres.

Quand la santé de son fils se détériora et qu'elle sut qu'il allait mourir, Alma se culpabilisa au point d'envisager le suicide, mais elle n'eut pas le courage de passer à l'acte. À l'approche de la quarantaine, sans cesse déchirée par les conflits intérieurs et sentant que sa vie passionnée tirait à sa fin, Alma tint de nouveau salon le dimanche. Vêtue d'une robe en lamé or qui contrastait avec les murs rouges du salon de musique, elle s'efforçait en vain d'oublier ce qui la déchirait: être à la fois l'épouse de Gropius et la maîtresse de Werfel. Finalement, elle divorça pour épouser Werfel, bien que ne souhaitant pas être encore une fois la femme d'un Juif. Mais elle aima le poète sensible, elle lui prodigua des soins attentifs et lui procura la stabilité. Elle eut en outre la garde de sa fille Manon.

Vers l'âge de cinquante ans, à l'orée de la ménopause, Alma craignit de perdre sa beauté et son attrait. Sa fille aînée était sur le point de se marier, mais Alma s'en désintéressa. L'idée d'être bientôt grand-mère ne lui souriait pas. À cet époque, son goût pour le fascisme la fit se lier d'amitié avec la maîtresse de Mussolini et tomber sous le charme d'Hitler. En dépit des indices de plus en plus présents des malheurs qui allaient s'abattre sur les Juifs (nous étions en 1932) et par conséquent sur Werfel, elle ne crut pas utile de quitter l'Europe. Elle tomba au contraire sous le charme d'un prêtre catholique en qui elle voyait le futur cardinal de Vienne, et qui établissait une similitude entre Hitler et Luther. Le prêtre lui avoua qu'elle était la première femme vers laquelle il s'était senti attiré, et qu'elle serait aussi la dernière. En retour, elle le révéra et se fit l'écho de son admiration pour Hitler, comme elle l'avait été des idées des autres hommes de sa vie. Quand les interdits contre les Juifs furent mis en application, qu'on brûla les livres de Werfel et confisqua la musique de Mahler, Alma suivit les conseils du prêtre et se tut.

Puis, vers la fin des années trente, la réalité politique s'abattit sur les Werfel. S'ils n'optaient pas pour l'exil, ils seraient exterminés tous les deux, lui parce qu'il était juif, elle parce qu'elle était sa femme. Alma et Franz quittèrent Vienne et tentèrent de s'installer un peu partout en Europe. Mais les nazis empiétaient toujours. Amère, Alma avait le sentiment d'être une nomade sans abri, condamnée à la même errance que les Juifs. En tant qu'«Aryenne», elle se sentait victime d'une injustice. Elle sombra dans la dépression. Quand la guerre éclata en France en 1940, ils se joignirent tous deux aux longues files de réfugiés qui demandaient des visas pour pouvoir émigrer. Heureusement, après des mois de souffrances au cours desquels Alma perdit l'essentiel de ses biens, ils purent émigrer et recommencer leur vie aux États-Unis.

Ce recommencement fut pénible pour Alma, toujours plus sévère, amère et dogmatique. Sa fille Manon était morte, et elle devenait chaque jour plus cynique. Elle trouvait Dieu cruel. Tant de ses proches étaient morts prématurément: son père, Gustav, deux de ses trois filles, son fils, tant d'amis et d'amants. Elle se mit à porter du noir, mais toujours belle elle le rehaussait de vestes en soie ou en brocart, de bas de soie et de bijoux. Elle se remit à boire de la bénédictine tous les jours, habitude qu'elle avait perdue à la demande de Mahler mais qui persista maintenant jusqu'à sa mort à quatre-vingt-cinq ans. Entre-temps, Werfel, qui savait s'adapter aux nouvelles situations, continua à écrire et connut le succès. Un de ses romans, *Le Chant de Bernadette,* qui faillit remporter le Nobel, connut un immense succès à l'écran. Le couple partit s'installer à Los Angeles. Envieuse des succès de son mari, Alma sentait qu'elle n'avait pas fait grand-chose de sa vie. Dans l'ennui et le désespoir, elle écrivit: «La nature est vide et monotone[5].»

La santé de Franz se détériora, et Alma, déprimée et alcoolique, appréhenda de devoir vivre sans lui. Mais elle détestait le soigner et s'occuper de lui quand il était incontinent, état qui humiliait son mari. Elle écrivit dans son journal: «Le mariage est un œuf où deux êtres sont enfermés et coupés du monde[6].» Après la mort de Franz en 1945, elle devint désorientée et angoissée, puis elle se mit à absorber des sédatifs et à dormir dans le lit d'hôpital qui avait été celui de Franz à la fin de sa vie.

Souffrant terriblement de solitude, inquiète pour sa sécurité financière, et approchant de ses soizante-dix ans, elle retourna à Vienne pour récupérer ses biens. Là, elle découvrit que son beau-père et fondé de pouvoir avait vendu sa collection de toiles et ses propriétés. Elle dut affronter l'antisémitisme des fonctionnaires viennois parce qu'elle avait eu deux maris juifs. Amère et abandonnée, veuve que l'on blâmait pour les «péchés» de ses deux époux, elle n'était plus la Muse adulée d'autrefois.

Alma revint à Beverly Hills, où il arrivait qu'on lui rende hommage à l'occasion de concerts où étaient jouées les symphonies de Mahler. Elle acceptait des cadeaux et des lettres de ses amants, en accordant une attention spéciale à celles de Kokoschka.

Mais elle brûlait encore les lettres qu'elle écrivait elle-même, selon une habitude prise de nombreuses années auparavant. Le jour de son soixante-dixième anniversaire en 1945, elle fut heureuse de recevoir les vœux de Kokoschka. Il l'appelait la «vraie folle»; il ajoutait que leur passion «occuperait toujours l'avant-scène de la vie[7]» et qu'elle passerait à l'histoire. Lorsque sa fille Anna vint s'installer près d'elle en Californie, Alma la domina et exigea qu'elle lui consacre tout son temps et toute son attention. Fidèle à sa personnalité de Dragon, Alma s'efforça en vain de détruire la relation amoureuse de sa fille par des racontars éhontés. Puis, Alma déménagea à New York.

Son salon était rempli de livres et de toiles, surtout des toiles de Kokoschka, dont un portrait d'elle qu'elle aimait. Dans sa chambre, il y avait un piano, le portrait de Gustav, de la musique, et quelques toiles de son père. La gouvernante qui travaillait pour elle à Vienne vint aux États-Unis pour s'occuper d'elle. Alma recevait, invitait ses amis pour le thé, c'est-à-dire pour l'apéritif. On lui dédia plusieurs œuvres, musicales et littéraires. Elle avait encore des amis célèbres, entre autres, Bruno Walter, Erich Maria Remarque et Thornton Wilder. Mais quand, de passage à New York, Kokoschka demanda à la voir, elle refusa. Elle voulait qu'il garde le souvenir de sa jeunesse et de sa beauté, non pas de cette femme vieille et faible qu'elle était devenue. Kokoschka eut la délicatesse de lui envoyer ce télégramme: «Chère Alma, nous sommes éternellement unis à Basel, dans mon *Windsbraut*[8].»

En 1946, la santé et les facultés d'Alma se détériorèrent. Elle s'habillait et se maquillait néanmoins avec soin chaque matin. Et c'est dans l'illusion d'être encore une belle Muse à l'âge de quatre-vingt-cinq ans, persuadée que le prétendant au trône d'Autriche lui avait donné rendez-vous au sommet d'une montagne et voulait lui donner un enfant, qu'elle s'éteignit.

La vie d'Alma Mahler est exemplaire des malheurs qui guettent la femme prisonnière de l'image de la déesse. Sous le scintillement et la lumière de surface, elle brûle du ressentiment d'avoir sacrifié ses dons créateurs. La colère qu'elle dirige vers ses amants et vers les femmes plus jeunes qui viennent prendre sa place colore sa personnalité à mesure qu'elle vieillit. L'amertume doublée d'une laideur intérieure est le sort réservé à tant de «jolies poupées» oisives, qui ne comptent que sur leur jeunesse, leur charme et leur beauté pour développer leurs talents et incarner leur beauté *intérieure*.

LES SOMBRES MUSES

Bien que les Muses soient le plus souvent à nos yeux des personnes angéliques, de lumineuses inspiratrices, certaines Muses possèdent une nature sombre, passionnée et tragique. La Muse tragique fascine par sa faculté de se perdre dans l'inconscient, par son intensité créatrice. Souvent, l'homme qu'inspire une sombre Muse n'a pas admis ou intégré le côté sauvage de sa personnalité et il cherche à son insu à accéder à ses dons créateurs, aux replis obscurs de son inconscient, en entrant en contact avec cette puissante et sombre énergie féminine. L'homme naïf projette son côté noir sur elle et vit par son intermédiaire. Il la voit parfois se détruire et se laisse de temps en temps détruire aussi. Ce conflit se teinte alors des nuances qui colorent la Femme indomptée et le Juge.

Le film *L'ange bleu* offre un exemple classique de la sirène séduisante qui manipule un homme inexpérimenté. Dans ce film, un enseignant allemand d'âge mûr quoique sans grande expérience de la vie, se rend au cabaret où il tombe sous le charme d'une chanteuse (interprétée par Marlene Dietrich). Séduit, il renonce à sa carrière pour l'épouser. Au début, il l'amuse, mais plus il se soumet à sa volonté, plus elle cherche à l'humilier. À sa demande, il monte sur scène dans un habit de clown. Il perd peu à peu l'esprit, et se met à chanter comme un coq quand il la voit embrasser un autre homme. Avili, il devient fou et meurt enfin dans la salle de classe qu'il avait désertée.

La femme fatale de *L'ange bleu* est délibérément manipulatrice, elle attire les hommes dans ses filets pour les détruire ensuite, comme les sirènes de la mythologie grecque qui séduisaient les marins par leurs chants et les conduisaient avec leurs navires vers les eaux traîtresses et les rochers où ils trouvaient la mort. Mais le plus souvent, cette femme est prise au piège des passions sombres que l'homme projette sur elle. Elle joue alors le rôle qu'il conçoit pour elle, œuvrant de la sorte à sa propre destruction. Ou bien, c'est sa fascination sombre et romantique de l'amour et de la mort qui la rend vulnérable, et l'homme la manipule et la blesse inconsciemment. Le couple d'artistes mexicains Diego Rivera et Frida Kahlo présentait ces tragiques aspects. Les femmes à la forte imagination qui ne parviennent pas à s'affranchir du rôle de Muse sombrent souvent dans l'alcool, la promiscuité, le romantisme, l'attrait du danger ou les drogues. Certaines perdent la raison.

La sombre Muse, la Muse tragique est la femme qui incarne le côté sombrement romantique de l'homme et représente pour lui la puissance de la folie. Zelda Fitzgerald, telle que la décrit son époux Scott dans *Tendre est la nuit,* en est un exemple de notre époque, de même que le sont de nombreux modèles et maîtresses de Picasso. May Morris, qui fut le modèle du peintre pré-raphaélite Dante Gabriel Rossetti en est un autre exemple. Morris, qui devint l'épouse de Rossetti et lui servit de modèle pour Perséphone, reine des enfers, mourut prématurément des conséquences de sa dépendance au laudanum, une drogue qu'administraient souvent les médecins de l'époque aux femmes souffrant de troubles émotionnels.

La sombre Muse exprime et montre sa vulnérabilité, ses souffrances physiques et émotionnelles, de même que sa familiarité avec la dépression, la perte de raison, l'alcoolisme, ou encore les obsessions sexuelles et romantiques. Elle est souvent le guide sacrificiel qui dirige notre descente au fond de notre enfer personnel, voyage douloureux que nous devons entreprendre pour notre intégration psychologique, notre croissance personnelle, notre évolution. C'est parce qu'elle-même est descendue aux enfers et qu'elle en est revenue que la sombre Muse peut conduire l'observateur fasciné jusqu'au seuil de ce terrifiant mais nécessaire processus de découverte de soi et de transformation. Par exemple, Marilyn Monroe fut la sombre Muse de toute notre société. Sa vulnérabilité, sa mésestime de soi, la tragédie de sa soif inapaisable d'amour, sa chute dans la toxicomanie et son tragique suicide furent immortalisés par Arthur Miller dans *Après la chute.* Toni Wolff est une autre sombre Muse. Patiente de Jung, elle lui inspira sa propre descente dans l'inconscient, d'où il revint en mesure de le décrire pour le bien de tous. Elle fut aussi la maîtresse de Jung et une des premières psychanalystes femmes à s'intéresser aux aspects féminins de la psyché, bien qu'elle ait peu écrit et que son travail ne se soit pas dissocié des théories de Jung. Quant aux théories de Freud, elles étaient inextricablement liées à ses sombres patientes féminines, et encore aujourd'hui, les femmes qui consultent fascinent les psychothérapeutes mâles à la façon des Muses.

Les chanteuses populaires jouent souvent le rôle de sombres Muses pour la société, car elles expriment les désirs, les peurs des gens et leurs désirs enfouis. Prenons, par exemple, Édith Piaf, Judy

Garland et Billie Holiday. Ces femmes furent des artistes de génie, mais toutes moururent jeunes et de façon tragique: Garland et Piaf périrent alcooliques, Billie Holiday d'une surdose de drogue, abandonnée dans un hôpital, rejetée, femme noire anonyme. En fait, toute une race peut devenir la sombre Muse d'une société. Les Amérindiens nous inspirent grâce à leurs rapports harmonieux avec tout ce qui vit. Leur sagesse traditionnelle, bien enracinée dans la nature, pourrait éventuellement nous aider à empêcher que nos abus provoquent la destruction de la planète. Mais les abus et les mauvais traitements dont ils sont victimes sont aussi bien connus et furent éloquemment décrits dans les films récents *Il danse avec les loups* et *Cœur de tonnerre.* Dans *Playing in the Dark: Whiteness and the Literary Imagination*, Toni Morrison a signalé comment les écrivains et les lecteurs blancs s'inspirent parfois du personnage de l'africaniste noir pour réfléchir sur eux-mêmes, pour garder à distance leur côté sombre ou même pour nier sa présence en eux-mêmes, ce qui est un autre comportement qui participe de la psychologie de la sombre Muse.

LA MUSE TRAGIQUE: CAMILLE CLAUDEL

La passion et l'intensité de la Muse sombre et tragique sont essentielles à l'acte créateur, mais elles peuvent aussi déboucher sur l'isolement, le désespoir, la paranoïa qui, à leur tour, peuvent dégénérer en folie réelle. Ceci est particulièrement probable quand une artiste se trahit et trahit ses dons en devenant la Muse d'un homme de talent. Alors, la Femme indomptée qui vit en elle, qui aurait pu la guider vers la découverte, l'expression et l'affirmation de son talent dans le monde extérieur, au contraire se retourne contre elle. L'histoire de la sculpteur française Camille Claudel, sombre Muse d'Auguste Rodin, illustre bien ce processus.

Née le 8 décembre 1864 dans un petit village de Champagne, en France, Camille fut encouragée par son père à développer des dons artistiques. Quoique autoritaire et irascible, il appréciait les dons créateurs de ses trois enfants. Il leur assura une excellente éducation à Paris tout en devant, pour y parvenir, travailler beaucoup et rester loin d'eux. La mère de Camille était au contraire une femme sévère, bourgeoise, respectueuse des conventions et de son devoir. Elle ne cessa de mettre un frein à la créativité de sa fille. Elle n'aimait ni ne comprenait sa fille aînée au tempérament bouillant et intrépide, elle était aveugle à son art et son comportement excentrique la vexait. C'était une Reine des Neiges, à la personnalité glaciale de martyre, qui rejetait Camille.

En dépit d'une enfance rendue difficile par les querelles incessantes de ses parents et les ambitions divergentes qu'ils formulaient pour elle, Camille trouvait son bonheur dans son amour mystique de l'art et de la nature. Elle fut la Muse de son frère Paul, qui devint un des écrivains les plus importants de France, et exerça sur lui une influence considérable pendant sa jeunesse. Ils aimaient se promener dans les landes mystérieuses, s'émerveillant des rochers gigantesques et étranges. Seule leur sœur plus jeune, Louise, négligea de développer son talent pour la musique et resta à la maison, soumise à la domination maternelle.

Toute jeune déjà, Camille travaillait la glaise, insistant pour que tous les membres de la famille posent pour elle. La biographie filmée de sa vie la dépeint, sortant la nuit pour recueillir la glaise qui lui servait à sculpter. Indifférente à la nuit, Camille n'hésitait pas à creuser les profondeurs de sa propre nature pour suivre son destin créateur. À l'âge de quinze ans, elle avait déjà créé trois œuvres importantes, et son talent vint aux oreilles du sculpteur Alfred Boucher qui, l'instruisant surtout de l'art florentin, eut une grande influence sur sa carrière.

Camille fit la connaissance de Rodin lorsqu'elle lui fut envoyée par Boucher qui voyait en elle son élève la plus prometteuse. À cette époque, Rodin, âgé de quarante ans, était beaucoup controversé mais il n'était pas encore devenu célèbre. Camille fut la première élève féminine de Rodin et reconnue par tous comme son assistante la plus douée. Elle travaillait en silence et avec diligence aux sculptures du maître, et devint bientôt sa collaboratrice. Elle posa pour lui et le seconda dans la réalisation de ses œuvres majeures, dont *La Porte de l'Enfer*, fut le modèle de plusieurs de ses sculptures et l'incita à plus de lyrisme quand il traversait une période de sécheresse. Les critiques s'entendent pour dire qu'après *Balzac*, l'essentiel de son travail fut une variation sur le thème de *La Porte de l'Enfer*, le chef-d'œuvre auquel Camille avait collaboré. Entre-temps, Camille perfectionnait son propre style, surpassant même Rodin dans la taille du marbre.

Après que Rodin et Camille furent devenus amants, Rodin loua pour elle un studio idyllique et romantique, une vieille maison en ruines au beau milieu d'un jardin sauvage. Ils s'y rencontrèrent pendant sept ans, de 1887 à 1894. Ils firent des voyages d'été loin de Paris pour être plus souvent ensemble. Tout ce temps, Rodin vivait aussi en union de fait avec Rose Bauret.

Rodin aimait sincèrement Camille, mais il se sentait incapable de quitter Rose, sa compagne de toujours, pour l'épouser. Même lorsque Camille tomba enceinte, Rodin ne put se résoudre à quitter sa compagne, et l'on dit que Camille fit avorter l'enfant, furieuse de se trouver dans une situation aussi compromettante[9]. Au tournant du siècle, une artiste vivant seule était un scandale. Elle dépendait financièrement de ses parents qui n'approuvaient pas sa liaison illicite. Sa mère et sa sœur, surtout, condamnèrent Camille pour sa relation honteuse avec Rodin, la traitant comme une prostituée et l'accusant d'immoralité.

En dépit de toutes ces difficultés, la liaison de Camille Claudel et Rodin dura quinze ans. En 1893, Camille vivait et travaillait séparément de lui, ayant emménagé dans un autre studio, mais elle continuait de le voir, de passer ses vacances avec lui et de lui demander conseil. En 1894, elle lui écrivit un mot de félicitation pour son *Balzac*. Peu après, elle mit fin à sa correspondance, car son amour pour Rodin tournait à la haine. Rodin continua d'aimer Camille à sa façon et à l'encourager dans son travail, mais il se désolait de leur séparation et de l'animosité croissante de Camille à son égard.

En plus d'être la Muse de son frère et celle de Rodin, Camille fut aussi celle du compositeur Claude Debussy qui tomba amoureux d'elle. Mais Camille était trop attachée à Rodin pour lui rendre son amour. Elle mit fin à leur relation avec cruauté, rupture qui affectera Debussy comme en témoigne une lettre: «Je pleure sur la disparition du Rêve de ce Rêve[10].» Debussy conserva jusqu'à sa mort sa sculpture intitulée *La Valse* sur le manteau de sa cheminée. La vie amoureuse de Camille prit fin quand elle avait trente ans. Elle croyait sa jeunesse éteinte. Plus tard, dans une lettre à son galeriste Eugène Blot où elle lui parlait de sa jeunesse enfuie, elle décrivit celle-ci comme une épopée à l'image de *L'Iliade* ou de *L'Odyssée:* «Il faudrait bien Homère pour la raconter, je ne l'entreprendrai pas aujourd'hui, et je ne veux pas vous attrister. Je suis tombée dans le gouffre. Je vis dans un monde si curieux, si étrange. Du rêve que fut ma vie, ceci est le cauchemar[11].»

Au début de la rupture entre Camille et Rodin, elle vivait dans son studio du boulevard des Italiens et prit la résolution de se démarquer du style de son maître. Elle cherchait une façon bien à elle d'exprimer le monde ordinaire, les passants, les scènes de rue de la vie quotidienne, comme en témoignent ses œuvres *Les Causeuses* et *Vieil aveugle chantant*. Elle faisait des croquis, prenait des notes et s'efforçait de capturer les humeurs et l'apparence de ses personnages. Elle peignit aussi de nombreux portraits. Elle travaillait avec fièvre, évitait les contacts sociaux et refusait les invitations de Rodin à des soirées.

Camille vivait alors dans une semi-pauvreté. Son studio était connu pour son désordre, et elle ne voyait personne. Elle mendia pour payer le loyer du studio et pour se procurer les matériaux coûteux nécessaires à son travail. Criblée de dettes afin de pouvoir s'offrir le marbre d'Italie dont elle avait besoin, elle fut pourchassée par ses créanciers. Son père et son frère lui donnèrent de l'argent pendant cette période, en cachette de sa mère et de sa sœur. Ses œuvres furent exposées; les critiques en parlèrent et les collectionneurs s'y intéressèrent. Mais elle refusait d'attacher à son travail une valeur commerciale, comme le faisait Rodin. Elle préféra explorer des voies différentes. Elle se compara à Cendrillon, «condamnée à garder la cendre du foyer, n'espérant pas de voir arriver la Fée ou le Prince Charmant qui doit changer mon vêtement de poil ou de cendre en des robes couleur du temps[12]». Elle eut du mépris pour Rodin, qui jouissait de son succès et de sa gloire.

Sa situation financière se détériora, et elle emménagea dans un minuscule et sordide appartement de l'Île-Saint-Louis, où elle vécut jusqu'en 1913. Naguère mince et belle, elle grossit et négligea son apparence. L'alcool la faisait paraître plus vieille que son âge. En dépit de son style très personnel, les gens du milieu des arts et les critiques ne voyaient encore en elle qu'une élève de Rodin, ce qui était un affront pour Camille qui faisait tout ce qu'elle pouvait pour se différencier de lui. Mais son ressentiment ne visait pas les critiques, au contraire. Elle soupçonna Rodin d'être à l'origine de cette conspiration, et elle crut qu'il la persécutait. Elle en vint à se convaincre qu'il lui volait ses idées, qu'il engageait des fiers-à-bras pour détruire ses œuvres, et qu'il allait jusqu'à laver le cerveau de ses aides, de ses modèles, de ses fondeurs et même de ses amis. Elle accusa aussi Rodin de se servir de sa famille pour la harceler. Sans doute ses soupçons étaient-ils une métaphore psychologique pour la façon dont elle avait donné ses dons créateurs et son génie à Rodin.

L'amour peut tourner à la haine lorsqu'une personne se fonde avec une autre au point de perdre son autonomie et de ne plus pouvoir être elle-même. Une partie de Camille, la partie qui était une artiste de talent, s'était attachée à Rodin, l'amant inaccessible. En quittant Rodin, Camille s'efforça de s'extirper de lui extérieurement, mais elle fut incapable de s'en séparer intérieurement. Il est tout probable que de nombreux éléments aient été associés dans ce dilemme: la jalousie, la pauvreté, son alcoolisme, la violence de sa mère, sa situation sociale de victime, et le manque de reconnaissance dont souffrait son travail. Pour parvenir à se séparer de Rodin, elle substitua la haine à l'amour.

En dépit du fait qu'elle créait des œuvres originales et uniques, Camille se convainquit que Rodin lui volait une à une non seulement ses idées, mais aussi ses sculptures. Elle accusa un ami de Rodin d'être entré par effraction dans son atelier pour lui voler un personnage sculpté de femme vêtue de jaune qui s'y trouvait. Une autre fois, elle accusa une femme de ménage de lui avoir administré un narcotique dans son café de façon à lui voler une autre pièce intitulée *L'implorante.* Camille refusa des invitations à exposer à Prague et ailleurs, de peur que ses œuvres y figurent aux côtés de celles de Rodin et qu'il se les attribue. Bientôt, cette obsession d'être copiée et persécutée par Rodin sapa son énergie créatrice.

À compter de 1905, la situation de Camille se détériora. Elle ne parvenait pas à se rappeler à quelles œuvres de Rodin elle avait collaboré, et elle l'accusa d'avoir ordonné à deux de ses modèles d'entrer chez elle pour la tuer. Elle se mit à détruire la plupart de ses sculptures. Son atelier était jonché de débris, qu'elle fit enterrer. À cette époque, comme en témoigne une lettre d'un des rares amis qui lui restaient fidèles, Camille buvait beaucoup et invitait des inconnus à faire la fête chez elle et y passer la nuit[13].

Dans une lettre, Camille expose une des raisons qui l'ont poussée à mutiler ses œuvres. Elle ne supportait pas les déceptions et les frustrations, et détruisait son travail dans un esprit de vengeance. À la suite de la mort d'un ami, elle écrivit ceci à sa femme: «Quand la nouvelle m'est parvenue, je suis entrée dans une fureur telle que j'ai jeté au feu toutes mes maquettes en cire. Les flammes sont montées très haut et j'ai chauffé mes pieds à leur chaleur. C'est ce que je fais quand quelque chose de déplaisant m'arrive, je prends mon marteau et je fracasse une sculpture. La mort d'Henri m'a coûté cher! plus de 10 000 francs. La grande sculpture a bientôt connu le sort de ses petites sœurs en cire, car la mort d'Henri fut suivie quelques jours plus tard par une autre mauvaise nouvelle: sans prévenir, ils ont tous cessé de me donner de l'argent, de sorte que me voilà, du jour au lendemain, sans ressources. C'est la bande à Rodin qui a lavé le cerveau de maman dans ce but. D'autres exécutions ont eu lieu tout de suite après, un monceau de platras s'accumule au cœur de mon atelier, c'est un véritable sacrifice humain[14].»

Dans la version filmée de sa biographie, basée sur l'ouvrage de Reine-Marie Paris, Camille se présente à son vernissage outrageusement vêtue de rouge, ses lèvres et ses joues exagérément maquillées, symbole vivant de sa passion et de sa fureur. Femme indomptée et ivre, Camille laisse toutes les personnes présentes sous le choc. Même son frère, humilié, l'abandonne. Plus tard, on l'aperçoit qui fracasse le buste d'une innocente jeune fille, destruction symbolique de l'espoir.

En 1913, Camille ne fut pas prévenue de la mort et de l'inhumation de son père et ne put par conséquent assister aux funérailles. Quelques jours plus tard, maintenant âgée de quarante-neuf ans, son frère et sa mère la firent interner de force. Consciente de sa situation, elle vécut un véritable martyre et n'eut de cesse d'écrire des lettres à ses amis et à sa famille, les implorant de l'aider à sortir. Elle continuait d'être persuadée que Rodin était responsable de son internement, alors que cette décision avait été prise par sa famille. Après la mort de Rodin, elle reporta sa haine sur sa mère. Camille vécut le reste de sa vie (quelque trente ans) en institution et ne put jamais recommencer à sculpter. Elle mourut dans la misère en 1943, Femme indomptée, oubliée et âgée.

Camille Claudel possédait le génie créateur d'une grande artiste. Ses œuvres restantes, qui représentent moins de la moitié de toutes celles qu'elle créa, sont pour la plupart dans des musées. Les critiques s'entendent pour dire qu'elles font preuve d'un art sensuel allumé d'un feu intérieur. Ses sculptures, qui trouvaient leur inspiration dans son sens du toucher et son contact avec la terre Muse, sont des autoportraits introspectifs où s'expriment l'intensité et la tendresse, la tristesse et un sens aigu du vide. La vue des œuvres de Camille, qui exhalent une luminescence fragile, nous fait participer à l'expression de la vulnérabilité et de l'intimité féminines, et à la profondeur tragique de son âme.

L'ACTUALISATION DE LA MUSE INTÉRIEURE: L'HISTOIRE DE CÉLESTE

L'histoire de Céleste, notre contemporaine, illustre la dynamique qui entre en jeu lorsqu'une femme devient la Muse d'un homme au détriment de sa propre actualisation. Mais puisque Céleste a toujours su lutter pour croître et s'épanouir, son histoire révèle aussi quelques-unes des possibilités de transformation qui s'offrent à la Muse indomptée.

Céleste, deuxième de trois filles, était dotée d'une extraordinaire beauté, d'une nature douce et affectueuse, d'une intelligence exceptionnelle et de dons artistiques. Paradoxalement, elle s'efforçait de plaire tout en étant rebelle. Son père, officier dans l'armée, dirigeait sa famille d'une main de fer et n'était pas exempt de sautes d'humeurs dues à une maladie débilitante. Bien qu'aimant sa famille, il jugeait sévèrement ses enfants, surtout Céleste, dont le tempérament artiste et mystique ne cadrait pas avec ses points de vue traditionnels sur la façon dont une femme a le devoir de se comporter. Ses parents ne l'encouragèrent jamais à développer ses dons artistiques et intellectuels. Sa mère, une femme douce et affectueuse au service de sa famille et de son mari, veillait à combler les désirs de ce dernier au point de s'oublier elle-même. Elle refoulait tellement la Femme indomptée en elle que sa colère eut un effet dévastateur sur sa santé. Le premier modèle féminin de Céleste fut donc cette mère aimante mais codépendante, soumise à l'autorité d'un mari perfectionniste et imprévisible.

En raison de sa sensibilité inhabituelle et de son empathie instinctive, Céleste devint la médiatrice de la famille dans le but de préserver l'harmonie à la maison. Elle reproduisit ce rôle auprès de ses amis et de ses amants. À force de vouloir plaire aux autres et de prendre soin d'eux, elle en vint à oublier ses besoins et ses talents propres.

Sans orientation et toujours désireuse de plaire, Céleste poursuivit avec nonchalance ses études secondaires, obtenant malgré tout de bonnes notes. Sa beauté lui valait un grand nombre d'admirateurs, mais elle choisissait toujours des garçons séduisants et charmants qui abusaient de l'alcool et des drogues. Elle se rebellait contre l'autorité paternelle tout en s'efforçant de plaire à ses copains, et passa ses dernières années au secondaire à boire, à se droguer, à faire de nombreux voyages au LSD. Elle perçut plus tard dans ce comportement destructeur une première manifestation de la Femme indomptée qui, voulant déclencher sa colère intérieure, n'y parvenait que par des moyens autodestructeurs. Elle survécut heureusement à cette phase, obtint son diplôme et entra à l'université.

Elle opta pour des études de théâtre. Elle manquait toujours d'orientation et ses résultats furent médiocres. Elle ressentait cruellement la désaffection propre à une grande université anonyme. Elle était à cette époque consciemment à la recherche d'un but et d'un sens à sa vie, tandis que ses camarades de cours ne songeaient qu'à rire et à s'amuser. Victorieuse de son premier flirt dangereux avec les drogues, l'attrait que les cercles d'étudiantes et le football exerçaient sur ses amies lui paraissait superficiel, mais elle ne parvenait pas à trouver sa voie dans le dédale impersonnel de l'université. Déprimée, elle abandonna ses études et dénicha un emploi de serveuse dans un restaurant.

Au secondaire, elle avait apprécié l'enseignement d'un de ses professeurs qui lui avait fait connaître la psychologie jungienne. L'approche symbolique de Jung dans la découverte du sens de la vie humaine cadrait avec son tempérament intuitif. La rencontre avec ce professeur et avec le travail de Jung fut ce qui lui permit de s'affranchir des drogues. Quand elle interrompit ses études, Céleste renoua le contact avec son professeur et relut les travaux de Jung. Les deux femmes se lièrent d'amitié, et Céleste devint la jeune Muse dévouée de son professeur plus âgée qui remplaçait l'autorité paternelle. Bien que cette amitié ait comporté de nombreux aspects positifs, elle en vint à se sentir dominée et jugée par son ancien professeur. Elle s'efforçait encore de plaire à quelqu'un d'autre, soumise à son autorité.

N'ayant toujours pas accédé à sa colère intérieure et à sa passivité, Céleste projeta le négativisme de la Femme indomptée sur ses amis. À peu près à cette époque, elle entra en analyse auprès d'un thérapeute jungien et découvrit la psychodynamique à l'origine de sa tendance à être une éternelle enfant, la charmante *puella* qui entrait gaiement dans la danse des nombreuses possibilités offertes à elle, mais se révélait incapable de fixer son choix sur un but pour concentrer et actualiser ses aptitudes. Elle rêva souvent que des hommes déséquilibrés essayaient de la tuer, symbole de sa dépendance à l'autorité masculine qui étouffait ses dons créateurs. De plus en plus consciente et sûre d'elle-même, elle put apprécier ses facultés de décision et acquérir une plus grande autonomie. Ceci lui permit de se libérer de l'influence dominatrice tant de son père que de son amie. Elle retourna à l'université où ses excellents résultats lui valurent une maîtrise en psychologie.

À la fin de sa dernière année d'études, elle tomba amoureuse d'un de ses professeurs. Ils se marièrent après l'obtention de son diplôme. Céleste vécut dix ans dans un mariage relativement harmonieux et compatible, mais elle restait la belle, l'éternelle enfant. C'était un mariage traditionnel. Céleste appréciait son rôle de belle hôtesse et d'épouse attentionnée, et secondait parfois son mari en faisant pour lui de petits travaux de secrétariat. Mais en dépit de la compatibilité du couple, quelque chose manquait à la vie de Céleste. Sans cesse tourmentée de n'avoir pas d'orientation professionnelle, elle ne parvenait ni à actualiser ses talents artistiques ni son désir de devenir psychologue. Elle végétait, dans les limbes. Intérieurement, sa passivité la rendait malheureuse, tandis qu'extérieurement elle jouissait de l'adoration que lui témoignait son mari. Elle avait parfois l'impression de vivre un fascinant conte de fées.

Avec la trentaine et la crise de maturité qui s'abattit sur elle avec violence, son rêve prit une mauvaise tournure. Elle décida alors de s'adonner plus activement à son intérêt pour le théâtre et effectua dans ce but plusieurs voyages d'études. Mais son attrait pour les hommes et l'amour était plus fort que son goût de l'étude. Elle eut une liaison torride qui conduisit son mariage au désastre et qui contrecarra ses projets de carrière. Quand sa liaison prit fin, elle se retrouva devant rien.

Céleste avait toujours aimé l'euphorie que lui procurait l'alcool, et il lui arrivait de boire à l'excès. Pendant son mariage, elle était parvenue à contrôler sa consommation, mais sa nouvelle solitude la porta à boire exagérément. Elle s'installa à Los Angeles dans l'espoir de réaliser son rêve de devenir actrice, trouva du travail et étudia l'art dramatique. Elle était toujours très seule et désespérée. Puis, elle fit la rencontre d'un bel acteur, récemment divorcé et assez connu. Ils tombèrent amoureux l'un de l'autre. La vie de Céleste devint un tourbillon de réceptions, de bals au champagne et de merveilleux voyages en Europe et en Asie. Son amant l'adorait et la comblait de fastueux cadeaux. En retour, elle l'adulait. Ils passèrent leur temps en dîners fins, en sorties, à danser sur un nuage. Puis ils décidèrent de vivre ensemble et de se fiancer. Elle était redevenue l'incarnation des fantasmes d'un homme, la belle princesse qui inspirait et stimulait les dons de son amant.

Bientôt, les vicissitudes de la vie quotidienne et les conséquences de ses abus d'alcool s'imposèrent à elle. Ses lendemains de veille étaient chaque fois plus pénibles, ses trous de mémoire plus importants. Elle se mit de plus en plus souvent dans des situations embarrassantes en public. Ses idées de suicide augmentaient à mesure qu'augmentait son alcoolisme. Un jour, dans un accès de fureur ivre, s'emportant contre son fiancé et terrorisée à la pensée qu'il ne l'aime plus, elle menaça de se jeter dans un escalier mobile qui s'enfonçait jusqu'au métro. La Femme indomptée émergeait dans une rage vengeresse.

Céleste sentit qu'elle devenait un Oiseau en cage dans sa vie de tous les jours, et qu'elle revivait la vie de sa mère qui avait toujours fait les quatre volontés de son mari. Quoi qu'elle fasse pour plaire à son amant, Céleste croyait que ce n'était jamais assez. Elle devint si obsédée par le besoin de lui être agréable qu'elle se sentit prise au piège. Lui se défendait en se montrant aussi critique que son père l'avait été. Le couple se vit bientôt enfermé dans l'éternel dilemme psychologique de la Femme indomptée et du Juge.

Au début, Céleste rendait son amant responsable de son état dépressif et de son alcoolisme. Mais au fond d'elle-même, sa faiblesse l'enrageait. Ses velléités de suicide étaient la conséquence de son désir de mettre fin à sa dépendance et à sa trahison d'elle-même. Elle était persuadée de ne pas avoir son mot à dire dans leur relation, et que son amant se servait de sa beauté pour acquérir du pouvoir et dans l'intérêt de son moi. Des sentiments similaires avaient fait surface dans son précédent mariage, mais elle s'était efforcée de les chasser de son esprit. Maintenant, dix ans plus tard, ils étaient trop omniprésents pour qu'elle puisse les ignorer. Elle comprit s'être elle-même prise au piège en concentrant sa vie autour d'une autre personne au point de se perdre. Elle en voulait à son geôlier. Elle savait que son suicide le ferait terriblement souffrir, mais, en même temps, elle tenait à la vie.

La vie de Céleste lui devint intolérable. Elle était terrorisée à l'idée de tout perdre, de devenir clocharde. Qu'arriverait-il quand sa beauté perdrait de sa fraîcheur avec l'âge? Comment parviendrait-elle à gagner sa vie toute seule? Elle but encore davantage. Puis elle lut des ouvrages sur les dépendances de toutes sortes. Elle compris qu'elle n'était pas seulement alcoolique, mais aussi codépendante, que ces deux assuétudes formaient un cercle vicieux dans sa vie. Il lui fallut longtemps pour admettre et accepter ses assuétudes. Comment le beau cygne blanc d'un de ses ballets préférés, *Le Lac des cygnes*, pouvait-il aussi être un cygne noir, séduisant et destructeur? Comment la Muse pouvait-elle être aussi alcoolique? Cela ne cadrait pas avec l'image que les autres se faisaient d'elle. Néanmoins, chaque fois qu'elle buvait, la douleur et l'horreur prenaient plus d'importance dans sa vie.

La dépression, l'angoisse, l'envie de se suicider effrayèrent Céleste au point où elle se décida à faire une cure de désintoxication. Elle se joignit aussi à un groupe de thérapie. Cette période fut très difficile pour elle. Elle ressentait un intolérable besoin d'alcool et un besoin encore plus grand du romantisme et de l'éclat que l'alcool lui avait procurés auparavant. Mais elle persista, car elle savait qu'un échec la détruirait et détruirait sa relation de couple. En même temps, Céleste reprit contact avec sa vie spirituelle. Après un an ou deux de cure, elle vit plus clairement ce qu'elle voulait faire de sa vie. Elle comprit qu'en plus de dépendre de l'alcool, elle avait été l'esclave de son rôle de sombre Muse et au service des rêves d'un homme. En vivant les rêves d'une autre personne, elle avait perdu la faculté de reconnaître les siens.

Céleste cessa peu à peu d'être la Muse d'un autre pour devenir sa propre Muse. Au début de sa cure, elle avait assisté à une projection du film *Camille Claudel*, et s'était identifiée de plusieurs façons à l'artiste, en particulier avec le désir de Camille Claudel d'être la Muse de Rodin, désir qui entrait en conflit avec sa propre créativité, sa douleur et sa fureur, et qui la précipita dans l'alcool et la folie qui détruisirent sa vie. Céleste opta plutôt pour la transformation de sa Muse indomptée. Elle se concentra moins sur la carrière de son amant et davantage sur la sienne. Elle conclut que ses préférences allaient vers les professions de la santé, se renseigna sur les différents cours offerts et s'inscrivit à l'université. Elle fut ravie de constater que son fiancé appuyait sa démarche. Céleste comprit que si elle savait ce qu'elle voulait, si elle s'imposait et demandait que ses besoins soient respectés, son fiancé et ses amis approuvaient ses choix et acquiesçaient à ses demandes.

La transformation ne fut pas facile au début. Céleste avait connu vingt-quatre ans de dépendance à l'alcool et au rôle de

Muse d'autrui. L'université la terrifiait au point qu'elle fut fortement tentée de se réfugier dans l'alcool et de revenir en arrière. Mais elle fit un rêve qui la confirma dans sa nouvelle voie et qui lui indiqua comment elle pouvait transformer l'énergie autodestructrice de la Femme indomptée en énergie créatrice. Persuadée d'avoir perdu tout contact avec sa spiritualité, Céleste avait prié pour qu'un rêve lui vienne. Le rêve apaisa sa terreur de l'échec et lui procura le courage nécessaire à la poursuite de l'ambition qu'elle avait nourrie à vingt ans de se consacrer à la psychanalyse jungienne.

Dans son rêve, elle passait une entrevue d'admission à l'université. Son fiancé, qui était aussi présent, fut appelé en entrevue le premier. Puis une femme âgée invita Céleste à entrer dans une grande pièce. Là, elle lui lut des poèmes tout en projetant des images et des symboles sur un écran. Les scènes étaient primitives: la jungle, la terre, la vie humaine. Les poèmes décrivaient la douleur qui accompagne la prise de conscience et une importante expérience mystique. Céleste en ressentit une vive émotion, car les scènes qu'elle visionnait la touchaient profondément. Lorsqu'elle donna son interprétation de ces scènes primitives, sensuelles et mystiques comme étant la représentation de la naissance de l'héroïne, la femme qui l'interviewait, étonnée de la profondeur de ses perceptions, vérifia son dossier académique et dit:

— Vous serez un atout pour notre école.

Et elle signa son admission.

Céleste vit dans ce rêve sa métamorphose d'«anima» à femme autonome apte à mettre ses dons d'intuition au service de l'humanité grâce à sa perception de la vie intérieure. La femme du rêve entérinait son tempérament mystique inné, tant critiqué par son père et considéré comme un indice de faiblesse. Pendant des années, ses dons visionnaires, son désir de spiritualité avaient toujours constitué sa plus grande richesse, en dépit du fait que cette tendance ait souvent été obnubilée par d'autres et supplantée par son romantisme amoureux. L'alcool l'avait conduite au bord de la folie. Céleste comprenait maintenant qu'elle avait mésusé de l'énergie de la Femme indomptée en s'adonnant à l'alcool et en se satisfaisant de l'adulation des hommes, négligeant de la sorte son inspiration créatrice. Dans ce rêve qui illustrait la douloureuse naissance et l'épanouissement de la conscience, le rôle principal était tenu par elle et non pas par les hommes à qui elle avait eu l'habitude de le confier. La femme d'âge mûr, qui représentait une facette transformée, plus sage de Céleste, lui permettait de reconnaître et d'apprécier ses propres dons. Céleste se demanda si cette initiatrice aux cheveux foncés pouvait représenter un aspect positif de la Femme indomptée en elle.

Cette Femme indomptée avait toujours effrayé Céleste, qu'elle se manifeste en elle ou chez les autres. Elle était parfois pleine d'attentions pour les autres et plus aimable que nécessaire, car elle appréhendait les conséquences que risquaient d'entraîner le fait de les rejeter ou de leur fixer des limites à ne pas franchir. Elle voyait que vaincre cette peur faisait partie du processus de transformation de la Femme indomptée. Elle avait dû intégrer son énergie pour mieux prendre conscience de la puissance et de l'autorité de son côté noir, et pour que cette force soit mise au service de sa profession future et de ses projets artistiques. Céleste possédait maintenant le courage d'invoquer sa Muse dans un but créateur personnel.

LA TRANSFORMATION DE LA MUSE

Comment une femme enfermée dans son rôle de Muse peut-elle devenir une femme à part entière, surtout quand elle a tant à gagner à y demeurer: l'amour, l'adoration, l'éclat? Comment peut-elle dépasser les valeurs d'une société qui glorifie la jeunesse et la beauté?

Quand elle a connu le bonheur de créer par elle-même, en dépit de la somme de travail que cela suppose, elle ne peut plus *se contenter* d'être la Muse d'un autre. Elle perçoit tout ce que l'adoration de la beauté et du charme a d'artificiel. Le fait de correspondre à l'idéal des autres prive une femme de sa vie et de son inspiration. Idéaliser quelqu'un revient à vampiriser une belle victime. Alma Mahler en fit souvent l'expérience. Elle n'appréciait pas d'être un objet pour ses maris et pour ses autres prétendants transis. Elle ressentit plus d'une fois le besoin de faire un choix et d'opter pour sa propre vie. Mais le pouvoir qu'elle exerçait sur tant d'hommes doués l'empêchait de lutter pour son autonomie, sans doute parce que c'était là le seul pouvoir qui était consenti à une femme dans cette société patriarcale. Prisonnière de ce dilemme, elle se blinda contre ses désirs, travaillant ainsi à sa perte.

La Muse qui a entrepris un processus de transformation sait ce que signifie s'appartenir au lieu d'être l'objet des rêves d'un autre. Ce peut être au début une expérience enivrante et euphorisante. L'attention est source d'exaltation. Mais comme dans toute dépendance, la chute survient inévitablement. En vieillissant, la Muse voit sa beauté s'affadir. Elle ne peut plus dépendre de ses attraits et de sa jeunesse, elle constate que les regards des hommes ne s'attardent plus sur elle mais sur d'autres femmes. Pour apaiser la souffrance que leur causent les ravages du temps, certaines femmes deviennent de véritables poupées. Exagérément peinturlurées avec des fards, de la poudre, du crayon, elles s'efforcent de colorer leur vie en se colorant les joues et les paupières. Les chirurgies faciales effacent les signes de la sagesse qu'elles auraient pu faire partager. D'autres se cachent et vivent en recluses. C'est alors que, furieuse devant ces vies perdues, la Femme indomptée fait irruption chez elles. Dans le film *Boulevard du crépuscule*, Norma Desmond, une actrice vieillissante, tue un reporter venu la surprendre chez elle pour savoir ce qu'elle est devenue. Elle ne supporte pas qu'on voie en elle une «femme finie».

La Muse doit traverser les épreuves de la vie comme toutes les autres femmes. Elle doit descendre au fond de son enfer personnel, jusqu'à ces peurs qu'elle n'a jamais voulu affronter, pour intégrer la douleur au bonheur que la vie lui apporte. La Muse lumineuse, telle Alma Mahler, peut se croire au-dessus des vissicitudes de l'existence. Quand elle se rend compte que la souffrance ne l'épargne pas, il se peut qu'elle en éprouve un ressentiment qui se mue en amertume face à la vie et qui l'enferme dans la personnalité destructrice de la Femme indomptée. D'autre part, la sombre Muse, telle Camille Claudel, est plus susceptible de nourrir une perception romantique de la tragédie et d'endosser le rôle de l'héroïne dramatique. En persistant dans le rôle de Muse tragique, elle aussi est victime de la Femme indomptée.

Lorsqu'on n'admet pas et qu'on n'affronte pas consciemment la douleur et la souffrance, le côté destructeur de la Femme indomptée prend le dessus. Céleste affronta son côté sombre et prit conscience de la souffrance et de l'angoisse provoquées par sa dépendance et son inaptitude à se réaliser. Elle comprit que sortir de l'impasse ne se ferait pas sans travail. Elle osa s'y jeter volontairement, elle se prit en main, et sa vie eut un sens.

On peut être une Muse sans en souffrir si on ne cède pas au désir d'être adulée, par exemple, Lou Andreas-Salomé, qui fut la Muse du philosophe Nietzsche, du poète Rilke et de plusieurs autres. Mais elle insista pour développer des dons créateurs et être une femme à part entière. Elle s'appropria l'énergie de la Femme indomptée quand elle dit à Rilke, qui l'idolâtrait, de suivre seul sa voie. Elle savait que tous deux devaient répondre à l'appel de leur art. Renonçant en toute conscience au double rôle de Muse et de maîtresse, elle demeura son amie tout en se consacrant à son travail de création et en écrivant elle aussi plusieurs livres. Anaïs Nin est un autre exemple de Muse qui sut se consacrer à sa création. Fidèle à ses visions personnelles, elle mit sa sensibilité et son intuition au service de l'écriture. Elle signa plusieurs romans et redonna ses lettres de noblesse au journal intime.

D'autres femmes purent employer leurs qualités de Muses pour stimuler une autre créativité que la leur, sans pour autant renoncer à elles-mêmes. Gertrude Stein tenait en Europe un salon littéraire où de nombreux écrivains, tel Ernest Hemingway, trouvèrent l'encouragement nécessaire à la poursuite de leur idéal littéraire. Mais elle fut une figure de proue, et non seulement ne renonça-t-elle jamais à ses travaux d'écriture, elle développa aussi de nouvelles formes littéraires.

En intégrant le côté sombre de la Femme indomptée, la Muse parvient à se transformer en explorant sa beauté intérieure. Sa force réside dans son rapport créateur avec l'âme, et elle ne doit pas en mésuser. Si elle s'affranchit des idéaux romantiques qui la tiennent enfermée, elle peut refuser de trahir sa nature et renoncer à la fausse valorisation qui lui venait d'être une idole. Elle peut respecter la nature en acceptant de vieillir. La discipline du travail peut l'aider à transformer le chaos qui, en elle, est l'œuvre de la Femme indomptée, en créations personnelles. Elle peut devenir sa propre Muse.

Nous sommes nombreuses à ne pas être aussi belles qu'Alma Mahler ou aussi douées que Camille Claudel, mais nous possédons toutes notre mystère intérieur. Notre pouvoir de fascination et d'inspiration peut servir à des fins créatrices. Il ne nous détruit que s'il rétrécit l'âme. Au bout du compte, notre force de Muse peut nous servir à créer un monde plus beau et plus hospitalier. Ainsi, nous deviendrons les Muses de l'univers.

1. Citée par Karen Monson, *Alma Mahler: Muse to Genius,* Boston, Houghton Mifflin, 1983, p. 151.
2. Ibid., p. 44.
3. Ibid., p. 145.
4. Ibid., p. 155.
5. Ibid., p. 279.
6. Ibid., p. 288.
7. Ibid., p. 309-310.
8. Ibid., p. 318.
9. Nous ne détenons aucune documentation officielle concernant la grossesse et l'avortement de Camille, mais tout porte à croire qu'elles ont eu lieu. Reine-Marie Paris, *Camille Claudel,* Gallimard, 1984, p.47.
10. Ibid., p. 63.
11. Ibid, p.64.
12. Ibid., p. 77.
13. Ibid., p. 85.
14. Reine-Marie Paris, Camille: *The Life of Camille Claudel, Rodin's Muse and Mistress,* traduit par Liliane Emery Tick, New York, Henry Holt, 1988, p. 135.

5

L'Amoureuse rejetée

Elle rit et dit qu'elle prendrait
les armes contre Dieu Lui-même. Lucifer y avait échoué, mais Lucifer était un mâle.
Elle crut Le vaincre, parce qu'elle était femme.

Fay Weldon
The Life and Loves of a She-Devil

Une femme de ma connaissance se plaignait de rêves récurrents où elle était abandonnée par d'anciens amants. Bien que persuadée d'avoir surmonté les sentiments de rejet qu'elle avait connus dans ses relations affectives antérieures, elle continuait d'être envahie par ces sentiments et par la peur de l'abandon. Elle désirait plus que tout vivre une union lucide, dans laquelle chacun des deux partenaires stimule l'autre dans son développement et son cheminement vers la maturité. Ses rêves récurrents lui rappelaient sans cesse la douleur du rejet amoureux et l'importance d'une relation affective enrichissante.

Nous avons tous connu le rejet amoureux. La société nord-américaine en glorifie les aspects les plus tragiques en relatant dans la presse des cas de vengeance amoureuse, en les portant à l'écran, en en faisant le sujet de blues, de musique rock et de chansons western.

L'Amoureuse rejetée devient aisément la proie de comportements négatifs et de réflexes psychologiques de victimisation qui la portent à se percevoir comme une héroïne de tragédie. Mais sous le personnage sombre, romantique et souvent dépressif couvent la colère du rejet, la fureur d'avoir été trahie, car la trahison constitue la pire crainte des femmes. Lorsqu'elle se produit, la Femme indomptée peut émerger chez l'Amoureuse rejetée en dépit des efforts qu'elle déploie pour masquer sa douleur et son apparente aptitude à y faire face, semant le chaos dans sa vie, dans son travail et dans son âme. Le cœur brisé, étouffant d'une rage et d'un chagrin si grands que l'âme et le corps peuvent à peine les supporter, certaines Amoureuses rejetées ont parfois envie de tuer celui qui les a trahies, comme on le voit dans le film *Liaison fatale*, ou encore, comme dans un grand nombre d'autres récits, elles éprouvent des élans suicidaires, car elles n'ont d'autre but que la relation amoureuse. D'autres Amoureuses rejetées s'accrochent à leur amant quand il les quitte et vivent dans l'illusion. En proie à leurs rêves, elles ne parviennent pas à le croire quand un homme leur dit: «Non, c'est fini.» Consumées par l'amertume et la souffrance, beaucoup de femmes en viennent à ne plus pouvoir créer ou travailler. D'autres compensent le rejet en adoptant des comportements obsessifs de bourreaux de travail, en se jetant dans les excès de nourriture ou le jeûne, comme dans les cas d'anorexie, ou encore en s'adonnant à l'alcool, aux drogues, aux dépenses impulsives ou en devenant victimes d'autres dépendances. La peur du rejet pousse certaines femmes à l'irrationalité dès le début d'une nouvelle relation. Prises de panique au premier signe d'intimité, ces femmes adoptent un comportement d'Amoureuse rejetée en repoussant et en rejetant leur amant en premier de peur d'être elles-mêmes repoussées par lui.

Des femmes qui vivent comme des Oiseaux en cage au sein d'un mariage étouffant sont parfois rejetées plus tard par leur mari. Cette trahison se produit souvent à la ménopause, moment difficile d'un point de vue émotionnel et hormonal, quand la femme a parfois l'impression de perdre la raison et de ne plus savoir qui elle est, qu'elle doit réfléchir et entamer une transformation au seuil d'une nouvelle phase de sa vie. Une Muse devient parfois une Amoureuse rejetée encore plus tôt, comme ce fut le cas pour Camille Claudel.

Le fait de nier la fin d'une relation et le désir de vengeance sont caractéristiques du syndrome de l'Amoureuse rejetée. En effet, le rejet stimule parfois la passion. Une femme persuadée que sa vie n'a de sens qu'en fonction de l'amour qu'on lui porte aura du mal à accepter ou à croire que sa relation a pris fin. Croyant pouvoir faire en sorte que son amant change d'idée, elle s'accroche à ses illusions. Prisonnière de ses pensées, elle se croit persécutée. Elle ira parfois jusqu'à tomber malade pour tenter d'éveiller la pitié et ainsi regagner l'amour perdu. Parfois encore, elle sombrera dans une folie douce, comme l'Elvire de l'opéra *I Puritani*, ou recourra au suicide comme Anna Karénine. D'autres s'acharnent à poursuivre leur rêve obsédant, comme l'illustre le film *L'Histoire d'Adèle H.*

Dans un moment de folie, Adèle H., fille du poète romantique Victor Hugo, dit ceci à l'amant qui la quitte:

— Je n'existe pas sans toi.

Elle avait suivi le fiancé qui l'avait abandonnée en France jusqu'aux solitudes de la Nouvelle-Écosse où il était officier militaire. Elle lui écrivait des lettres, elle le pourchassait par les rues, elle était si obsédée par lui qu'elle ne pouvait rien faire d'autre que le hanter. Persuadée qu'il l'aimait toujours, elle croyait pouvoir regagner son amour. Quand il lui dit sans équivoque que tout était fini entre eux, elle fut incapable de l'entendre. Elle écrivit à son père pour lui annoncer leur mariage. Les bans furent publiés dans les journaux français qui tombèrent sous les yeux du jeune officier. Il eut une confrontation avec Adèle, mais elle resta accrochée à ses souvenirs. Elle continua de le suivre partout, pathétique dans sa conviction qu'il l'aimait encore. Hors des réalités d'une vraie relation, ses fantasmes prirent le dessus. À la fin, elle pourchassait moins un être réel qu'un effet de son imagination. Un jour qu'elle le croisa dans la rue, elle passa à côté de lui sans même le reconnaître.

Nous avons toutes un idéal amoureux, des attentes que nous projetons sur la personne qui nous inspire de l'amour. Ces désirs sont parfois la conséquence de notre relation avec notre père. Lorsque le père est absent, soit parce qu'il est décédé ou malade, trop distant ou trop idéalisé, si une fille a peu de contact avec d'autres hommes, le risque existe qu'une fois devenue adulte elle se laisse emporter par son imagination[1]. Elle peut tomber amoureuse d'un Amant fantôme, un homme idéal qui ne vit que dans sa tête. Pour qu'une relation amoureuse soit enrichissante, la psyché équilibrée fera en sorte que la femme puisse traverser ces illusions et ces projections pour parvenir à établir une intimité réelle et une relation de couple saine. La force de la Femme indomptée, utilisée à bon escient, peut nous aider à atteindre ce but.

De nombreux films illustrent la peur qu'éprouvent les hommes des explosions de rage de la Femme indomptée qui essuie un rejet amoureux. La protagoniste de *Femmes au bord de la crise de nerfs* met, de rage, le feu à son lit quand son amant la trahit. Dans *Liaison fatale,* une amoureuse enragée harcèle, effraie et menace la famille de l'homme qui l'a quittée après une aventure d'un soir. Confronté à la rage et à la folie grandissantes de la femme, il la tue. Dans *Présumé innocent,* une femme trahie conçoit un plan brillant pour tuer la maîtresse de son mari. Ces représentations cinématographiques de la Femme indomptée nous impressionnent, car elles présentent l'extraordinaire énergie à l'œuvre dans le psychisme des hommes et des femmes «en amour» et le désir de domination et de vengeance.

LA REVANCHE DES FEMMES INDOMPTÉES

Les femmes les plus réservées, correctes et adultes ne sont pas immunisées contre la fureur quand elles ont été trahies. Lesley, une Anglaise très maîtresse d'elle-même, fille puis épouse obéissante, suivit son mari dans un pub après avoir découvert qu'il avait des maîtresses. Elle s'approcha de l'endroit où il était attablé avec son amie du moment. Il lui intima de partir et de ne pas gâcher son plaisir. Elle s'effondra. La Femme indomptée en elle fit surface. Hurlant de rage, elle lança un Bloody Mary au visage de son mari, verre compris, ce qui lui occasionna des blessures. Deux hommes costauds s'emparèrent d'elle et la clouèrent au sol, puis ils la traînèrent dehors, l'abandonnant à sa rage sous la pleine lune. Aujourd'hui, cet incident la fait rire. Elle sait que sa réaction est ce qui lui a permis d'admettre les cruautés de son mari et la dérive de son mariage, et de parvenir à s'en libérer.

Les types de vengeance auxquels ont eu recours les Amoureuses rejetées sont légion. Elles ont utilisé au maximum les cartes de crédit de leur mari infidèle; lu leur journal intime et leur correspondance; tailladé les pneus de leur voiture (la voiture est souvent pour l'homme un symbole de liberté, de pouvoir masculin et d'autorité). Elles sont entrées toutes nues dans la chambre à coucher des nouveaux amants, ont jeté sur eux leurs photos de mariage maintenant grotesquement découpées en morceaux, et pourchassé le couple. Crachant des insultes, elles ont abreuvé de menaces la nouvelle compagne de leur mari par téléphone, harcelé leur mari au travail et retourné leurs enfants contre lui.

Dans *She-Devil*, un film basé sur le roman de Fay Weldon intitulé *The Life and Loves of a She-Devil*, ces idées de vengeance sont portées à l'extrême. Apprenant que son mari la quitte pour poursuivre sa liaison avec Mary Fisher, une jolie petite femme, écrivain romantique de romans à l'eau de rose qui sont des best-sellers, Ruth, une femme dégingandée et peu attrayante rejetée par sa mère en raison de sa laideur, explose. Animée d'une fureur froide, elle complote la destruction de son mari et de la femme qui a pris sa place. Elle met habilement le feu à sa cuisinière pour faire exploser sa maison de banlieue et poser en victime pathétique. Maintenant à la rue, Ruth emmène ses enfants à High Tower, la maison de rêve plantée sur une falaise au bord de la mer où vivent son mari et Mary Fisher. Ruth laisse là ses enfants, en sachant que leur indiscipline et leurs caprices mettront fin à l'idylle des amants. Ruth fait aussi en sorte que la vieille mère dérangée de Mary quitte le foyer pour personnes âgées où elle vit pour s'installer chez sa fille.

Tout au long de son mariage, Ruth s'est efforcée d'être «une bonne épouse», feignant d'être heureuse quand elle ne l'était pas, ne se plaignant jamais, se montrant reconnaissante d'être logée et nourrie en tenant maison et en veillant au bien-être de sa famille. Elle est demeurée fidèle même quand son mari faisait publiquement l'éloge des femmes plus jeunes qu'il rencontrait. Elle a soigné sa vanité d'homme. Elle a fait semblant de lui être inférieure. Maintenant repoussée par lui, elle en vient à mépriser cette dépendance et prend la décision de devenir riche et puissante. Ruth subtilise les dossiers de son mari et trafique ses livres de comptabilité de façon à ce qu'il soit accusé de fraude. Elle dépose l'argent à son nom à elle dans une banque suisse. Ensuite, elle fonde une agence de placement pour femmes, et aide un grand nombre d'elles à trouver le courage de renoncer à leur rôle d'Oiseau en cage pour se tailler une place dans l'univers stimulant des affaires et du pouvoir. Ruth fait en sorte ensuite que ces femmes reconnaissantes l'aident à concrétiser sa vengeance. Elle se débrouille pour que son mari soit arrêté, condamné et emprisonné.

Entre-temps, à High Tower, la beauté et l'argent de Mary Fisher se tarissent. Le stress que lui occasionne la présence des enfants indisciplinés, sa vieille mère, les contraintes financières auxquelles elle fait face pour aider son compagnon à sortir de prison, tout cela entrave l'application de ses recettes gagnantes d'écriture. Ses nouveaux livres sont des échecs; on confisque ses droits d'auteur; elle perd ses cheveux; son teint se brouille; elle vieillit. On diagnostique un cancer causé par le stress, et elle meurt. Au même moment, Ruth transforme son apparence. Elle perd du poids et fait appel à un chirurgien esthétique et à son équipe médicale pour qu'ils changent son corps. La douleur et les mutilations auxquelles elle se soumet sont des exemples des extrêmes auxquels une femme peut recourir pour transformer son corps et son apparence, excès qui sont symptomatiques du mépris collectif des femmes pour le corps qui leur a été donné. Elle fait refaire son visage, raccourcir ses jambes, sculpter son nez et ses mâchoires. Elle remplace toute sa dentition. Ayant remis au chirurgien une photo de la femme à qui elle veut ressembler, elle devient le sosie parfait de Mary Fisher, idéal de toutes les jolies femmes.

Devenue belle et riche, elle a les moyens de faire sortir son mari de prison et même d'acquérir High Tower. Elle en aménage les alentours sauvages, gâchant la beauté naturelle des lieux avec des pelouses artificielles et des statues en plastique, pour montrer qu'elle tient les rênes du pouvoir. À la fin, elle accueille chez elle son mari maintenant confus et détruit. De maître, il est devenu esclave. Il souffre de ses aventures avec d'autres hommes. Elle le maltraite, lui rendant souffrance pour souffrance toutes les misères qu'il lui avait infligées. Fière d'être une multimillionnaire excentrique, devenue une furie totale, elle s'est débarrassée de la femme en elle. Son nouveau credo est le suivant:

> Je ne crois ni au destin ni à Dieu. Je serai ce que je veux être, non pas ce qu'Il a voulu que je sois. Je m'inventerai un nouveau personnage avec la glaise que j'aurai moi-même créée. Je défierai mon Créateur et je me transformerai. Je rejette les chaînes qui m'ont retenue, celles de l'habitude, de la tradition et du désir sexuel; celles de la maison, de la famille, des amis, bref tous les objets d'affection. [...] Une furie est suprême-

ment heureuse. Elle est vaccinée contre les douleurs du souvenir. À l'instant de sa transfiguration, de son passage de femme à non-femme, elle agit seule. Elle enfonce la longue et fine aiguille de la mémoire dans sa chair, jusqu'au cœur, pour le détruire. Pendant quelque temps, sa douleur est violente et sauvage, mais bien vite, elle disparaît. Je chante la mort de l'amour et la fin de toutes les souffrances[2].

Ce roman de Weldon est bien sûr une transposition exagérée de ce que beaucoup d'Amoureuses rejetées rêvent de faire subir à leur mari. Dans la vie réelle, leurs actions sont moins radicales et moins efficaces. Parfois même, elles se contentent de figer, de se transformer en pierre, et de se laisser consumer par leur désir de vengeance. L'identification à la folie de l'Amoureuse rejetée peut se révéler autodestructrice. Nous verrons plus loin dans le présent chapitre comment certaines femmes ont pu canaliser cette énergie pour éviter d'en devenir la proie et la victime.

MÉDÉE

Contrairement à la furie glaciale et calculatrice qui participe de la mentalité de la Reine des Neiges, l'histoire de Médée révèle la Femme indomptée sous sa forme la plus crue, la plus primitive: le Dragon vengeur. Médée, sorcière barbare, est la seule fille vivante d'Éétès, roi de Colchide. Elle s'éprend de Jason quand celui-ci débarque à Colchide avec les Argonautes, en quête de la Toison d'or qui lui vaudrait le trône de Thessalie. Le père de Médée impose à Jason des épreuves au-dessus de ses forces humaines avant de lui donner la Toison d'or: il doit, entre autres, dompter et atteler des bœufs qui crachent le feu et labourer un acre de terre avec la dent du dragon qui ne dort jamais, gardien de la Toison d'or. Médée l'aide par ses charmes magiques à venir à bout de ces entreprises, allant jusqu'à tuer elle-même le dragon. Elle trahit son père pour l'amour de Jason qui lui jure en retour son amour éternel et sa loyauté. Elle sacrifie aussi son frère pour faciliter leur fuite avec la Toison convoitée. À leur arrivée à Thessalie, Médée persuade les filles du roi de tuer leur père et de le couper en morceaux. Quand le régicide est découvert, Médée et Jason sont contraints de s'enfuir en Grèce. Pendant leur exil à Corinthe, Médée met au monde deux fils.

C'est là que Jason trahit Médée qui avait tout sacrifié pour lui en s'éprenant de la fille de Créon, roi de Corinthe, et en lui demandant sa main. Jason s'efforce de justifier sa trahison en déclarant à Médée qu'il a agi pour le bien de ses enfants illégitimes qui ne jouissent d'aucun droit civique (comme c'était aussi le cas, dans la Grèce de l'époque, des femmes et des étrangers).

Désespérée, Médée perd l'appétit et pleure sans cesse. Sa mélancolie et sa fureur s'accroissent toutefois, jusqu'à ce qu'elle soit obsédée par le désir de vengeance. Elle détruira toute sa famille pour réparer cette injustice. Sa vie n'a plus de sens; elle lui préfère la mort. Elle se dit:

— La femme est une créature timorée; elle est sans courage pour le combat, la vue d'une arme la consterne. Mais dans l'amour trahi, il n'existe en ce monde de cœur plus meurtrier que le sien[3].

Mis au parfum de ses malédictions et appréhendant la magie de Médée, Créon la condamne à l'exil avec ses enfants. Mais Médée supplie le roi de lui permettre de rester un jour de plus, et il consent. Ce délai permet à Médée de mettre sa vengeance à exécution. Elle enverra ses enfants porter des cadeaux de noce à Créuse: une robe et une parure de pierreries, trempées dans le poison. Lorsqu'elle revêtira la tunique empoisonnée, Créuse mourra, comme mourront tous ceux qui la toucheront. Ensuite, Médée tuera les enfants qu'elle a eus de Jason pour mieux torturer celui-ci. Pour parvenir à ses fins, elle trompe Jason, lui demandant pardon pour ses accès de colère. Elle le supplie d'intercéder pour elle auprès de Créon, afin qu'il permette à ses enfants de rester à Corinthe. Elle promet qu'elle leur fera porter des présents à sa nouvelle épouse. Jason, croyant que Médée a recouvré la raison, consent.

Médée est torturée par son désir de vengeance. Elle sait qu'elle en sera couverte de honte et condamnée à une errance sans fin où elle ne trouvera jamais de paix. Privée de ses enfants, elle perdra toute raison de vivre. Elle songe à leur beau sourire et, pendant un certain temps, renonce à ses projets. Elle les emmènera avec elle dans son exil. Elle ne se résout pas à leur faire du tort. Mais quand elle voit combien ils ressemblent à leur père, l'aiguillon de la trahison la transperce à nouveau. Médée est consciente de l'horreur de son crime projeté, mais sa passion est plus forte que sa raison. Rendue folle de douleur, elle prie les Furies de détruire en elle tout l'amour et toute la pitié, et elle met son plan à exécution. Apprenant que la princesse, défigurée par le poison, a connu une mort violente et que son père est mort avec elle pour avoir touché son cadavre, Médée triomphe. Se dévouant tout entière à sa haine, elle égorge ses enfants en maudissant Jason:

— Oui, c'est votre père qui vous tue!

Jason supplie les dieux de punir Médée. S'enfuyant dans les airs avec les cadavres de ses enfants sur un char attelé de dragons ailés, Médée s'écrie à l'adresse de Jason que *sa* luxure et son mariage, *sa* trahison sont responsables de ces meurtres. Se justifiant, elle dit avoir tué leurs enfants pour le punir.

Comme Médée, certaines femmes rejetées blessent leurs enfants dans un désir de vengeance, dirigeant sur eux la colère que leur inspire leur mari. «Le meurtre de ses propres enfants» peut prendre toutes sortes de déguisements. On peut exercer sur eux une violence physique, ou tuer leur âme en détruisant leur sensibilité, leurs dons et leurs talents. Ceci est plus susceptible de se produire lorsque les enfants d'une mère rejetée sont très différents d'elle, et surtout lorsqu'ils ressemblent physiquement ou moralement à leur père. Une mère se vengera aussi parfois sur un enfant qui ne comble pas ses attentes. Elle peut tuer l'enfant en ses fils et filles en leur confiant trop tôt des responsabilités qui ne sont pas de leur âge. Certaines femmes rejetées qui ont voulu se venger de leur mari en viennent à se culpabiliser et à sacrifier leurs enfants en renonçant à leur garde en faveur de leur ex-mari. D'autres encore tuent l'enfant en elles, se martyrisent, adoptent une attitude sévère et sans joie. Elles tuent leurs dons et leurs talents, mettent fin à leur travail créateur ou détruisent les fruits de ce travail comme le fit Camille Claudel quand elle fut rejetée par Rodin. Nous avons un exemple de cela plus près de nous, en la personne de Maria Callas, cette grande artiste dramatique d'origine grecque, cette soprano passionnée qui sacrifia ses talents artistiques après avoir été rejetée par l'homme qu'elle aimait.

LE DRAME DE MARIA CALLAS

L'interprétation à l'opéra de nombreux rôles de femmes trahies couronna Maria Callas de gloire. Elle y exprimait l'émotion crue et primitive de la Femme indomptée dans toute sa tragédie. L'audace du jeu de cette «Tigresse», comme le public la surnommait parfois, mit en évidence le côté noir de la nature féminine. Elle interpréta la fragile Elvire de Bellini, l'épouse abandonnée de *I Puritani,* qui glisse dans la folie de ses rêves passés lorsqu'elle croit à tort avoir été trahie par son fiancé; et la *Lucia* de Donizetti, devenu folle d'avoir dû épouser malgré elle un homme qu'elle n'aimait pas. Elle chanta souvent le rôle de *Tosca,* qui se suicide après que son amant soit tué par un brigand qui la séduit et la trahit ensuite. S'identifiant à la Norma trompée, princesse druidique qui se tue après que la passion l'ait poussée à déroger à son devoir sacré, Callas chanta son agonie personnelle. Dans *Médée,* l'opéra qu'elle rendit célèbre, elle exprima la fureur meurtrière et vengeresse qui s'empare de l'Amoureuse rejetée. En 1961, lorsqu'elle fut elle-même trahie par son amant, elle fit la déclaration suivante avant d'interpréter une dernière fois en public le rôle de Médée:

— J'ai perçu Médée telle que je la ressentais: passionnée, calme en apparence, mais très intense. Ses jours heureux auprès de Jason font partie du passé. Le malheur et la colère la dévorent[4].

Maria Callas ne semblait pas destinée à devenir l'une des plus envoûtantes, des plus belles et des plus grandes *prima donna* de toute l'histoire de l'opéra. Elle était la deuxième fille d'un couple d'immigrants grecs qui avaient espéré que la naissance d'un garçon les consolerait de la mort de leur fils de trois ans et sauverait leur mariage. Sa mère, dit-on, détourna son regard de Maria quand on la déposa entre ses bras et, regardant la fenêtre couverte de givre de l'hôpital, elle demanda aux infirmères d'emporter l'enfant. Dehors, une tempête de neige rageait. La mère de Maria était une Reine des Neiges que la mort de son fils et un mariage malheureux avaient rendue amère. Elle avait renoncé à son rêve de devenir actrice pour épouser un pharmacien prospère, mais la vie éclatante que menait son père, chanteur et officier dans l'armée, lui manquait. Après avoir immigré aux États-Unis contre son gré, elle se confina dans le martyre et projeta secrètement ses rêves de gloire sur ses filles.

Maria manifesta très tôt des dons pour la musique, et sa mère l'inscrivit dès l'âge de sept ans à des cours de chant. Son mari était opposé à cette dépense frivole, mais elle tint bon. La musique devint la raison de vivre de Maria. Extrêmement disciplinée, poussée par sa mère à participer à des concours, elle remporta de nombreux prix. En 1937, la mère de Maria retourna s'établir en Grèce avec sa fille pour que celle-ci puisse bénéficier d'une meilleure formation musicale. En dépit des louanges dont elle comblait sa Maria, elle concentrait tout son amour sur sa fille aînée, la jolie, gracieuse et charmante Jackie. Maria souffrit cruellement de ce manque d'amour. Sa maladresse, sa timidité et son excès de poids lui donnaient l'impression d'être un vilain petit canard. Maria compensait le manque d'amour par la nourriture. Marginale à l'école, elle se fit peu d'amis et ne fréquenta pas les garçons. Elle réprima ses élans et ses désirs d'adolescente et se jeta dans le travail. Des années plus tard, se lamentant sur la perte de son enfance, elle dit: «Je travaille; donc, je suis.[5]» Elle fut déterminée à conquérir la gloire pour conquérir l'amour. Toute sa vie, Maria en voulut à sa mère de la rejeter, persuadée qu'elle aimait inconditionnellement sa sœur tandis qu'elle-même devait sans cesse gagner son affection. Elle canalisa ce ressentiment envers sa mère dans son chant. Ce traumatisme continuel fut le creuset de son aptitude immédiate, instinctive à exprimer les passions dévorantes des femmes au cœur brisé et des amoureuses trahies dont les souffrances étaient mises en scène.

Selon la biographe Arianna Stassinopoulos, Maria Callas éprouva toujours le besoin que quelqu'un l'encourage et croie en son talent et son génie, d'abord sa mère, puis son premier professeur de chant, Maria Trivella, qui non seulement l'aida à développer ses dons mais se prit aussi d'affection pour elle. Il y eut ensuite Elvira de Hidalgo, le célèbre professeur espagnol de musique, qui forma Maria, lui prodigua l'amour d'une mère, lui enseigna l'art de se vêtir et de se comporter comme une dame, et l'initia aux grands rôles dramatiques de l'opéra. Grâce à la dévotion de Hidalgo et à la foi de cette dernière en son destin grandiose, Maria s'épanouit. Elle était dévouée à son maître, à sa «marraine fée», et voyait en sa mère une femme dénaturée qui n'avait jamais compris ses besoins profonds.

À l'âge de dix-sept ans, Maria chanta à l'opéra d'Athènes, où sa passion électrisa les spectateurs. Mais dans les coulisses, elle était déjà connue pour ses sautes d'humeur. Quand, en 1945, son contrat avec l'opéra d'Athènes ne fut pas renouvelé, Maria décida de se rendre aux États-Unis dans l'espoir de renouer avec son père, se distancer de sa mère et conquérir la gloire et la liberté.

À New York, elle trouva un père affectueux mais indifférent à sa passion pour l'opéra. Le monde musical de New York, non impressionné par ses succès athéniens, la bouda. Blessée, elle se retira de la scène. Elle occupa son temps à fréquenter les grands restaurants de New York, à décorer son appartement et à faire la cuisine pour son père. Elle dépassa la barre des quatre-vingts kilos. C'est alors que le Metropolitain Opera lui offrit de faire ses débuts dans les rôles de Leonora et de Madame Butterfly. Elle rejeta leur offre, prétextant que ses «voix intérieures» lui conseillaient de refuser. Bien que douée d'un sixième sens et confiante dans ses instincts, Maria avait surtout refusé de chanter parce qu'elle se trouvait trop grosse pour le rôle de la délicate Madame Butterfly. Elle était convaincue d'avoir pris la bonne décision, mais quand d'autres compagnies d'opéra la rejetèrent, elle douta d'elle-même et crut devoir son succès passé à la présence de sa mère. Elle demanda donc à cette dernière de venir la retrouver à New York. Jouant les martyres, sa mère l'y rejoignit. Maria était donc prise entre deux feux, d'une part, l'aversion qu'elle ressentait envers sa mère, d'autre part, la dépendance en l'ambition que celle-ci nourrissait pour elle et sa foi en son destin glorieux. Blâmant ses malheurs et ses échecs amoureux sur sa mère, qui s'était forgé des hommes une image pessimiste, Maria se défendit de sa mère tout en se servant d'elle comme d'un ennemi qui stimulait son esprit de combativité.

En signant un contrat avec l'opéra de Vérone, Maria fit la connaissance du premier amour romantique de sa vie, Giovanni Battista Meneghini, un homme d'affaires amateur d'opéra et de femmes, que l'opéra de Vérone lui avait assigné en guise d'escorte officielle. Au début de la cinquantaine, Meneghini était un homme équilibré et influent qui se dévoua pour sa jeune protégée. Il la courtisa, admira son génie et sut apprécier la femme. Il lui prodigua son affection, l'encouragea et l'aida financièrement, lui donna délicatement des conseils judicieux, la protégea et l'écouta lui confier ses peurs et ses inquiétudes. Maria fit aussi la connaissance du chef d'orchestre Tullio Serafim qui, conscient de son génie, crut en elle. Entourée de l'amour et de l'attention de ces deux hommes, Maria était heureuse. La richesse dramatique de sa voix et son interprétation magistrale des grandes héroïnes tragiques éblouirent les amateurs d'opéra italien. En juillet 1949, Maria réalisa une performance jugée impossible: dans la même semaine, elle interpréta l'Elvire de Bellini, un rôle pour soprano colorature, et la profonde et puissante Brünnehilde de Wagner — un exploit, étant donné que ces deux rôles sont diamétralement opposés tant du point de vue vocal que du point de vue dramatique. Ce triomphe marqua un point tournant dans sa carrière. Maria fut louangée, et invitée à enregistrer des disques et à faire des tournées internationales. Elle épousa Meneghini, puis, quelques jours plus tard, elle partit seule pour l'Amérique latine. Pour Maria, le travail, le chant et son public passaient avant tout, même avant son mariage récent et sa vie privée.

Maria invita sa mère à l'accompagner dans sa tournée mexicaine de 1950 afin qu'elle jouisse de son triomphe et de sa gloire. Mais Maria gardait ses distances avec elle émotionnellement. Une seule fois, elle se montra vulnérable devant sa mère, lui avouant en larmes qu'elle désirait des enfants et voulait que sa mère la seconde dans leur éducation. Le lendemain, cependant, quand sa mère voulut lui témoigner de l'affection, Maria explosa et cria qu'elle n'était plus une enfant. Elle se sentait menacée d'avoir ainsi fait preuve de vulnérabilité devant sa mère. Elle lui offrit un cadeau de départ symbolique, un manteau de fourrure pour la protéger du froid. Maria ne revit plus jamais sa mère. Quand cette dernière lui écrivit des lettres pleines de ressentiment et de reproches parce qu'elle sentait que Maria se détachait d'elle et la remplaçait par Meneghini, Maria s'éloigna d'elle encore plus. Rejetant à son tour la mère qui l'avait rejetée, Maria craignait qu'elle ne se serve d'elle et ne la dévore. Lorsque sa mère lui demanda de l'argent pour elle et pour sa sœur, Maria refusa.

C'est quand elle chantait sur scène que Maria était le plus à l'aise et heureuse. Avant un concert, elle était dévorée de trac. Après, elle souffrait souvent de violentes migraines. Elle manquait de confiance en elle-même, elle n'était sûre ni de savoir s'habiller ni se savoir se comporter correctement en société, de sorte que les réceptions étaient pour elle une véritable torture. Poussée par l'ambition, elle était fréquemment irritable et d'humeur changeante. Souvent malade, elle annulait de nombreux concerts. Maria semblait incapable d'apprécier la vie, de se reposer et d'être simplement elle-même. Ses succès ne l'empêchaient pas de s'inquiéter de ses erreurs passées et de craindre l'avenir. Perfectionniste, elle était son critique le plus sévère. Si elle jugeait ne pas avoir été à la hauteur pendant toute la durée d'un concert, elle devenait intraitable avec les autres et avec elle-même. Elle se querellait de plus en plus souvent avec ses directeurs musicaux qui avaient du mal à la contrôler et à composer avec ses sautes d'humeur. Son mari la secondait dans ces conflits et attisait souvent sa colère. Il s'identifiait au succès de Maria comme l'avait fait sa mère, et voulait diriger sa vie et ses émotions.

En 1952, Maria, qui n'avait pas encore trente ans, était au sommet de sa carrière, en dépit de ses problèmes personnels. Adulée dans le rôle de *Norma* à Londres, elle souffrit des remarques désobligeantes des journalistes concernant son poids. Après une représentation d'*Aïda*, un journaliste écrivit que ses jambes étaient aussi grosses que les éléphants du spectacle. Elle fut hantée toute sa vie par ce commentaire cruel. Décidée à maigrir, elle entreprit un régime sévère, en dépit d'un horaire de travail surchargé. Elle voulait perdre du poids pour améliorer tant son apparence que sa santé, car elle attribuait ses étourdissements et ses migraines à son poids excessif. Elle voulut être aussi mince qu'Audrey Hepburn, ce qui signifiait perdre près de trente kilos. Elle mit deux ans à y parvenir. Par-dessus tout, Maria voulait interpréter ses rôles le plus parfaitement possible, et elle était d'avis qu'une chanteuse obèse ne devait pas incarner une jeune et belle héroïne. Elle aspirait surtout au rôle de la cruelle *Médée*, dont le menton pointu et fort exprimait la fureur qu'elle ressentait d'avoir été rejetée par l'homme qu'elle aimait.

Quand, en 1953, elle chanta *Médée*, elle fit un triomphe de cet opéra encore peu connu. Les amateurs d'opéra voulurent voir cette magistrale Médée à La Scala. La direction d'orchestre fut confiée à Leonard Bernstein, qui dit: «La salle était en délire. Callas? Pure électricité[6].» Enveloppée dans un manteau rouge sang, Maria chanta la cruauté de sa fureur maudite devant des spectateurs qui n'eurent d'autre choix que de constater cette explosion primitive de jalousie et de vengeance de la psyché humaine.

Avec ses trente kilos en moins, Maria était une femme de haute taille, mince et très belle. Elle possédait de grands et magnifiques yeux sombres, et la faculté magique, le génie même, de savoir incarner n'importe quel personnage. À titre de tragédienne maintenant mondialement connue, elle exerça une grande influence sur le monde de l'opéra. Par un sens inné de l'authenticité dramatique, elle se montrait profondément fidèle à la psychologie des personnages, quoi qu'on dise. Elle fit entrer à l'opéra des metteurs en scène qui jusque-là s'étaient limités au théâtre: Luchino Visconti, Alexis Minotis et Franco Zeffirelli. Maria tomba amoureuse de Visconti, qui l'admirait pour son intensité et son génie, mais qui était homosexuel. Elle lui fit des scènes de jalousie épouvantables quand elle le croyait attiré par certains hommes, y compris son cher Leonard Bernstein.

Son succès lui apporta la notoriété. La presse publia ses lettres de rejet à sa mère et les commentaires de collègues envieux. Son public idolâtre et capricieux se montra hostile. Elle devint la cible de scandales à La Scala et l'objet de plusieurs poursuites judiciaires. Sous ses dehors peu commodes, Maria était une femme hypersensible, puérile et naïve même, et elle souffrait de cette hostilité. Mais lorsqu'elle se sentait trahie, elle avait tendance à user de représailles.

Sa prestation au Met en 1956 lui valut la critique sévère de la chroniqueuse new-yorkaise et grande dame de la société internationale Elsa Maxwell. Maria prit la décision de la charmer, et Maxwell succomba. Cela marqua entre elles le début d'une relation «mère-fille», et Maxwell introduisit Maria dans un univers nouveau et fascinant. Maria annula un concert à Édimbourg afin d'assister à une réception que Maxwell donnait à Venise, ce qui lui valut les foudres des journalistes qui décrivirent l'incident comme «une autre grève de la Callas». Son médecin lui avait conseillé d'annuler son concert pour se reposer de son surmenage, mais la nouveauté de la vie mondaine n'épuisait pas Maria autant que ses concerts. En outre, ce bal vénitien était organisé en son honneur. Là, Maria fit la connaissance d'Aristote Socrate Onassis, qui la courtisa bien que tous deux étaient mariés.

À la fin des années cinquante, Maria fit pour la première fois passer sa vie avant son art. Les critiques lui en firent le reproche. Lorsque Maria annula une partie de son contrat avec l'opéra de San Francisco pour des raisons de santé, le directeur, Kurt Adler, se montra furieux et annula à son tour le reste de ses concerts. Il déposa une plainte contre elle auprès de l'American Guild of Musical Artists dont elle encourut le blâme lors d'un débat en cour. On l'accusa de ne pas avoir respecté ses obligations contractuelles et d'avoir trahi son art pour des motifs égoïstes. Elle recréait le dilemme de la grande prêtresse Norma, déchirée entre ses vœux sacrés et sa passion amoureuse.

L'attrait de la gloire et de l'adulation ternit à ses yeux.

— On doit payer pour ses triomphes, dit-elle. Je ne peux ne pas en tenir compte, mais mon subconscient en est incapable.

C'est pis. J'avoue qu'il y a des moments où ce climat passionné me flatte, mais en règle générale, je déteste cela. On se sent condamné. [...] Plus le succès est grand, plus il s'accompagne de responsabilités, et plus l'on se sent petit et sans défense[7].

Maria continua de chanter, parfois devant des publics hostiles que ses interprétations parvenaient à charmer, mais l'ambiance à La Scala était toujours glaciale, et elle quitta ce théâtre où elle s'était sentie chez elle. D'autres conflits publics avec ses directeurs musicaux la laissèrent sans travail.

Entre-temps, Onassis la courtisait avec panache. Bien qu'il ait détesté l'opéra, sa femme et lui organisèrent une réception en l'honneur de Maria avant une représentation de *Médée* à Londres. Il invita Maria et son mari pour une croisière de trois semaines en mer Égée à bord de son yacht. Au cours de cette croisière, Maria tomba éperdument amoureuse de lui. C'était la première fois qu'elle s'abandonnait si totalement à quelqu'un. Elle le trouvait volubile, passionné, extravagant, amusant, vigoureux, impétueux, tendre, et un agréable compagnon de jeux. Il était comme elle un survivant et un succès. En outre, il était multimillionnaire. Après cette croisière, il se rendit chez les Meneghini sérénader Maria sous sa fenêtre. Cette nuit-là, Maria quitta son mari pour suivre Onassis. Un scandale s'ensuivit. La presse publia les reproches de sa mère et les déclarations amères de son mari, qui dit avoir fait de cette bohémienne maladroite et obèse la grande vedette qu'elle était devenue.

Mais Maria était profondément amoureuse. Jamais auparavant n'avait-elle su être heureuse de son sort. Le couple partit en croisière de deux semaines. À bord du yacht d'Onassis, Maria pouvait se détendre, et se fondre à celui qu'elle aimait. Elle avait été un Oiseau en cage, prisonnière de son mariage et de sa carrière.

— J'avais l'impression d'avoir été enfermée si longtemps, dit-elle, que ma rencontre avec Aristo, cet homme si plein de vie, a fait de moi une autre femme[8].

Elle put se faire des amis. Moins sévère, plus douce, elle s'efforça de se réconcilier avec les directeurs de La Scala et du Met. Elle accepta une invitation de La Scala, mais au cours des années qui suivirent, ses performances l'angoissèrent de plus en plus et elle chanta de moins en moins souvent. Son grand amour mobilisait toute son énergie. Le metteur en scène Zeffirelli déclara: «Elle ne désirait qu'une chose, être auprès d'Onassis, être son épouse, sa femme, sa maîtresse. S'il ne l'avait pas poussée à chanter pour briller avec elle dans son triomphe, elle aurait sans doute mis un terme à sa carrière.[9]» Après avoir raté les mi bémol aigus de *Lucia*, Maria avait dit à Zeffirelli: «On ne peut être le serviteur de deux maîtres.» Sa «voix» la désertait.

Maria voulait se consacrer au mariage.

— Je ne veux plus chanter. Je veux vivre comme une femme ordinaire, avoir des enfants, une maison, un chien[10].»

Mais Onassis, toujours en mouvement, s'éloigna peu à peu de Maria. Sitôt qu'il revenait, Maria se montrait dévouée. Onassis ne voulait pas d'un divorce, mais quand sa femme le quitta, il n'épousa pas Maria. Il était au centre de la vie de Maria, mais Maria n'était pas au centre de la sienne. Elle se pliait à *ses* habitudes et à ses désirs, elle le suivait dans les boîtes de nuit, quand il jouait aux cartes ou assistait à des réceptions mondaines, mais elle ne s'y plaisait pas.

Maria vieillissait. Elle travaillait moins sa voix de soprano qui faiblissait souvent dans les aigus, mais elle possédait encore un riche timbre de mezzo. Elle aspirait à se libérer des tensions nerveuses dues au surmenage qui l'avaient paralysée tout au long de sa vie, et ne voulait relever aucun nouveau défi musical. Elle espérait toujours épouser Onassis, mais elle ne devait pas connaître la vie «ordinaire» dont elle avait rêvé, avec un mari et des enfants.

Son ex-mari Meneghini la harcelait, multipliant les commentaires dérogatoires dans les journaux, tandis que sa mère, en bon Dragon qu'elle était, publia un livre acerbe à propos de sa fille. Ses concerts lui valurent également des critiques négatives. Elle remportait encore quelques succès: elle fut notamment une éblouissante *Tosca* à Londres et à New York. Mais à Paris, sa voix cassa pendant une représentation de *Norma*. En 1965, elle fit ses adieux à la scène.

Après son abandon de l'opéra, Onassis était tout ce qui lui restait. Mais il se montrait de plus en plus cruel. Il ridiculisait l'opéra devant elle, l'abreuvait d'injures et la méprisait devant ses enfants; elle était son souffre-douleur. Il n'hésita pas à saboter un projet qui lui tenait à cœur, une adaptation filmée de *Tosca*, mise en scène par Zeffirelli, et dont Maria devait être la vedette. En se donnant à Onassis, Maria s'était placée à sa merci. Puis, à l'âge de quarante-trois ans, elle tomba enceinte. Onassis lui dit que si elle gardait l'enfant, il la quitterait. Elle avait toujours désiré un enfant, mais elle se trahit en choisissant Onassis. Bien que Maria ait conservé l'espoir d'épouser Onassis, leur relation approchait de son terme. Prête à tout pour garder l'homme qu'elle aimait, elle avorta et son enfant et son art. Leurs querelles s'amplifièrent. Elle devinait qu'une autre femme prenait peu à peu sa place. Maria avait fermé les yeux sur les aventures d'Onassis, car elle avait la conviction démodée qu'une femme doit être au service de l'homme qu'elle aime. Mais de se voir ainsi remplacée dans son cœur fut pour elle une torture. La nouvelle flamme d'Onassis était Jacqueline Kennedy, qu'il courtisait depuis un certain temps déjà, et dont il fit sa femme en 1968.

À compter de ce moment, Maria vécut dans l'angoisse. Elle chercha la fuite dans le sommeil, abusant des sédatifs et des somnifères. Elle n'était chez elle nulle part et, dans sa naïveté, elle ne comprenait pas qu'on puisse être aussi cruel. Après une liaison de neuf ans, il ne lui restait plus que l'humiliation, la rage et les larmes. Écorchée vive, Maria accepta d'interpréter le rôle de Médée dans un film de Pier Paolo Pasolini. Elle savait au fond d'elle-même qu'elle incarnait ce mythe. En canalisant son chaos intérieur et sa fureur dans l'interprétation de cette Amoureuse mythique rejetée, elle savait pouvoir donner corps à son propre tourment et à sa colère. Pasolini avait reconnu Médée en Maria, et déclaré:

— Voilà une femme, en un certain sens, une femme tout ce qu'il y a de plus moderne, mais qui cache un personnage antique, étrange, mystérieux, torturé par de terribles conflits intérieurs[11].

La *Médée* de Pasolini recréait un univers rituel où le surnaturel et le réel se confondaient, où le mystère pénétrait dans la vie ordinaire d'une étrange et bizarre façon.

En incarnant ce mythe, Maria espérait revivre ses propres émotions et métamorphoser son amertume et sa colère, ses «neuf années de sacrifice inutile», en une vie nouvelle. S'identifiant au personnage, elle dit:

— Elle fut une demi-déesse qui mit tous ses espoirs en l'homme. En même temps, elle fut femme, avec toutes les expériences d'une femme, mais en plus grand: des sacrifices plus grands, des souffrances plus grandes. Elle les traversa et s'efforça de survivre. Ces choses-là résistent aux mots. Je me suis plongée dans les profondeurs de l'âme de Médée[12].

Pendant le tournage, qui eut lieu dans les paysages désertiques et surréels de la Turquie, et ailleurs où le mythe et la réalité se fondent, Maria se donna si entièrement à son travail qu'elle perdit un jour connaissance en courant pieds nus sur le sol aride. Elle refusa une doublure dans une dangereuse scène d'incendie, insistant pour la tourner elle-même. Elle s'identifia si parfaitement à Médée pendant les mois que dura le tournage qu'il lui sembla avoir enfin trouvé un sens à sa liaison avec Onassis: la vie est plus grande que l'expérience personnelle qu'on en fait. Une amitié fraternelle se développa aussi entre elle et le sensible Pasolini. Son *Médée* était une grande œuvre d'art, mais ne connut pas de succès. Les cinéphiles ne comprirent pas la beauté tragique du film lors de sa première à Paris. Et bien qu'Onassis ait réservé une loge pour assister à ce gala, il demeura absent.

Onassis se remit à pourchasser Maria tout en étant marié à Jackie. Il lui téléphonait, il la couvrait de fleurs, il vint même siffler sous sa fenêtre. D'abord prudente, Maria céda et accepta de le voir. Peu après, une lettre que Jackie avait adressée à un ancien prétendant pendant qu'elle était à bord du yacht d'Onassis fut publiée dans les journaux. Offusqué, Onassis passa quatre nuits en compagnie de Maria, qui reprit courage. Mais quand Jackie demanda à Onassis de revenir, il retourna auprès d'elle. Dans son désespoir, Maria absorba une forte dose de somnifères et aboutit à l'hôpital.

Maria comprit qu'Onassis comptait beaucoup pour elle en dépit de tout, et elle le considérait comme son meilleur ami. Quant à Onassis, il parvint à se rendre compte que Maria l'avait aimé pour lui-même, car elle fut présente à ses côtés quand une série de catastrophes s'abattirent sur lui: le mariage de son ex-femme avec son plus grand rival; la mort de son fils dans un accident d'avion; ses pertes financières; le déclin de sa santé. À sa mort, en 1975, Maria fut dévastée et s'enfonça dans la torpeur que lui procuraient les tranquillisants.

Elle devint de plus en plus passive. Elle eut une liaison avec le grand ténor Giuseppe di Stefano, dont la voix déclinait comme la sienne. Ils enregistrèrent des disques ensemble, firent une tournée mondiale et mirent en scène un opéra. Aucune de ces tentatives pour ranimer leur gloire fanée ne fut un succès sur le plan artistique. Enfermée chez elle, Maria vécut de plus en plus dans le passé, écoutant les enregistrements de ses anciens concerts, regardant de vieilles photographies. À cette époque, les classes qu'elle donna à l'école de musique Juilliard furent sans doute ce qu'elle accomplit de plus fructueux. Le soir de son cinquantième anniversaire, au cours de leur tournée mondiale, Di Stefano la surprit en chantant «Bon anniversaire». Les spectateurs étaient ravis et exprimèrent leur affection pour elle. Mais sa carrière était finie, et les critiques le savaient. Un soir, après avoir appris le décès de l'imprésario Sol Hurok, elle faillit perdre la raison en scène. Elle vit dans cette mort un présage de malheur, car il avait été l'organisateur de ses tournées américaines. Sur la scène du Carnegie Hall, elle s'en prit à la façon dont les maisons d'opéra étaient gérées, attaquant tout particulièrement le Metropolitain Opera. Ses propos incohérents stupéfièrent le public et le mirent dans l'embarras, mais quand elle lança des roses dans la salle, on se les arracha. Plus tôt dans sa carrière, Maria avait incarné sur scène la Femme indomptée. Elle l'était maintenant devenue dans sa vie personnelle.

Après le décès d'Aristote Onassis, Maria perdit de nombreux amis. Visconti mourut et Pasolini fut assassiné. Elle avait, disait-elle, l'impression d'être devenue veuve. Sa santé déclinant, elle s'isolait de plus en plus et annulait à la dernière minute des rendez-vous avec des amis. Elle mit fin à sa liaison avec Di Stefano, puis déplora l'absence d'hommes forts et intelligents dans sa vie: «J'aimerais trouver un tel homme; il serait la solution à tous mes problèmes psychologiques[13].» Elle se plaignit aussi du sort des femmes prisonnières de la société, qui ne pouvaient sortir seules le soir. Vers la fin de sa vie, elle regarda la télévision, alla au cinéma, perdit la minceur qui lui avait coûté vingt ans d'efforts, promena ses chiens et travailla sa voix. Seule la plupart du temps, elle se gavait de somnifères pour se perdre dans le sommeil. Peu de temps avant de succomber à une crise cardiaque à l'âge de cinquante-trois ans, en 1977, elle avait dit: «Je n'ai plus rien. Que vais-je devenir[14]?»

Comme beaucoup de femmes qui s'attendent à trouver un sens à leur vie dans la présence d'un homme, Maria Callas avait cherché une solution extérieure à ses problèmes. Elle ne sut pas regarder profondément en elle-même. Il lui arrivait parfois de se poser des questions. Elle déclara un jour qu'il lui faudrait faire un examen de conscience. Mais elle ne s'analysa jamais, sauf par le biais de son art. Elle demeura à jamais une victime en proie au ressentiment et à l'apitoiement sur soi, une Amoureuse rejetée et une Enfant rejetée. Prisonnière de son rôle de grande prêtresse de l'opéra, personnage légendaire que tous, y compris elle-même, appelaient La Callas, qui s'efforçait de conserver en public un semblant de dignité, elle refoula la vulnérabilité qui aurait pu lui apporter une plus grande intimité avec les autres. Marquée par les rites de l'Église orthodoxe grecque, elle déplorait pourtant son manque de ferveur religieuse. Si Maria avait pu accéder à une plus grande spiritualité, elle aurait sans doute pu réorienter sa passion et son besoin d'amour, comme elle l'avait fait naguère dans sa vie artistique, et trouver du secours dans la transcendance. Son public l'avait surnommée La Divina. Mais, incapable de récolter pour elle-même les bienfaits de l'inspiration divine et de l'exaltation qu'elle savait procurer aux autres, elle connut une fin tragique.

DU MARTYRE AU COURAGE: L'HISTOIRE DE BARBARA

L'histoire de Barbara, une femme contemporaine victime du modèle de l'Amoureuse rejetée, illustre quelques-unes des façons dont une femme peut s'affranchir de sa mentalité de martyre et développer avec elle-même un rapport vivifiant. Tout comme la vie de Maria Callas et celle de Camille Claudel, celle de Barbara nous montre que le rejet d'une mère Reine des Neiges est souvent à l'origine de l'émergence démoralisante de la Femme indomptée.

Pendant plusieurs années, la vie de Barbara fut une suite d'aventures de courte durée sans qu'une seule fois elle ne tombe amoureuse. Elle s'attachait toujours à des hommes inaccessibles. Un jour qu'elle participait à un congrès, elle aperçut un homme, Marc, et se sentit sur-le-champ attirée par lui. Il lui avoua d'emblée être marié, mais déclara vouloir être son ami. Elle se sentait assez forte pour s'en tenir à une relation d'amitié avec lui. Elle appréciait son ludisme et sa profondeur, et le fait qu'ils exercent tous les deux la même profession. Leurs premières rencontres leur donnèrent l'occasion de mieux se connaître et de découvrir qu'ils partageaient les mêmes valeurs et les mêmes espoirs. Leur attachement se transforma peu à peu et, après deux mois de fréquentations, ils devinrent amants.

Barbara s'épanouit. Elle était heureuse en sa présence, mais ses doutes et ses frustrations refaisaient surface dès qu'ils étaient séparés. Pendant la période des Fêtes, Marc lui dit avoir besoin d'un peu de temps pour réfléchir, ce qui la jeta dans la confusion et la frustration. Ils passèrent ensemble une très belle journée avant Noël. Mais aussitôt, Barbara fit une série de rêves dans lesquels la Femme indomptée qui vivait en elle lui dévoila sa terreur de la trahison.

La nuit de Noël, Barbara rêva qu'elle était au lit avec Marc. Mais ils n'étaient pas seuls. Une très belle femme blonde les avait rejoints qui, rampant nue sur le visage de Barbara, s'engagea dans un corps à corps avec Marc. La scène changea. Barbara et Marc devaient se rendre à un mariage, mais il avait disparu. Puis elle l'aperçut qui revenait d'une soirée dansante à l'hôtel où ils séjournaient. Le visage de Barbara était rouge et bouffi d'avoir pleuré de peur et de jalousie. Craignant qu'ils ne fassent fuir Marc, elle s'efforça de lui dissimuler les signes de sa douleur et de son tourment. Il lui demanda ce qui avait occasionné de telles rougeurs, mais avant même qu'elle ne lui réponde, il poursuivit en disant qu'il ne voulait plus assister au mariage mais rester à l'hôtel et danser. Il s'éloigna aussitôt. Pour Barbara, le visage bouffi représentait la Femme indomptée qui étouffait de rage accumulée et refoulée et que la jalousie empoisonnait. Barbara ne savait pas comment composer avec sa peur et son amertume. Plus tard, elle songea que la femme blonde qui partageait leur lit et qui se gaussait d'elle avec tant de vulgarité était un cliché culturel, un objet de désir masculin, une poupée Playboy. Barbara n'avait aucun respect pour ce poncif qui, néanmoins, avait encore de l'emprise sur elle. Que son amant ait préféré danser plutôt que d'assister au mariage signifiait que, tant en rêve que dans la vie, il préférait les plaisirs désinvoltes aux liens sacrés du mariage.

La nuit suivante, Barbara fit un autre rêve révélateur. Elle tenait dans ses bras une petite fille de quelques jours à peine. L'enfant respirait avec difficulté, comme si elle ne souhaitait pas vivre. Peu après, elle mourut. Ses parents, qui étaient son amant et la femme de ce dernier, se tenaient à ses côtés, impuissants à l'aider. Après ce rêve, Barbara en fit un autre où elle tenait encore une fois dans ses bras un bébé mourant. Elle associa plus tard le décès du bébé à la fin de sa relation et à la mort de sa féminité nouvellement épanouie. Chaque fois, Barbara s'était réveillée en proie à la terreur.

Lorsque Barbara et Marc se revirent après les Fêtes, il paraissait sincèrement déchiré entre son amour pour Barbara et son amour pour sa femme. Ils convinrent de ne pas se voir tant qu'il n'aurait pas clarifier ses sentiments. Ils pleurèrent et souffrirent ensemble de cette situation déchirante. Tandis qu'ils se promenaient sur les rives d'un petit lac, Barbara aperçut des femmes qui déambulaient avec leurs enfants dans des poussettes, et cette scène la toucha au plus profond de son cœur. Elle sut qu'elle voulait désespérément être mère. Le monde lui paraissait infiniment vide. Allait-elle devoir l'affronter de nouveau seule?

Barbara attendit la lettre que Marc avait promis de lui envoyer quand il saurait ce qu'il voulait. Pendant ce temps, elle s'efforça de croire à leur relation en dépit de l'incertitude qui l'envahissait. Mais quand, au bout de six semaines, Marc ne lui avait toujours pas écrit, elle se sentit devenir la proie du tourment qu'elle avait imaginé en rêve. Elle le soupçonna de ne pas tenir la promesse qu'il lui avait faite, de ne pas s'en tenir à leur dernière rencontre du mois de décembre, quelle que soit sa décision, et d'être là pour l'aider advenant une rupture. Un soir, incapable de se contenir davantage, elle laissa la Femme indomptée prendre le dessus. Barbara n'abusait pas de l'alcool, mais ce soir-là, elle s'enivra pour oublier. Elle téléphona à une amie à qui elle répéta, incohérente et la bouche pâteuse: «Je suis finie, je suis finie.» Puis elle vomit dans son lit et perdit connaissance. Elle avait perdu la force d'attendre et de «croire» à leur relation. Elle avait été fidèle à leur séparation sans savoir où il en était dans sa réflexion. Malheureusement pour elle, elle n'avait pas fixé de limite à ce silence. Elle comprit avec le recul qu'elle avait atteint ce soir-là un point de non-retour.

Deux jours plus tard, quand elle fut remise de son ivresse, elle sut qu'il lui faudrait rétablir le contact avec Marc. L'appelant au téléphone, elle tomba sur son répondeur. Maintenant décidée à rompre le silence entre eux, elle le rappela toutes les vingt minutes pendant des heures, jusqu'à ce qu'enfin la femme de Marc réponde. Elle lui fit savoir qu'elle voulait que Marc retourne son appel. Il n'en fit rien. Elle sombra dans le sommeil, puis s'éveilla vers quatre heures, à l'heure du loup. Incapable d'attendre un instant de plus, elle s'habilla et se rendit au bureau de Marc. Elle était possédée. Quand elle l'eut interpellé à son arrivée, elle était furieuse, hors d'elle. Lui se montrait froid et distant. Il lui dit pleurer la mort de son chien qui était en quelque sorte son enfant. Ils parlèrent de leur séparation, et dans la tendresse qui les enveloppa, Barbara oublia sa colère. Elle avait l'impression que Marc l'aimait encore et fut rassurée de constater que leur amour n'était pas un mensonge.

Cependant, un autre rêve vint la troubler. Elle était étendue à plat ventre au fond d'une barque quand elle entendit des coups de feu. Redressant la tête, elle vit que des hommes tiraient dans sa direction. Deux solutions s'offraient à elle: se jeter à l'eau ou s'accrocher au bord de la barque. À son réveil, elle comprit qu'elle mourrait si elle n'agissait pas.

Son dangereux tour en barque symbolisait sa «traversée nocturne», l'obscur sentier de la transformation que cette expérience lui ouvrait. Deux autres semaines s'écoulant sans qu'elle ait de nouvelles de Marc, elle se laissa encore une fois emporter par la colère qui la soulevait comme une tornade. Lorsqu'elle s'était enivrée auparavant en permettant à son subconscient de cracher son venin, elle avait eu l'impression de perdre la raison, car sa fureur cachait beaucoup d'impuissance. Quant à l'avenir de sa relation, elle n'était pas plus avancée. Maintenant, elle savait que sa colère pourrait être une libération si elle parvenait à la contrôler. Elle appela Marc au téléphone. Il fut distant. S'efforçant de contenir sa colère, elle lui demanda pourquoi il ne lui avait pas donné signe de vie tel que promis. Mais la froideur de Marc et les obstacles qu'il imposait à leur communication l'enragèrent: elle explosa. Il lui raccrocha au nez. Ils eurent plus tard une autre conversation au cours de laquelle il lui déclara que leur relation était sans avenir, qu'il ne souhaitait pas subir ses «crises». Il ne se sentait pas apte à affronter ses sautes d'humeur, causées selon elle par la froideur de Marc et le fait qu'il la maintenait dans l'incertitude. Il lui avoua que sa femme et lui consultaient un conseiller matrimonial dans l'effort de sauver leur mariage.

Barbara se sentit trahie. Il lui avait dit qu'il l'aimait mais ses actes lui prouvaient le contraire. Au lieu de lui faire part de son intention de rester avec sa femme, il l'avait maintenue dans l'ignorance. Cette fois, Barbara le confronta. Son irrationalité avait été en partie causée par le mensonge de Marc et parce qu'il lui avait maintes fois répété que leur relation était fondée sur l'amitié. Cette confrontation déclencha la transformation de Barbara. Auparavant, elle avait toujours assumé la responsabilité d'une relation, refoulant ses sentiments négatifs. Elle avait acquis ce réflexe dans son enfance, quand sa mère la rejetait froidement lorsqu'elle exprimait ses sentiments et ses désirs. Le lien entre le rejet maternel et la trahison de Marc lui avait été révélé en rêve.

Au cours de sa période d'attente, Barbara fit plusieurs rêves dans lesquels elle était de nouveau chez ses parents. Dans l'un d'eux, elle dormait sur le divan du salon quand ses parents firent irruption dans la pièce. Elle n'avait pas de chambre à elle. Le rejet qu'elle avait subi dans l'enfance, en particulier celui de sa mère, la submergea. Elle avait été punie quand elle avait montré ses émotions, et son amant l'avait punie à son tour en lui raccrochant le téléphone au nez quand sa colère avait explosé. Quant à son père, un homme indifférent, l'expression de ses sentiments le plongeait dans l'embarras. Mais sa mère, qui s'était toujours montrée intransigeante devant la moindre manifestation d'émotion, méprisait sa vulnérabilité et sa sensibilité féminine.

Froide amazone, sa mère était frustrée sexuellement et se tourmentait du peu d'affection que lui démontrait son mari. Se désintéressant des besoins de sa fille, elle ne vivait qu'en fonction de ses fils et ne se préoccupait que d'argent et de pouvoir. La mère de Barbara était une Reine des Neiges authentique qui donnait plus volontiers son argent que son amour, mais qui culpabilisait sa fille quand celle-ci acceptait ses cadeaux. Dans une telle ambiance de rejet et de critique, Barbara dut lutter contre sa mésestime d'elle-même.

Dans la quarantaine, Barbara persistait à mendier des miettes d'amour maternel qui chaque fois lui coûtaient cher. À la fin de ses études, sa mère lui offrit de défrayer son voyage pour qu'elle assiste à une réunion familiale, puis elle lui reprocha de ne pas avoir les moyens de se l'offrir elle-même. Au lieu de se fâcher et de confronter sa mère, Barbara se défendit comme si elle était coupable. Mais après avoir raccroché, elle fut envahie par l'amertume et le désespoir de ne pouvoir créer avec sa mère un lien d'intimité. L'enfant innocente en elle désirait encore être acceptée et aimée par sa mère telle qu'elle était. En réalité, Barbara était une femme créative et courageuse, et elle aspirait à une conscience féminine supérieure qui saurait la transformer. Les vertus qui faisaient d'elle une femme mûre, sa sensibilité aux autres, son empathie, sa faculté d'introspection, son besoin d'intimité, étaient une menace pour sa mère qui refusait de la voir changer. Dans ses relations avec sa mère et avec Marc, elle devait apprendre à ne plus projeter sur eux son besoin d'intimité et se rendre disponible pour des rapports plus enrichissants. Elle devait métamorphoser la mère distante qu'elle avait intériorisée et affirmer ses choix personnels.

Barbara s'identifia à l'héroïne du film *Camille Claudel.* Elle se reconnut en la femme épanouie au contact de Rodin, et fit sien l'isolement qui se referma sur elle et assombrit sa vie quand l'homme qu'elle aimait la rejeta. La mère de Barbara était, comme celle de Camille Claudel, une Reine des Neiges. Barbara refaisait l'expérience de la froideur maternelle en fréquentant des hommes introvertis, et elle devait faire appel à la Femme indomptée en elle pour composer avec ces situations. Barbara devait apprendre à extérioriser ses émotions au lieu de les refouler dans d'impuissants rêves de vengeance. Sa mère, qui elle aussi avait subi le rejet d'une mère glaciale et nourri des désirs de vengeance, avait néanmoins choisi de ne pas en prendre conscience.

Contrairement à sa mère, lorsque Barbara constata que la Femme indomptée se révoltait en elle, elle lui fit face, tant intérieurement que dans sa relation avec Marc. Au début, elle avait laissé sa colère éclater en s'enivrant, mais elle devinait que le fait de se conduire de la sorte ne déboucherait pas sur une transformation et la maintiendrait dans son rôle de victime. Barbara savait devoir se débarrasser du fiel qui la rongeait. Elle le fit plus tard, en confrontant son ami qui lui avait caché sa décision de ne pas quitter sa femme, l'obligeant à attendre sans pouvoir agir. Elle lui fit aussi savoir en termes clairs qu'il n'avait pas tenu compte de l'authenticité de ses sentiments en la traitant comme une hystérique et une folle, et en brisant leur amitié. La force de la Femme indomptée fut essentielle à cette confrontation, car Barbara s'était enlisée dans le réflexe de cacher ses sentiments et de se croire seule responsable du succès ou de l'échec de ses relations affectives.

Pour mieux parvenir à traverser ses souffrances, elle écrivit deux fois plus souvent dans son journal intime. Elle s'efforça consciemment d'accepter la trahison de son amant. Elle put se pardonner d'avoir eu une relation avec un homme marié et inaccessible et, au bout de plusieurs mois, elle put aussi accorder son pardon à Marc. Elle accepta son deuil et se laissa aller à pleurer aussi souvent qu'elle en ressentait le besoin. Elle rechercha la solitude nécessaire à sa régénération. Elle se simplifia la vie et mit son énergie dans ses études et sa vie professionnelle. Afin de s'assurer qu'elle avait évacué tout son ressentiment à l'égard de son ex-amant, elle le revit quatre mois après leur dernière conversation téléphonique. Quand ils se quittèrent, elle était libérée de lui. Le printemps se terminait, et un espoir de vie germait en elle.

Le désir de transformation fut ce qui permit à Barbara de métamorphoser sa colère d'Amoureuse rejetée. Elle prit conscience du fait que les hommes dont elle tombait amoureuse n'étaient jamais disponibles, et elle se guérit de ce syndrome quand elle comprit qu'elle n'en récoltait qu'un sentiment d'inaptitude et beaucoup de solitude. Elle découvrit également ce qu'elle attendait d'une relation affective: non pas le romantisme de la passion, mais les liens sacrés du mariage. Elle se jura de ne plus jamais intervenir dans le mariage d'une autre femme. Elle en vint à la conclusion que, pour l'homme, l'adultère facilite le divorce ou resserre ses liens conjugaux.

Barbara put ainsi confirmer que son but premier avait toujours été de s'épanouir spirituellement et non pas d'être aimée. Elle fit sciemment appel au courage de la Femme indomptée pour transformer la mésestime de soi que lui avait léguée sa mère. En devenant consciente de la nécessité de la rupture, elle comprit qu'elle devait aussi s'affranchir de l'intense besoin d'amour que sa mère se révélait incapable ou peu disposée à lui prodiguer. Sa relation avec sa mère s'améliora avec le temps et elles purent communiquer sur un pied d'égalité. Elle apprit à reconnaître les limites de sa tolérance et à dire non quand cela se révélait nécessaire. Elle apprit également que le fait de dire non ne l'empêchait pas de dire oui parfois. Agissant selon ses intuitions, elle parvint à être réellement elle-même.

LA MÉTAMORPHOSE DE L'AMOUREUSE REJETÉE

Que doit faire l'Amoureuse rejetée pour parvenir à comprendre et à intégrer les réflexes qui dominent sa vie? Victime de son obsession pour la personne qu'elle ne peut posséder, elle doit apprendre à succomber à une réalité hors de son contrôle et à perdre ses illusions. La plupart du temps, quand nous nous accrochons à une personne qui nous rejette, en réalité nous nous efforçons désespérément de préserver une qualité qui nous appartient en propre et que nous projetons sur elle: l'indépendance, la créativité, le succès, le détachement, bref, une vertu qui pourrait nous venir en aide ou nous revivifier. Mais il se peut également que nous soyons attirées par un aspect néfaste et obscur de nous-mêmes dont nous devons admettre l'existence et parvenir à intégrer d'une tout autre façon.

L'Amoureuse rejetée doit s'examiner et reconnaître en elle chaque facette des aspects d'elle-même qu'elle projette sur la personne qui l'a abandonnée. En identifiant la source de sa passion, ainsi que les vertus qui l'ont attirée chez l'autre personne et les défauts qu'elle a craints ou s'est efforcée d'ignorer, elle peut comprendre comment ils agissent sur sa propre personnalité, puis les développer ou les vaincre.

Par exemple, une femme tomba successivement amoureuse de plusieurs hommes, des écrivains qui, tour à tour, la rejetèrent. Elle avait toujours secrètement voulu écrire, mais son père l'en avait découragée. Il méprisait les écrivains et les artistes. Il lui offrit plutôt de défrayer son éducation si elle optait pour une profession de femme, de sorte qu'elle se dirigea vers le travail social. Mais sa créativité refoulée la rongeait. Cette attirance érotique pour les écrivains dissimulait son désir d'exercer la même profession qu'eux, de même que le ressentiment subconscient et l'envie qu'elle leur vouait. La colère souterraine que lui inspiraient ses amants quand ils connaissaient un succès qui lui était refusé la portait à les critiquer, surtout à la maison. Elle se montra aussi jalouse de leurs amis. Finalement, une thérapie prolongée lui permit de prendre conscience de ce qu'elle projetait sur eux. Elle s'inscrivit à un cours de création littéraire, se mit à écrire et eut enfin l'impression qu'on lui enlevait une épine de l'esprit et du cœur.

Transformer l'Amoureuse rejetée requiert beaucoup de travail. Nous devons faire face à la colère engendrée par le rejet pour comprendre sa force, déceler son origine et savoir pourquoi nous sommes incapables d'accepter que d'autres progressent, si nous voulons évoluer aussi. Nous devons demander à la Femme indomptée ce qu'elle attend de nous, ce que nous attendons de nous-mêmes, et mettre cette énergie au service d'un processus créateur. L'analyse des rêves et l'imagination active peuvent nous porter secours. Le rêve qui suit nous donne un portrait saisissant du rapport entre la Femme indomptée et le rejet. L'analyse de ce rêve permit à Claudette, la rêveuse, d'identifier la colère qui sourdait en elle et de se libérer de ses effets toxiques.

> Un gigantesque insecte rose au corps formé de plusieurs segments rampe à travers une maison. L'insecte rose est une mère dont le corps gonflé est rempli de poison. Je sais qu'elle veut me dévorer. Terrifiée, j'essaie de lui échapper. À mon

réveil, je savais que j'aurais dû m'efforcer de transpercer l'insecte pour le tuer ou pour que s'en échappe le venin.

À l'époque où elle fit ce rêve, Claudette subissait le rejet de son mari et d'un autre homme qu'elle avait aimé. Le gigantesque insecte venimeux symbolisait de façon grotesque la fureur d'Amoureuse rejetée qu'elle ressentait. Claudette avait senti cette même fureur chez sa mère, qui se montrait jalouse à son égard, et chez d'autres femmes qui l'avaient enviée dans son enfance, et maintenant, elle se dessinait en elle. Tout en s'avouant furieuse, Claudette admettait que cette fureur risquait de l'empoisonner si elle lui permettait de prendre de l'ampleur et d'héberger du ressentiment. Le rêve de l'insecte venimeux et rose lui fut d'un grand secours, et elle put affronter et transformer les sentiments toxiques engendrés par le rejet qu'elle avait subi, et ainsi s'en dégager et orienter son énergie vers sa profession artistique et ses responsabilités de mère.

Les femmes, tout comme les hommes, peuvent rejeter d'autres femmes. Une femme qui, tôt dans sa vie, a fait la douloureuse expérience du rejet de sa mère verra sa crainte renforcée d'être rejetée à nouveau dans ses relations personnelles, et susciter chez elle un comportement qui provoquera des abandons répétés. Les filles rejetées recherchent souvent l'affection maternelle de leurs modèles féminins, par exemple une enseignante ou une thérapeute, et elles parviennent ainsi à guérir leurs anciennes blessures et à nouer des relations affectives stables. La fille Amoureuse rejetée peut choisir de rejeter à son tour l'affront qu'elle a essuyé par le rejet glacial ou empoisonné de sa mère, et ainsi parvenir à la guérison.

Une autre femme, Carole, prisonnière du syndrome de l'Amoureuse rejetée, fut en mesure de comprendre que son déséquilibre faisait au fond partie d'un processus de codépendance qui l'attachait de façon obsessionnelle à une relation, lui faisait croire qu'elle en tenait les rênes, la rendait furieuse si elle lui échappait, et lui faisait perdre la raison. Dès qu'elle sut identifier ce profil de dépendance et de codépendance, elle put mettre en œuvre les techniques menant à sa guérison. Entre autres, dès que Carole se rendait compte qu'elle était obsédée par un homme, elle priait pour que tant ses fantasmes obsessionnels que sa persistance à imaginer et attendre un dénouement parfait disparaissent. Cet exercice mental l'aida à se libérer du besoin de sauvegarder sa relation.

Le comportement de l'Amoureuse rejetée est souvent confondu à un autre type de dépendance, comme dans le cas de Carole. La marche à suivre pour s'affranchir d'une dépendance peut aussi avoir un effet d'entraînement sur le comportement de l'Amoureuse rejetée. La première étape consiste à capituler, à accepter d'être la victime impuissante de notre obsession de la personne qui nous rejette, à accepter que la relation ait pris fin, et à accepter le fait que de vouloir nous y accrocher nous rend la vie insupportable. Puis vient le plongeon dans le vide et la capitulation aux forces intérieures qui seules peuvent rendre la femme libre d'être fidèle à sa créativité et de se rendre disponible à une relation fondée sur l'authenticité. Par la suite, beaucoup de travail est requis pour débrouiller la colère et le ressentiment engendrés par le rejet et pour ne plus craindre la solitude. L'angoisse, la dépression, le deuil, la colère, la peur de l'inconnu, la douleur — l'Amoureuse rejetée doit traverser toutes ces émotions consciemment pour être en mesure de les évacuer, sans quoi elles perdureront dans son subconscient et évolueront vers le ressentiment et le désir de vengeance. Les relations amoureuses obsessionnelles possèdent un caractère «vampirique». L'Amoureuse rejetée a souvent l'impression de faire partie des «morts-vivants»[15]. Il est essentiel pour elle de se libérer du ressentiment et du désir de vengeance dévorants que lui inspire l'être aimé, car ils peuvent la rendre esclave de son ancienne relation. Mais pour y parvenir, l'Amoureuse rejetée doit savoir où et comment ils ont influencé sa vie et prendre sa part de responsabilité dans l'échec de sa relation.

Lorsque l'Amoureuse rejetée s'est enfin affranchie de son obsession, elle a acquis la liberté de sacrifier aussi son rôle de victime afin d'accéder à la force intérieure qui lui permettra d'effectuer des choix pour son avenir. Il lui faut pour cela savoir se pardonner. En effet, l'Amoureuse rejetée doit se pardonner d'être entrée dans une relation sans avenir et de s'être ainsi laissée contrôler par elle et par ses attentes. Elle doit aussi, pour devenir libre, pardonner à l'autre, même si ce dernier a profité consciemment de ses peurs et de son insécurité, et même s'il s'est montré cruel. Cela suppose qu'elle cesse d'idéaliser l'autre personne, c'est-à-dire qu'elle admette qu'il ne puisse pas s'engager, demeurer fidèle ou lui rendre son amour et sa dévotion. Elle doit être consciente de la situation et ne plus s'accrocher à ses rêves, ses désirs, ses projections et ses attentes. Une fois guérie de ses fantasmes maladifs, une femme peut découvrir en elle-même des forces insoupçonnées. Elle devient plus consciente de ses besoins et peut y pourvoir mieux que quiconque.

Ce sont paradoxalement cette compétence et cet équilibre nouveau qui la rendent désirable et débouchent sur des relations saines avec des hommes qui n'ont rien du prédateur. Elle peut voir sa créativité affermie, faire de la peinture ou écrire des poèmes, des chansons ou des nouvelles. Ses amies peuvent lui devenir plus chères, surtout si elle fait partie d'un groupe affectueux qui glorifie la féminité. Quand l'auto-efficacité et une meilleure compréhension d'elle-même émergent ainsi en elles, de nombreuses femmes rêvent d'un lien supérieur avec leur «Moi», c'est-à-dire avec leur énergie proprement féminine et sacrée. Au bout du compte, la transformation de l'Amoureuse rejetée débouche sur un mariage divin. Elle s'était attachée à un faux amour; elle est maintenant libre d'accéder à sa propre divinité.

1. Voir le chapitre sur l'amant fantôme dans mon ouvrage intitulé *On the Way to the Wedding: Transforming the Love Relationship,* Boston, Shambhala, 1986.
2. Fay Weldon, *The Life and Loves of a She-Devil,* New York, Ballantine Books, 1983, pp. 186-187.
3. Euripide, *Médée.*
4. Citée par Arianna Stassinopoulos, *Maria Callas: The Woman Behind the Legend,* New York, Ballantine Books, 1982, p. 101.
5. Ibid., p. 21.
6. Ibid., p. 106.
7. Ibid., p. 166.
8. Ibid., p. 191.
9. Ibid., p. 198.
10. Ibid., p. 206.
11. Ibid., p. 282.
12. Ibid., p. 284.
13. Ibid., p. 324.
14. Ibid., p. 332.
15. Voir le chapitre sur l'amoureuse Dragon dans mon ouvrage intitulé *On the Way to the Wedding: Transforming the Love Relationship.*

6

L'Itinérante

Voyez-vous, l'esprit humain est un genre de... piñata.
Quand on l'ouvre,
des tas de surprises
s'en échappent.
Pour qui sait cela,
perdre la raison
est une expérience clé.

Jane Wagner
The Search for Signs of Intelligent Life in the Universe

Je parle souvent toute seule quand je marche dans la rue, en route vers l'un des cafés où j'ai l'habitude d'écrire. Les passants, le plus souvent des hommes, m'arrêtent et me demandent pourquoi j'ai l'air si triste.

— Souriez, disent-ils. Ayez l'air heureuse.

Ils ne comprennent pas que mes marmottements et mon air grave sont dus à un dialogue intérieur ravi. J'emporte, dans un sac à dos ou un sac à provisions, des fragments de mes manuscrits que j'écris à la main sur de grandes feuilles jaunes de format légal et sur des feuillets épars. On m'a déjà vue arriver à mes conférences et à mes ateliers munie d'un assortiment hétéroclite de ces sacs d'écriture.

Un jour, après un atelier, un homme me déclara que j'avais l'air de transporter le bagage archétype de l'Itinérante. J'en fus d'abord insultée. Sa remarque avait transpercé comme une flèche le cœur de ma honte d'être une EAFA, une enfant adulte d'une famille d'alcooliques. Elle réveilla aussi en moi le complexe de la Femme indomptée et du Juge. Je me sentis méprisée, Femme indomptée potentielle en proie au chaos, telle une itinérante errant de par les rues avec ses sacs où sont enfermés des objets n'ayant de valeur qu'à ses yeux. L'«accusateur» parlait comme un homme au-dessus de ces trivialités, comme un critique suffisant des excentricités féminines, comme un juge patriarcal de l'importance des femmes et de ce que nous créons et transportons avec nous. Par la suite, une amie me rappela que les Itinérantes sont des survivantes. Elles sont indépendantes et courageuses, elles font ce qu'elles veulent et ne causent jamais de tort à personne. Sur le plan de la symbolique intérieure, je compris que l'itinérante était parfois dotée d'une folle sagesse dont bon nombre d'entre nous, même les mieux adaptés, pourrions tirer un enseignement. Plus tard, je remarquai combien les femmes sont souvent terrifiées à l'idée de se retrouver à la rue. Certaines d'entre elles sont des célibataires aux abords de la quarantaine. D'autres, bien que mariées, craignent qu'on les abandonne à leur sort et de finir leurs jours défaites et solitaires.

LA PEUR DE L'ITINÉRANTE

La femme très soignée de sa personne, la femme de carrière douée, l'épouse vivant en banlieue, la riche douairière ou la belle *inspiratrice* hébergent souvent en elles la terreur de finir Itinérante. Tant de femmes ont peur en secret de se désagréger si elles se retrouvent complètement seules. Leur pire cauchemar est de ne pas être en mesure de pourvoir à leurs besoins, matériellement ou émotionnellement. Elles ont peur de se détériorer, de ne plus se prendre en main, de capituler et de se réveiller pauvres et dans la rue. De tels cauchemars révèlent la crainte de «tout perdre», une peur très réelle dans notre société où le succès se mesure aux biens matériels, une société, surtout, qui va à l'encontre du développement du courage féminin. Ces peurs reflètent également une intégration lacunaire de l'«ombre», cet aspect désagréable de l'être que nous refusons d'affronter.

La peur de l'Itinérante surgit le plus souvent au moment où une femme se trouve au seuil d'un changement important dans sa vie. Il peut s'agir d'un changement d'ordre physique, comme un déménagement, ou d'ordre psychologique, comme le début ou la fin d'une relation, une nouvelle carrière, ou un nouveau mode de vie. Ces changements sont parfois délibérés, mais il arrive aussi qu'ils nous soient imposés. Lors d'un divorce, au début de la ménopause, ou même à l'arrivée de la quarantaine (ou de tout âge que la femme redoute), la peur de l'Itinérante se manifeste souvent. Prenons comme exemple une très belle femme qui a connu le syndrome de la Muse, ce qui est le cas, dans une certaine mesure, de toutes les femmes de notre société. Quand les rides et les flétrissures apparaissent sur son visage, suivies de peu par un certain affaissement des chairs, la femme nord-américaine surtout s'inquiète de son avenir, car elle ne se croit désirable qu'en fonction de son apparence et de sa sécurité financière qui, la plupart du temps, dépend d'un homme. Son apparence lui crée parfois des soucis dès l'âge de trente ans ou même pendant la vingtaine, surtout si elle a vu sa mère s'inquiéter de vieillir. Certaines femmes ont recours à la chirurgie esthétique et affichent un air artificiellement vide qui efface les lignes témoignant de leur expérience, de leurs souffrances et de la sagesse qui sont le lot de toute femme mûre. Aux yeux de ces femmes, l'Itinérante peut être le symbole d'une vie qui leur fait peur si elles n'ont pas su développer, d'une part, leur confiance en elles-mêmes et, d'autre part, entreprendre une carrière ou acquérir la sécurité financière.

La peur de finir Itinérante empêche souvent une femme de prendre certains risques qui lui ouvriraient les portes de la créativité et de la spiritualité. Sa peur émerge le plus souvent de son insécurité financière, même si elle est une femme de carrière douée. Rita, une avocate prospère qui avait vu sa mère s'étioler sous l'effet de l'alcool, craignit de connaître le même sort. Sa mère était morte chez elle, mais Rita se disait qu'elle aurait aussi bien pu mourir dans la rue. Pour se garder d'un tel destin, Rita développa une *persona* formaliste et organisée, capable d'affronter n'importe quelle situation. Son armure d'amazone lui fut utile dans sa profession, mais elle rêvait en secret de devenir artiste. Cette aversion pour un mode de vie moins rigoureux, moins sûr, issue de son appréhension d'être, comme sa mère, une artiste alcoolique, l'empêcha de répondre à l'appel de l'art. Pour elle, être artiste équivalait à perdre le contrôle de sa vie, à sombrer dans la pauvreté, la dépendance et l'errance.

Une autre femme, Dominique, grandit au sein d'une famille perfectionniste du Midwest, où tout ce qui s'écartait des normes était balayé sous le tapis. Elle devint perfectionniste elle aussi. Sa maison était toujours parfaitement rangée; elle ne supportait pas le désordre des maisons de ses amis et de ses voisins moins pointilleux qu'elle. Sans cesse portée à critiquer les autres, persuadée de toujours avoir raison, elle finit par provoquer la désaffection de ses amis. Dominique était avant tout terrifiée à la pensée d'éveiller la pitié si on décelait sa solitude et le désespoir confus qu'elle dissimulait sous ses dehors corrects. Elle jugeait autrui afin qu'autrui ne la juge pas, mais son perfectionnisme la tuait à petit feu, car elle étouffait l'affection chez tous ceux qu'elle blessait.

Ses cauchemars commencèrent. Elle rêva qu'elle marchandait un aspirateur quand une vieille Itinérante crasseuse lui adressa la parole en entrant dans le magasin où elle se trouvait. Dominique lui tourna le dos avec dégoût. Des mois plus tard, elle rêva que la même Itinérante se tenait au coin de la rue, tout près d'une maison voisine de la sienne. Dans les faits, Dominique ne s'entendait guère avec cette voisine, une musicienne désinvolte qui avait de nombreux amis et beaucoup d'amants. En rêve, Dominique se sentit attirée par le scintillement de la cape rouge et usée mais couverte de joyaux dont l'Itinérante s'enveloppait.

Quand elle fit part de ce rêve à son thérapeute, il lui suggéra de faire connaissance avec son Itinérante intérieure, de lui parler et de s'intéresser à elle. Dominique mit bien du temps à y parvenir. Ce personnage intérieur l'humiliait, tandis qu'extérieurement, elle était obsédée et outragée par la vie déréglée de sa voisine. Puis, elle fit encore un autre rêve d'Itinérante. Cette fois, la vieille femme se tenait près de la poubelle à côté de sa maison comme si elle s'apprêtait à fouiller dedans.

— Je m'appelle Mathilde, marmonnait-elle sans cesse.

Une odeur putride semblait flotter dans l'air quand Dominique s'éveilla. Elle fit ce rêve après s'être querellée avec sa voisine, à qui elle reprochait sa vie de patachon. Plus fâchée que honteuse, sa voisine répliqua en rappelant à Dominique le lamentable état de ses finances et de ses relations affectives. Cette confrontation, ajoutée aux rêves de l'Itinérante, obligèrent Dominique à regarder en face le côté noir de son perfectionnisme et de son penchant pour la censure, et paradoxalement, ce face-à-face l'aida à prendre sa vie moins au sérieux.

L'ITINÉRANTE INTÉRIEURE

Le symbole de l'Itinérante comptait beaucoup pour Nicole, une femme mariée qui habitait une jolie maison de banlieue. Elle avait même écrit une pièce de théâtre mettant en scène une Itinérante. Un jour qu'elle séjournait dans un hôtel luxueux de Chicago, elle vit qu'une femme à l'allure princière, mais vêtue de haillons, venait souvent s'asseoir dans le hall de l'hôtel. La dignité et l'air de liberté de cette femme l'impressionnèrent fort, car elle possédait une indépendance qu'elle-même s'efforçait d'acquérir. Elle se mit à se promener seule et à observer les gens, ce qui stimula son imagination. Elle eut alors l'idée d'écrire une œuvre dramatique à propos de cette Itinérante, dont elle était consciente qu'elle symbolisait une facette noire mais positive de sa personnalité, car Nicole était parvenue à une étape de sa vie où elle souhaitait s'affranchir de tout le superflu, biens matériels, distractions et responsabilités, afin de se consacrer à son travail créateur. Dans sa pièce, l'Itinérante fait don de sa liberté et de son amour à un gérant d'hôtel et aide ce dernier à se souvenir avec affection de sa mère disparue et qu'il croyait morte.

Le rêve qui suit fut d'un grand secours pour une femme de soixante ans, Pauline, qui s'apprêtait à divorcer après trente ans de mariage. Elle venait de prendre sa retraite et était à la recherche d'un appartement. N'ayant jamais vécu seule auparavant, elle était appréhensive et craignait de ne pouvoir subvenir à ses besoins grâce à des contrats occasionnels et la petite entreprise de travaux d'aiguilles qu'elle venait de fonder. Elle ne voulait demander d'aide à qui que ce soit. Mais tout en désirant acquérir son indépendance et recommencer sa vie, elle avait peur de se retrouver seule dans la rue, ou, à tout le moins, dans la pauvreté. La nuit précédant ce rêve, Pauline avait signé le bail de son nouvel appartement.

> Je marche dans une rue de la ville quand je vois s'approcher une femme qui a toutes les apparences d'une itinérante. Elle a l'air de sortir de la douche, et je me demande si elle ne sort pas à l'instant d'un foyer d'accueil. Elle est vêtue d'une jupe

> et d'un débardeur décolleté à bretelles fines. La femme a du mal à empêcher ses seins lourds de sortir du débardeur. Elle les repousse à l'intérieur en marchant, puis elle me regarde et sourit. Je la vois rentrer encore une fois ses seins dans son vêtement quand elle passe à ma hauteur, et c'est alors que je remarque qu'un de ses seins a deux mamelons.

Cette même nuit, Pauline fit deux autres rêves. Dans l'un, assise en voiture avec une femme de race noire amicale, elle cherchait un appartement dans une rue en forme de croissant. Dans le second, elle regardait en compagnie d'autres personnes quatre ou cinq arcs-en-ciel qui occupaient la moitié du ciel. Le plus bas d'entre eux formait un arc parfait. Pour Pauline, ces fragments de rêve étaient heureux et gais. Elle eut le sentiment qu'ils la confirmaient dans la voie qu'elle avait choisie. Les deux personnages, l'Itinérante et la femme de race noire, lui semblaient positifs, et symbolisaient à ses yeux des femmes fortes, indépendantes, heureuses et amènes, capables de survivre seules. Leur présence dans ses rêves lui disait qu'elle saurait bien se débrouiller. L'Itinérante souriante, aux deux mamelons, signifiait qu'elle possédait une capacité accrue de subsistance. Les arcs-en-ciel symbolisaient à la fois la protection du ciel et la beauté scintillante de la nature après l'orage.

Comme de nombreuses femmes de sa génération, Pauline avait vécu toute sa vie en fonction des attentes d'autrui. Elle avait connu le traitement négatif que la société réservait alors aux femmes, surtout dans son enfance, auprès de son frère Clément. En tant que fille, elle recevait toujours la moindre part, tandis que son frère obtenait tout ce qu'il voulait. Bien qu'elle fût l'aînée, Pauline dut se contenter d'un tricycle pour que son frère puisse recevoir une bicyclette. Clément apprit à conduire une voiture dès sa majorité; Pauline apprit à conduire seulement après s'être mariée. Clément poursuivit ses études dans une célèbre et coûteuse université de l'Ivy League, tandis que Pauline resta dans sa ville natale et fréquenta une petite université locale à titre d'auditeur. Pauline savait que la discrimination dont elle était victime en tant que fille de la famille était fréquente dans la société de l'époque, et cela la rendait furieuse, mais elle dut refouler ses émotions et s'adapter. Après son divorce, elle tomba souvent malade. À cette époque, elle eut aussi des cauchemars récurrents dans lesquels des serpents la menaçaient comme pour lui enjoindre de choisir une autre voie. Elle aimait les serpents dans la vie, de sorte que leur aspect menaçant en rêve attira son attention. Elle prit conscience de sa frustration face aux limites que lui imposait la société. Cela étant admis, elle se mit au travail, et parvint à prendre la décision de partir et de recommencer sa vie toute seule.

Le personnage onirique de l'Itinérante illustre deux facettes de la vie féminine. En tant qu'ombre intérieure, l'Itinérante symbolise la femme survivante et libre, et l'opulente nourricière. En la combinant à l'image de l'arc-en-ciel, le rêve parle d'un réceptacle magnifique et divin, car la déesse Iris est à la fois la déesse des arcs-en-ciel et la messagère des dieux. Mais le rêve illustrait aussi le sort réservé aux femmes, car tant l'Itinérante que la femme de race noire sont des victimes de l'oppression, de sorte que leur représentation onirique est un symbole négatif de notre culture. En ce sens, elles symbolisent l'aspect méprisé du féminin, jugé marginal, bizarre, excentrique ou fou, et méprisé par notre société blanche et patriarcale.

AFFRONTER LA PEUR: L'HISTOIRE DE DIANE

L'histoire de Diane, une femme de carrière prospère qui affronta en toute conscience sa peur de devenir Itinérante et accepta que la Femme indomptée représente sa capacité intérieure de transformation, est exemplaire pour toutes celles qui aspirent à d'importants changements mais qui hésitent à les concrétiser. Bien que le revenu annuel de Diane ait dépassé cent mille dollars, son travail cessa d'avoir un sens au bout de quelques années, à mesure qu'elle se transformait intérieurement. Afin de se donner le loisir nécessaire à son évolution spirituelle, elle renonça à sa carrière, vendit sa voiture élégante et luxueuse, et vécut frugalement. Elle vida ses garde-robes, se débarrassant de ses vêtements coûteux mais désagréables à porter. Ainsi libérée de son image et de son rôle de femme de carrière, elle ressentit un grand soulagement. Elle décida de changer de vie et d'explorer son moi profond. Au cours de ce périple intérieur et extérieur, elle fut ballottée au cœur d'une contradiction: sa peur de finir Itinérante et une perception nouvelle du caractère sacré de la femme.

La rencontre de Diane et de la Femme indomptée sous l'apparence de l'Itinérante s'accompagna de la prise de conscience que des valeurs patriarcales avaient dominé son existence. Le père de Diane était pasteur, et elle avait été élevée dans le respect des normes chrétiennes. Si d'aventure elle avait exprimé un intérêt pour un domaine qui ne correspondait pas à l'éducation reçue, ses parents lui disaient: «Que vont penser les autres paroissiens?» Ce conflit entre le devoir de se conformer au rôle de fille obéissante et prospère et le besoin d'explorer sa spiritualité imprima pendant plusieurs années en Diane un sentiment de désorientation et d'incohérence.

Petite fille, Diane s'était toujours montrée rebelle. C'était un garçon manqué et, contrairement à ses sœurs, elle ne se conformait jamais parfaitement au rôle attendu d'une fille de pasteur. Son père était un homme chaleureux, mais il attendait de ses filles qu'elles étayent son image publique en s'asseyant à l'église, dociles et correctement vêtues, pour écouter attentivement ses sermons du dimanche. La mère de Diane ne vivait que pour son mari, se conformant elle aussi à ce rôle, non sans un ressentiment secret. Elle avait sacrifié ses besoins personnels et ses talents de musicienne pour élever ses filles selon les valeurs strictes de l'Église. Elle se sentait martyrisée. C'était un Oiseau en cage qui ne parvenait pas à transmettre sa féminité à ses filles ni à leur apprendre à être courageuses. Les réponses toutes faites et les dogmes que ses parents et la communauté chrétienne au sein de laquelle elle vivait inculquèrent à Diane ne lui semblaient pas conformes à sa personnalité. Elle se savait marginale, mais elle n'en montrait rien.

Intelligente et belle, elle reçut le titre de plus jolie fille de sa classe, mais intérieurement, elle se sentait invisible, malheureuse, une morte-vivante, et elle nourrissait parfois des velléités de suicide. Sa famille lui interdit de fréquenter son ami juif et s'efforcèrent de l'empêcher de s'inscrire à une université séculière. Elle leur tint tête et quitta la maison paternelle pour entrer à l'université sur la côte est, décision qui, selon elle, lui sauva la vie. Après l'obtention de son diplôme, elle travailla d'abord comme apprentie, puis décrocha un emploi de prestige dans une agence de publicité new-yorkaise. Elle était dans la vingtaine, mais déjà une vendeuse exceptionnelle. Ses parents l'avaient habituée à montrer son meilleur jour et à plaire aux gens. Son avenir était prometteur et financièrement stable, et elle grimpait rapidement les échelons du monde des affaires.

Puis, vers l'âge de trente ans, alors qu'elle se trouvait au sommet du succès, tout commença à s'écrouler autour d'elle. Elle était malheureuse et périssait d'ennui. Le rythme effréné de son travail l'épuisait et lui procurait un sentiment de confusion. Consciente de ne plus pouvoir se cacher derrière un masque, elle entra en thérapie. Elle fit aussi préparer sa carte du ciel, s'intéressa au tarot et à l'astrologie. Pour la première fois de sa vie, elle eut le sentiment de valoir quelque chose et d'être unique.

Ses rêves lui révélèrent peu à peu son besoin profond de spiritualité, plus en accord avec sa nature féminine et avec les sources de la connaissance mystique dont elle avait été consciente dans son enfance et que le christianisme patriarcal de son père était parvenu à étouffer. Ses rêves illustraient la guerre que se livraient en elle la religion patriarcale et sa quête intérieure personnelle. Dans un des premiers rêves qu'elle fit pendant sa thérapie, une Femme indomptée à l'aspect d'une Itinérante faisait irruption chez elle pendant que Diane s'efforçait de protéger son père. Un autre rêve lui intimait clairement de lire *Peter Camenzind*, de Hermann Hesse. Diana avait vu en Hesse un compagnon de voyage iconoclaste, cheminant avec elle sur la voie du mysticisme. Hesse, prix Nobel de littérature, avait été placé par ses parents dans une institution pour enfants retardés. Rebelle au fondamentalisme chrétien, Hesse souffrit d'une dépression nerveuse dans sa jeunesse. Après avoir été secouru par un psychanalyste jungien, il trouva sa voie dans l'écriture et devint l'un des spiritualistes les plus influents de sa génération. Diane, que la lecture de Hesse avait aidée, se demanda si son rêve signifiait qu'elle devrait elle aussi traverser une dépression ou survivre à une quelconque chute pour accéder à sa spiritualité.

Pendant sa thérapie, Diane éprouva vis-à-vis de son travail des sentiments de plus en plus ambivalents. Elle ne lui trouvait plus de défi ni de sens, et soupçonnait qu'il mettait un obstacle à sa quête spirituelle. Les valeurs matérialistes de la compagnie qui l'employait entraient en conflit avec ses valeurs personnelles émergentes. Elle se refusait à mousser la vente de produits dangereux pour l'écosystème. Elle ne voulait pas davantage s'engoncer dans des vêtements étouffants et sévères ni chausser des talons hauts qui lui donnaient mal aux pieds, et se sentait en désaccord avec son indépendance de femme. En outre, elle constata qu'elle avait besoin de temps et d'espace pour donner libre cours à sa pensée.

Quelque chose en elle demandait à vivre, sans qu'elle sache quoi. Elle avait l'impression d'être le Fou du tarot, en équilibre instable au bord de l'abîme. Elle savait qu'il lui fallait surmonter sa peur et sauter dans l'«inconnu». Diane démissionna de son travail et vécut grâce à ses économies. Ses parents n'approuvèrent pas ce changement, en particulier son étude du tarot. De leur point de vue, elle était folle de renoncer au succès et à son statut dans la société pour s'adonner aux études des sciences occultes et de l'ésotérisme.

Mais Diane était soulagée. Elle aimait pouvoir disposer de son temps et poursuivre sa quête spirituelle, avoir le loisir de lire, de tenir son journal, d'analyser ses rêves et d'étudier le tarot. Grâce à ses promenades dans la nature, ses méditations et ses conversations avec des amies qui cherchaient la même chose qu'elle, elle guérissait. Elle était heureuse.

Quand la bourse s'effondra, Diane perdit une partie importante de ses économies: le moment de sa chute était arrivé. Elle fut envahie par la terreur de devenir Itinérante. Elle se voyait errant de par les rues, ridiculisée par sa famille, l'incarnation de la Femme indomptée dont ils avaient projeté l'image sur elle. Sa peur et sa colère firent surface. Elle se sentit malheureuse et stupide. Elle avait perdu sa sécurité, mais cette perte l'obligea à analyser les moyens pratiques de mettre ses études de l'astrologie et du tarot au service de sa vie. Elle comprit qu'elle pouvait combiner son sens des affaires et sa nouvelle perception de la nature féminine pour contribuer à transformer le monde dans lequel elle vivait.

Après le krach de la bourse, Diana eut peur que quelque chose de terrible ne lui arrive. Elle rêva que des hommes en colère l'attaquaient. L'un d'eux était armé d'un hachoir à viande — elle l'appelait «le révolutionnaire dans la cave». Dans son rêve, il se cacha dans un placard de la maison familiale, puis descendit un escalier qui conduisait du salon à la cave où il resta, furieux et menaçant. Ce «révolutionnaire» représentait sa colère refoulée et l'énergie rebelle qu'elle n'avait pu exprimer au sein de sa famille. Tout comme ce fut le cas pour le révolutionnaire du sous-sol, Diane eut d'abord le réflexe de se cacher et de refouler sa fureur. Son père intervint dans quelques-uns de ses rêves. Dans l'un d'eux, il était mort, puis il était revenu à la vie. Elle avait pleuré son départ, mais elle refusait de faire savoir aux autres qu'il était revenu. La réapparition du père symbolisait le danger de retourner à son ancienne vie et au monde des affaires. Elle était confuse et paranoïaque à la pensée de réintégrer l'entreprise qu'elle avait été si heureuse de quitter.

Dans un autre rêve encore, elle était de retour dans la maison familiale. Elle aperçut un colis adressé au Révérend et à Madame X., ses parents. Elle savait qu'il contenait une bombe et que cette bombe exploserait si elle ne parvenait pas à s'en débarrasser. Frénétique, elle ne savait quoi en faire, car où qu'elle la mette, la bombe blesserait forcément quelqu'un. Elle comprit enfin que la responsabilité de sauver tout le monde et de se débarrasser de la bombe ne lui revenait pas. Sachant qu'elle devait fuir la maison, elle fit appel à une escouade de spécialistes. Ce rêve lui montrait quoi faire: se prendre en main et laisser les spécialistes s'occuper de la bombe, c'est-à-dire l'oppressante ambiance religieuse de sa maison familiale. Les anciennes valeurs familiales devaient sauter pour que des valeurs plus saines puissent naître. Ce rêve permit à Diane de comprendre qu'elle défendait encore inconsciemment les valeurs familiales et la figure paternelle.

Au cours de cette période d'incertitude, Diane fit de nombreux rêves qui lui révélèrent le trésor de mystères féminins qui l'attendaient dans l'inconnu. Dans l'un d'eux, elle se tenait debout à côté d'un autel, examinant des silhouettes de guérisseurs tracées dans la pierre avec des pierres précieuses. Ces formes symbolisaient la valeur et l'importance de sa propre spiritualité. Elle rêva souvent qu'elle visitait les sites de civilisations anciennes et admirait les symboles de cultures révolues. Le rêve suivant est exemplaire à cet égard:

> Je marche sur la plage dans une ambiance du dix-neuvième siècle. Des gens s'amusent. L'humeur est fantasque. J'ai treize ans, et j'ai les mains enfoncées dans les poches de mon short. Des cylindres ouverts sont enfoncés dans le sable. Les autres enfants veulent y entrer, mais je dis non, que ce n'est pas sûr. Ils ressemblent à de petites torpilles qui risquent de s'écrouler sur nous si nous y pénétrons. Puis je descends un escalier vers une chambre souterraine en brique. C'est une chambre mortuaire égyptienne enterrée sous le sable, fraîche et solide. J'y aperçois toutes sortes de hiéroglyphes et d'autres symboles égyptiens. Je m'y plais, je m'y sens chez moi. Puis, je vois un chaton qui miaule près de ce qui ressemble à la bouche d'un tunnel dans le mur. Comme me parvient d'en bas un autre

> miaulement, je comprends que la mère est plus bas. Je demande à un garde de sécurité de m'aider à aller chercher la chatte, car j'ai peur qu'elle ne se fasse du mal. Mais le garde me dit que même si nous allons chercher sa mère, le chaton restera où il est et continuera de miauler.

Ce rêve prévient Diane qu'une source de sagesse antique est tapie au plus profond de sa psyché, et qu'elle peut pénétrer la connaissance que recèlent les hiéroglyphes de cette très ancienne culture.

À l'époque où elle fit ce rêve, Diane effectuait des recherches dans les religions des déesses primitives. Elle comprit l'importance pour une femme de descendre dans la nuit noire de l'âme pour acquérir des connaissances, comme l'illustre le mythe sumérien d'Inanna, cette reine de l'univers qui descendit aux enfers pour rencontrer la reine Ereshkigal, sa sœur des ténèbres. Elle savait aussi que tous les mystiques parlaient de cette nécessité. Son rêve fut pour elle la confirmation qu'elle était en voie de retrouver la source antique de la connaissance spirituelle féminine. Il signifiait également qu'elle devait descendre encore plus loin en elle-même pour s'approprier l'intelligence de la Grande Mère, symbolisée par la chatte. Diane dit que le chaton était la représentation de son enfance de garçon manqué en quête de l'affection maternelle qu'elle n'avait pas reçue, mais elle comprit que la sagesse universelle de la Grande Mère tapie au fond de sa psyché pouvait la lui prodiguer. Au début du rêve, Diane était une enfant qui gambadait au bord de l'eau, c'est-à-dire en ce lieu où le conscient et l'inconscient se rencontrent à la limite de l'océan. Elle a treize ans, elle devient femme, elle commence à savoir qui elle est. N'ayant pas eu la possibilité d'explorer ses besoins et ses questionnements quand elle était petite, elle devait le faire maintenant. Ses rêves continuèrent de lui proposer des personnages d'Exploratrice qui s'enfonce dans des cavernes et y découvre des joyaux et des symboles occultes.

Sa peur du dénuement s'apaisa quelque peu quand elle assista à une représentation de la pièce intitulée *The Search for Signs of Intelligent Life in the Universe*. Trudy, la protagoniste, est une Itinérante qui erre dans les rues de New York. Naguère femme d'affaires prospère, Trudy choisit la liberté et démissionna. Diane fut sensible à la sagesse folle, à l'humour, à la guérison spirituelle qu'offrait l'Itinérante Trudy. Elle se reconnaissait en elle comme la sage excentrique qu'elle était. Toujours craintive de l'Itinérante, elle accepta sa présence au fond d'elle-même en disant: «Une des vertus de l'Itinérante est qu'elle ne requiert rien de ce qu'a à offrir la société patriarcale.» L'Itinérante était à ses yeux une prêtresse visionnaire de notre temps qui s'efforce de nous faire voir les paradoxes de notre vision collective de la réalité.

Depuis peu, pour suppléer à ses revenus provenant de l'astrologie, Diane a un emploi à temps partiel auprès d'une compagnie qui fabrique dans un but écologique des fourre-tout en toile destinés à remplacer les sacs en papier ou en plastique nuisibles pour l'environnement. Ce travail lui a permis de subvenir à ses besoins sans trahir ses valeurs sociales. Un jour, une amie, remarquant sa collection croissante de fourre-tout, lui dit qu'elle lui faisait penser à une Itinérante alourdie de ses sacs. D'abord offusquée, Diane exprima plus tard son amusement:

— Je suis devenue ce que je craignais le plus de devenir, une véritable Itinérante, mais à ma façon. Le fait de me rendre compte que j'étais une Itinérante a été pour moi un bienfait réel.

Diane a métamorphosé en elle l'image de l'Itinérante, cet archétype autonome qui voulait faire partie de sa vie. Elle est plutôt devenue une Itinérante apte à compter sur ses propres ressources, indépendante et soucieuse de l'écologie, au lieu de l'Itinérante jugée folle par la société.

LA SAGESSE FOLLE DE L'ITINÉRANTE TRUDY

Tandis que je réfléchissais au sens que prenait l'Itinérante dans ma propre vie, je fus invitée à voir la pièce qui avait pu aider Diane, *The Search for Signs of Intelligent Life in the Universe*. La «folle» mais hilarante vision du monde qu'offre le personnage principal illustre la soif de pouvoir qui nous fait perdre la tête, qui nous durcit, qui nous rend anxieux et méfiants les uns envers les autres. Dans la pièce, l'Itinérante Trudy fait montre d'une sagesse douce et folle, et d'un sens de l'humour apaisant. Écrite par Jane Wagner, la pièce est jouée seule par Lily Tomlin, qui y incarna le rôle de Trudy et plusieurs autres rôles féminin.

La scène s'ouvre sur Trudy, debout au coin d'une rue, où elle nous surprend à l'éviter, à détourner le regard. Elle nous met directement en face de nos préjugés: elle sait que nous trouvons qu'elle parle trop fort, qu'elle se gratte, que ses dents sont gâtées, et que ses yeux roulent comme des «mouches à fruits». Trudy déclare qu'elle crie parce que personne ne l'entend, et qu'elle se gratte parce qu'elle brûle d'énergie créatrice. Quand on la dit folle de transporter tant d'objets inutiles, elle réplique:

— Comment devrions-nous appeler tous ceux qui en *achètent*[1] ?

Trudy croit que nous nous demandons tous en secret si nous ne sommes pas un peu fous. La différence entre Trudy et ceux qui la croient folle, c'est qu'elle admet sa folie:

— Devenir folle est la *meilleure* chose qui me soit arrivée. Je ne dis pas que c'est valable pour tout le monde. Il y en a qui ne sauraient pas en venir à bout[2].

Sa folie surgit quand rien n'allait plus dans sa vie. Elle la reçut comme ce cadeau décrit par Socrate: «La divine libération de l'âme du joug de la tradition et des conventions[3].» Ainsi affranchie de la «réalité», Trudy refuse de se laisser «intimider» par elle. Elle y voit la cause première du stress.

— Après tout, demande-t-elle, qu'est-ce donc que la réalité? Rien d'autre qu'une intuition collective[4].

Pour Trudy, sa folie la met «en harmonie avec les voies de communications extraterrestres» et «avec l'univers entier. Les animaux et les plantes aussi[5]». Son cerveau crépitant la met en contact, pendant ses transes, avec la vie d'autres civilisations, y compris avec les extraterrestres qui l'accompagnent. Fascinés par les sacs qu'elle transporte avec elle, ses copains de l'espace jugent leur contenu important dans les recherches qu'ils effectuent sur terre pour tenter de comprendre les raisons de nos comportements bizarres, par exemple, notre habitude de mesurer le temps au moyen d'horloges ou de porter des vêtements absurdes et inconfortables.

Trudy et ses amis de l'espace pensent que l'évolution a pris fin et qu'elle serait davantage la survie du plus fin que celle du plus fort. L'homme serait lui-même le chaînon manquant. Le contact de Trudy avec l'humanité (c'est-à-dire le contact créateur de la Femme indomptée) pourrait bien être le «démarrage d'urgence» de l'évolution. Elle se demande même si sa folie ne serait pas le signe que le cerveau en évolution amorce une nouvelle forme; que sa «dépression» est en fait une «percée» et que son cerveau est soumis à une vaste expérience scientifique destinée à aider le progrès.

Selon Trudy, les extraterrestres pensent que tout est interrelié, que nous participons tous des mêmes atomes et vivons tous sous le même ciel. Comme la composition de l'océan se retrouve dans une minuscule goutte d'eau, les émotions de l'humanité tout entière se retrouvent en chaque individu. Les extraterrestres sont d'avis que la faculté des humains à s'illusionner est sans doute un réflexe de survie. Pourquoi, sinon, dissimuleraient-ils la vérité aussitôt qu'ils la découvrent? Trudy nous annonce que les extraterrestres étudient comment et quand la superficialité est d'abord apparue dans la nature humaine, comment, de chasseurs et de cueilleurs les humains sont devenus des fêtards. Ils réfléchissent aussi à l'origine du langage qui, selon Trudy, a pris naissance en même temps que notre besoin de nous plaindre. Quand les humains ont commencé à commérer, ils se sont rendu compte qu'ils pouvaient être eux-mêmes l'objet de commérages. La paranoïa engendra la guerre, la guerre engendra le stress. Trudy souligne que les extraterrestres s'inquiètent de notre sort, car ils savent que les autres civilisations «jouent pour jouer», alors que les humains, qui jouent pour gagner, sont perdants.

Grâce à ces recherches, Trudy et les extraterrestres ont développé un point de vue philosophique qui rappelle celui de Socrate: «Tout ce que nous *savons,* c'est que nous savons *bien peu* tout ce que cela *signifie*[6]». Trudy se demande pourquoi, au lieu de toujours chercher un sens à la vie, nous ne nous détendons pas «pour jouir de son *mystère*[7]». Trudy nous fait part de son intuition:

— ... c'est quand vous vous émerveillez le plus de ce que vous ne parvenez pas à comprendre que vous comprenez le mieux[8].

Pendant ses transes, Trudy assume d'autres rôles qui tous donnent la parole à la Femme indomptée. Lily Tomlin joue son propre personnage et croit que Dieu, qui souffre de la maladie d'Alzheimer, a tout oublié de son plan cosmique. Agnes, une adolescente punk, avoue vouloir s'endurcir pour ne pas pleurer. Agnes ressent dans son corps la folie de ce monde où l'air même que nous respirons nous tue à petit feu. On l'accuse de mépriser la société, mais elle sait qu'aucun mépris ne se compare à celui que la société inflige à des jeunes punks comme elle. Parmi les autres personnages, il y a Tina, une droguée et une prostituée au grand cœur, et un groupe de féministes libérales qui parlent de leur lutte pour la libération de la femme et de la confusion de leur esprit. Il y a encore Chrissy, qui s'efforce de surmonter ses peurs. Désorientée, elle fait de la gymnastique aérobique pour garder sa forme, elle perd et reprend sans cesse les mêmes cinq kilos, elle cherche en même temps un homme et un emploi. C'est Kate qui trouvera la lettre de suicide de Chrissy. Kate est une femme à l'allure soignée, riche et lassée par la vie, qui craint le chaos et détourne son regard dégoûté de sa «sœur ténébreuse», l'Itinérante. Le fait de tomber sur la lettre de suicide d'une femme authentique et trop sensible lui fait prendre conscience de ses sentiments paralysés et lui ouvre les yeux sur le fait qu'elle s'est toujours fermée à la souffrance des autres et à sa propre souffrance. Cette perception lui permet d'attirer l'attention de Trudy qui offre à la femme riche son chapeau à large bord afin qu'il la protège de la pluie. En acceptant ce cadeau, Kate fait se rencontrer deux aspects opposés de sa nature: la femme de la haute société, perfectionniste et critique, qui craint l'Itinérante, et la Femme indomptée excentrique, vulnérable et ruinée. Leur rencontre témoigne de l'intégration féminine à laquelle nous pouvons toutes accéder.

Les personnages de «folles» de *The Search for Signs of Intelligent Life in the Universe* symbolisent les différentes facettes de notre personnalité qui doivent être intégrées pour que nous parvenions à un état psychologique conscient et sain. Par exemple, le personnage de Trudy incarne à la fois l'Itinérante et la Visionnaire. La Révolutionnaire est présente chez les féministes et l'adolescente Agnes, dont les frustrations s'expriment selon le mode du Dragon. Tina, la prostituée compatissante, est une sorte de Muse et Chrissy un Oiseau en cage, prisonnière des attentes des autres. Kate s'est enfermée dans son double rôle de Reine des Neiges et de Juge. Il faut la générosité aimante et bouffonne de Trudy pour parvenir à faire fondre son sens critique. L'éloignement de Trudy des valeurs traditionnelles est un exemple du contact créateur dont jouit la Femme indomptée et qui peut nous amener à envisager les choses autrement. Mais pour que nous puissions voir tous ces personnages à l'œuvre les uns avec les autres et pour être conscientes du point de vue inédit qu'ils nous proposent, notre esprit doit momentanément se dissoudre. Comme le dit Trudy:

— Voyez-vous, l'esprit humain est un genre de... *piñata*. Quand on l'ouvre, des tas de surprises s'en échappent. Pour qui sait cela, perdre la raison est une expérience clé[9].

ERRER EN LIBERTÉ: LA PÈLERINE DE LA PAIX

L'histoire vraie de la Pèlerine de la Paix, cette femme qui renonça à son travail, à son nom et à tout ce qu'elle possédait pour errer à travers les États-Unis au nom de la paix, est un exemple émouvant d'Itinérante réelle, vivante, spirituelle. Riche de ses seuls vêtements et d'une tunique munie de poches contenant quelques articles essentiels, un stylo, du papier, un message de paix, des lettres, un peigne et une brosse à dents pliante, la Pèlerine de la Paix a marché pendant vingt-huit ans. Elle n'emportait jamais d'argent et comptait sur la générosité des gens qu'elle rencontrait pour se nourrir et se loger. Répondant à l'appel divin, la Pèlerine de la Paix se prépara à sa mission pendant quinze ans. Puis, dans la seconde moitié de sa vie, elle entreprit son pèlerinage en prononçant cet acte de foi:

— Je suis une pèlerine, une vagabonde. Je resterai une vagabonde jusqu'à ce que l'humanité ait pris le chemin de la paix. Je marcherai jusqu'à ce qu'on m'héberge et je jeûnerai jusqu'à ce qu'on me donne à manger[10].

La Pèlerine de la Paix erra pendant vingt-huit ans, parcourut quarante mille kilomètres sur les routes des États-Unis, le long des trois mille kilomètres de l'Appalachian Trail, d'un bout à l'autre du pays. Elle parcourait en moyenne trente-huit kilomètres par jour, selon le nombre de personnes qui l'arrêtaient pour lui parler. Quand il faisait froid, elle marchait toute la nuit sans s'arrêter pour avoir chaud. Elle suivait les oiseaux migrateurs et, selon le temps qu'il faisait, elle dormait sous les ponts, dans les champs, dans des entrepôts ou dans les cimetières.

La marche était pour elle une forme de prière. Elle espérait inspirer les gens à œuvrer pour la paix. Elle marchait dans la foi et son humilité la protégeait. Dans son errance, elle attendait que les autres s'approchent d'elle. Si on lui parlait, elle répondait: «Pour que la paix survienne, vous devez être en paix avec vous-même.»

On la confondit souvent avec une Femme indomptée. Arrêtée plusieurs fois pour vagabondage, elle dormit souvent en prison. Ces arrestations lui donnaient l'occasion de partager son point de vue avec ceux qu'elle rencontrait, les agents de police qui l'arrêtaient ou les femmes qui partageaient sa cellule. Après avoir traversé le pays une première fois, elle dormit à Grand Central Station, à New York, avec les Itinérantes. On la regardait parfois avec dédain, surtout dans les banlieues chic. Sa vie fut parfois mise en danger sur la route. Mais elle rayonnait d'une telle foi et d'une telle sérénité que, par miracle, ses agresseurs renonçaient à lui faire du mal.

Pour la Pèlerine de la Paix, les détails de sa vie personnelle n'avaient aucune importance. Bien que née dans une famille de fermiers pauvres aux abords d'une petite ville, elle avait connu une enfance heureuse, jouant dans la forêt, nageant dans le ruisseau et jouissant des grands espaces. Elle souhaitait que tous les enfants aient suffisamment d'espace pour grandir. Comme les plantes, «nous avons besoin d'espace pour croître[11]». La Pèlerine de la Paix était d'avis que le fait de ne pas avoir reçu d'éducation religieuse formelle l'avait servie. «J'ai eu moins de choses à désapprendre plus tard[12].»

À l'adolescence, ses camarades la méprisaient, car elle refusait de toucher à l'alcool ou à la cigarette, mais elle savait qu'elle optait ainsi pour la liberté. Grâce à un sens de la discipline inné, elle se fixa des priorités et mena une vie rangée. Ces qualités l'aidèrent dans son pèlerinage. Elle eut un certain temps une vie professionnelle traditionnelle et chercha le bonheur dans la sécurité et les biens matériels. Mais elle comprit vite que le succès matériel ne débouchait pas sur le sens. Elle souffrait quand elle voyait la pauvreté de ses semblables. Elle chercha d'abord «Dieu» en dehors d'elle-même, posa des questions, ne reçut pas de réponses. Un jour, après avoir fait une longue promenade de réflexion, elle s'endormit. À son réveil, elle vit les arbres et les étoiles, et elle crut fermement qu'une puissance créatrice et secourable au-delà de tout pouvoir humain pouvait seule opérer des changements. Pour la Pèlerine de la Paix, cette puissance créatrice dont elle sentait la présence en elle-même, c'était «Dieu».

Son éveil spirituel eut lieu un soir qu'elle se rendit seule dans la forêt pour prier dans une clairière au clair de lune. Se vouant entièrement et volontairement au service de l'humanité, elle dédia dès lors sa vie à la paix. Cet épisode marqua le début de ses quinze ans de préparatifs spirituels, et son passage de l'égocentrisme au don de soi. Elle connut des conflits intérieurs, mais elle s'efforça de ne plus vivre superficiellement. Elle croyait que nous avons tous un rôle à jouer dans le grand scénario divin et que l'écoute silencieuse est ce qui nous permet d'entendre en nous la voix de Dieu qui nous guide. Pour entendre cette voix intérieure, elle marchait en silence et jouissait des dons merveilleux de la nature.

La Pèlerine de la Paix comprit que, pour être libres, les êtres humains doivent admettre que seules nos mauvaises actions ou nos omissions peuvent nous blesser spirituellement, que nos blessures ne nous viennent pas d'autrui. Elle croyait que nous trouverions tous la paix intérieure et l'amour universel si seulement nous apprenions à apprécier les gens et les lieux que nous croisons tout au long de notre vie et à poursuivre notre route quand le moment en est venu. Elle s'efforça de se débarrasser des «pensées inutiles», car elle savait que le ressentiment et l'amertume envers soi et les autres sont la source de nos maux. Le remède, croyait-elle, c'est le pardon. Elle disait que la plupart de nos problèmes proviennent d'un «réflexe de colère». Puisque la colère refoulée nous fait du tort, elle proposait de transformer la phénoménale énergie engendrée par la colère en tâches constructives ou de l'évacuer en faisant de l'exercice physique. La peur, cet autre obstacle majeur, est en réalité la peur de l'inconnu. Pour transformer la peur nous devons apprendre à la connaître. Sinon, nous attirons ce qui nous terrifie le plus.

La Pèlerine de la Paix s'efforça de purifier ses intentions pour se mettre au service de l'humanité en travaillant pour sa paix intérieure et extérieure. Elle chercha à se débarrasser de son obstination, des sentiments de possession, et de toutes ses émotions négatives. Elle se donna pour but d'accomplir une bonne action par jour. Elle se concentra sur ces choses de préférence à l'«enthousiasme débridé» qu'elle mettait à venir en aide à ses semblables, car, ce faisant, elle les privait de leur périple personnel et de leur épanouissement. Pour parvenir à ses fins, elle dut simplifier sa vie au maximum. Elle se nourrissait sainement et prenait soin de son corps, mangeant pour vivre plutôt que vivant pour manger. Elle prenait du repos, faisait de l'exercice et vivait dans la nature le plus souvent possible.

Ces préparatifs spirituels lui procurèrent un sentiment de liberté. Elle eut des visions béatifiques. Un jour, elle aperçut un halo, une aura lumineuse autour de chaque arbre et de chaque fleur et ressentit l'unité entre toutes les choses vivantes, cette unité que d'autres appellent «Dieu». Un jour, alors qu'elle était assise au sommet d'une colline en pleine campagne, elle sut qu'elle était prête à entreprendre son pèlerinage. Elle se vit traversant les États-Unis d'un bout à l'autre, sans jamais recevoir d'argent ni faire partie d'un quelconque mouvement. Disposée à recevoir le gîte et la nourriture comme les mendiants errants du Moyen-Orient et du Moyen Âge, elle espérait diffuser son message de paix: «Vaincre le mal par le bien, le mensonge par la vérité et la haine par l'amour»[13].

Le 1er janvier 1953, elle se mit en route et renonça à son nom, à son passé, à ses amis et au fardeau de ses biens. Prenant comme point de départ le défilé du Tournament of Roses, en Californie, elle crut que la police l'arrêterait. Elle fut au contraire bien accueillie et même interviewée à la télévision. On lui demanda aussi de s'adresser à des groupes et à des étudiants d'université. Un jour qu'elle paraissait devant un juge pour vagabondage, on lui demanda ce qu'elle choisirait si elle avait le choix entre tuer et être tuée. Elle répondit que, si sa vie était en harmonie avec le divin, elle n'aurait sans doute pas à se prononcer à moins que Dieu veuille faire d'elle une martyre. Mais si elle était forcée de choisir, elle choisirait d'être tuée. Quand ses juges demandèrent une explication rationnelle de cette réponse, elle leur fit comprendre la différence entre une nature centrée sur soi et une nature centrée sur Dieu:

— Je leur ai dit que dans mon schéma de référence personnel, je ne suis pas un corps. Je porte un corps. *Je suis ce qui permet au corps de fonctionner.* C'est la vérité. Si je meurs, ma mort détruit mon vêtement de glaise, mon corps. Mais si je tue, c'est la vérité qui est atteinte, c'est l'âme qui meurt[14]!»

La police la relâcha, car son errance avait un fondement religieux. Son message disait de «s'adonner au doux périple de la prière et de l'exemple[15]», et elle voyait en elle «l'incarnation du cœur de l'univers» qui invoque le retour de la paix.

La Pèlerine de la Paix fut souvent perçue comme une Femme indomptée en raison de son cœur confiant et généreux. Mais elle n'était pas naïve. Consciente du fait que l'humanité «marche, titube et trébuche dans un équilibre précaire entre le chaos et la renaissance», et qu'une force considérable la pousse à la destruction, la Pèlerine de la Paix croyait que la seule victoire sur la peur consiste à lui faire face. Ainsi, elle était disposée à affronter le chaos avec le secours de la sagesse et du courage de la Femme indomptée, dont la force sauvage rayonne d'espoir. S'exprimant avec la folle sagesse de l'Itinérante, elle dit:

— Me voici telle que je suis, avec tout ce que je possède. Songez combien je suis libre! Je me lève et je m'en vais. Rien ne me retient[16].

Elle vécut comme «les lis des champs». La Pèlerine de la Paix parcourut le pays jusqu'à la fin de sa vie. Elle mourut il y a plusieurs années, dans une collision frontale, alors qu'on la conduisait au lieu d'une conférence sur la paix. Sa mort fut telle qu'elle avait souhaitée: «une traversée glorieuse vers une plus grande liberté[17]».

LE DILEMME APPARENT

Dans leur recueil d'entretiens intitulé *Shopping Bag Ladies: Homeless Women Speak about Their Lives,* Ann Marie Rousseau et Alix Kates Shulman soulignent le dilemme social auquel nous faisons face parce que nous négligeons de pourvoir aux besoins des itinérantes. Ce mauvais traitement apparent de nos semblables reflète le sentiment d'errance et de rejet que bon nombre de femmes éprouvent. Toutes ces femmes ne sont pas sans abri parce qu'elles sont pauvres, vieilles, séniles, déséquilibrées, victimes de violence, toxicomanes ou alcooliques. Ce sont parfois des situations de crise telles que la maladie, les querelles de ménage, l'incendie de leur domicile, une expulsion, un cambriolage, un chèque perdu qui les ont jetées à la rue et les ont rendues inaptes à trouver de l'aide. Mais elles souffrent toutes de l'isolement auquel nous avons tendance à condamner la femme rejetée et seule, qu'elle soit vieille ou d'âge mûr.

Une fois dehors, les femmes deviennent victimes du bruit, du manque d'intimité, et aussi de la stupeur, de la désorientation et de la confusion, conséquences du manque de sommeil, de la malnutrition, de la peur d'être attaquées ou violées, du froid et de l'épuisement. Ceci rend encore plus difficile la recherche d'un abri sûr. Certaines de ces femmes ont très peur d'être internées ou jetées en prison, et elles préfèrent souvent se débrouiller toutes seules plutôt que de mendier ou dépendre du système.

Au cours de ces entretiens, quelques-unes de ces itinérantes déclarèrent qu'elles préféraient courir des risques dans la rue, car elles se sentaient plus en sécurité dehors que dans les hôtels borgnes où elles risquaient à tout moment d'être attaquées dans les escaliers. Une itinérante dit qu'elle avait été chassée d'un hôtel par le gérant qui lui avait déclaré faire plus d'argent en louant ses chambres à des prostituées. Certaines villes offrent des refuges aux hommes mais pas aux femmes. Beaucoup d'itinérantes ne savaient pas comment composer avec l'attitude bête et impersonnelle des fonctionnaires pour obtenir de l'argent et un toit. Ainsi que le déclarait une Amérindienne, venue à New York avec sa mère pour vendre les produits de leur artisanat et expédier l'argent à leur tribu:

— Je suis allée à Mary House, mais il n'y avait plus de place. Ils m'ont envoyée au Refuge des Femmes, et maintenant, ils disent qu'ils vont m'enfermer dans une institution. C'est pire que mourir. J'aime mieux vivre dehors plutôt que finir dans un de ces endroits-là[18].

Les itinérantes qui ont honte de mendier et qui tiennent à leur fierté et à leur intégrité ne sont pas rares. L'une d'elles, qui se retrouva à la rue quand elle quitta son mari, dit que celui-ci contrôlait totalement son existence. Il était souvent en proie à de violentes colères, et il la battait.

— Il ne savait pas contrôler ses émotions. On soulevait le couvercle et, dessous, il n'y avait que le chaos[19].

Pourtant, c'est *elle* que l'on disait «folle». Une autre femme plus jeune, qui avait préalablement été victime d'une dépression nerveuse, se plaignait que les hommes qui s'offraient à l'aider voulaient en réalité coucher avec elle.

— Bien sûr, les femmes sont victimes de discrimination, et je suppose que c'est à cause de cela que j'étais prête à exploser comme un volcan. L'éruption a finalement eu lieu et j'ai cru perdre la tête, car je me suis tue.[20]

Nous ne connaîtrons pas de solution au problème social que représentent les itinérantes si nous nous fermons les yeux. Ceci est vrai tant d'un point de vue intérieur qu'extérieur. Que nous le voulions ou non, la peur d'être abandonnée et jetée à la rue, la peur de devenir Itinérante est tapie dans le subconscient de la plupart d'entre nous. Tant que nous ne regarderons pas cette peur en face, nous serons incapables de la transformer, tant dans notre vie personnelle que dans la société en général. Nous devons apprendre à nous préoccuper de la nature féminine sous toutes ses formes, qu'il s'agisse de l'itinérante solitaire de la rue, de l'Itinérante oubliée en nous-mêmes, ou de la Terre Mère où nous vivons et que nous ne respectons pas. Au cours d'un atelier, une femme présente exprima l'engagement personnel et cosmique de l'Itinérante dans le poème qui suit:

Notre Mère Itinérante

Les bas en accordéon,
Les souliers usés,
La rose au chapeau...
Elle était là, assise sur la plage,
Et je la regardais.
Elle transportait son monde dans des sacs
Posés à ses côtés...
Hautes montagnes, profondes vallées,
Et la mer à marée haute.
Je jure que la mer a rugi,
Que le vert des forêts avait une odeur.
J'ai senti la fraîcheur du vent;
J'ai vu la neige;
Puis je sus qu'elle m'avait remarquée.
Elle posa sur moi ses yeux noirs et fous;
Je n'eus pas de mots
Pour Gaia
Déshonorée,
Destituée.
Elle se leva et s'en alla au loin.

1. Jane Wagner, *The Search for Signs of Intelligent Life in the Universe,* New York, Harper and Row, 1986, p. 15.
2. Ibid., p. 17.
3. Ibid., p. 18.
4. Ibid.
5. Ibid. p. 21.
6. Ibid., p. 201.
7. Ibid., pp. 202-203.
8. Ibid., p. 206.
9. Ibid., p. 19.
10. *Peace Pilgrim: Her Life and Work in Her Own Words,* Santa Fe, NM, Ocean Tree Books, 1991, p. vi.
11. Ibid., p. 1.
12. Ibid.
13. Ibid., p. 28.
14. Ibid., p. 37.
15. Ibid., p. 27.
16. Ibid., p. 56.
17. Ibid., p. xiv.
18. Ann Marie Rousseau et Alix Kates Shulman, *Shopping Bag Ladies: Homeless Women Speak about Their Lives,* New York, Pilgrim Press, 1981, p. 82.
19. Ibid., p. 53.
20. Ibid., p. 115.

7

La Recluse

L'âme se choisit pour compagne –
Puis elle ferme la porte
sur ses divines consœurs –
Absente, pour toujours.

Emily Dickinson

Un jour que je me promenais seule dans la montagne, je fis la rencontre d'une femme plus âgée que moi. Puisque je suis moi-même une recluse vaguement excentrique, heureuse de me promener ainsi pour jouir de la solitude, nous avons vu que nous étions faites du même bois et nous nous sommes mises à bavarder. Cette femme avait déjà mené une existence normale de banlieue, mais après la mort de son mari, elle fut tout à coup libre de faire tout ce qui lui plaisait. Elle passait ses étés seule dans un chalet en pleine forêt, où elle pouvait chanter avec les oiseaux, poursuivre les chevreuils, observer les gambades des renards et des tamias. Ces moments passés en compagnie de ses amis les animaux stimulèrent son imagination, et elle devint un excellent poète. Mais ses anciens amis la trouvaient un peu bizarre, et parfois elle se sentait elle-même ainsi quand elle s'arrêtait pour manger seule dans un restaurant en se rendant à son chalet. Elle avait été heureuse dans sa vie de couple, et maintenant elle était encore heureuse, mais autrement. Elle n'avait pas envie de se remarier. Elle aimait la nouvelle vie qu'elle s'était créée en vivant en harmonie avec ses rythmes naturels.

Une personne célibataire qui ne vit pas selon les conventions sociales est souvent prise en pitié, traitée avec condescendance, ostracisée ou même considérée bizarre ou folle par ceux qui vivent normalement. Ceux qui tournent en ridicule les solitaires excentriques en ont peut-être peur en secret, car la personne seule refuse et menace leur style de vie. La Recluse n'a pas d'âge. Ce peut être une adolescente douée, une femme divorcée, une personne d'âge mûr en crise, une jeune femme qui opte pour la solitude, une célibataire ou une veuve, mais la plupart du temps, on projette cette image négative sur les femmes d'âge mûr ou sur les célibataires âgées.

La Recluse est souvent perçue comme une Femme indomptée et, en effet, certaines personnes qui vivent dans l'isolement en raison de la peur, de la colère, de l'amertume ou de la paranoïa sont parfois réellement déséquilibrées. L'exemple classique de la femme âgée qui partage sa masure avec quarante chats se retrouve dans la littérature chez des personnages tels que Madame Havisham, du roman *Les grandes espérances* de Dickens, qui se berce dans sa chambre du grenier, revêtue de sa robe de mariée, attendant toujours le mari qui l'a abandonnée le matin de ses noces.

Les femmes célibataires appréhendent souvent de devenir «vieilles filles», ces autres modèles de Recluses tirés de la réalité et de la fiction. Il n'y a pas si longtemps, «coiffer la sainte Catherine», c'est-à-dire parvenir à l'âge de vingt-cinq ans sans avoir trouvé de mari, était jugé négativement par les femmes, qui recevaient alors le titre peu enviable de «vieilles filles». De nos jours encore, les femmes célibataires sont ainsi perçues et souvent considérées folles ou excentriques. On dit habituellement d'un homme célibataire qu'il est libre de goûter la vie, tandis qu'une femme sans homme est prise en pitié. Certaines femmes se marient encore aujourd'hui pour éviter le stigmate de la vieille fille bien qu'elles aient aspiré à conserver leur indépendance. D'autres optent pour le célibat, soit par choix personnel, soit parce que, n'ayant pas trouvé de partenaire idéal ou convenable, elles refusent les compromis. D'autres encore ne trouvent pas d'hommes qui s'intéressent à elles parce qu'étant trop laides, trop grandes, trop grosses, trop timides, et ainsi de suite, elles ne correspondent pas à l'idéal de la société. Cependant, il se trouve même parmi les femmes heureuses en ménage des femmes qui rêvent d'avoir du temps à elles pour s'occuper de ce qui les intéresse. Elles rêvent de posséder «une chambre à soi».

Le fait de présumer que les femmes seules sont malheureuses ou pitoyables est non seulement condescendant, c'est aussi l'indice que l'homme, la femme ou le couple qui fait cette projection a peur de la solitude. Se retrouver seul (c'est-à-dire perdu, laissé pour compte, abandonné ou rejeté) et ne pas être en mesure de subvenir à ses propres besoins est la plus grande terreur de tous ceux qui accordent une réelle importance aux relations de couple ou qui, n'ayant pas su développer une riche vie intérieure, ne sont pas en paix avec eux-mêmes. Pour éviter la solitude humaine que nous devons tous affronter un jour ou l'autre, de nombreuses personnes projettent leur horreur de l'isolement sur la femme célibataire.

La femme seule qui n'est pas parvenue à composer avec sa solitude court le risque de faire l'expérience des aspects négatifs de la Recluse, soit l'isolement et la paranoïa. La romancière britannique Jean Rhys décrit cette facette de la Femme indomptée, c'est-à-dire la femme qui se sent seule et rejetée et qui refuse la pitié qu'on lui manifeste. Il arrive souvent qu'elle soit le plus cruellement jugée par d'autres femmes. Dans le roman de Rhys, *Good Morning, Midnight,* une femme aux abords de la cinquantaine est assise dans un café et souffre en toute lucidité tandis que deux jeunes filles se moquent d'elle. Elle marmonne, exprimant ainsi la fureur qui la dévore:

> Peu importe... un jour, brusquement, quand vous ne vous y attendrez pas, je tirerai un marteau des plis de mon manteau sombre et je fendrai votre petit crâne aussi facilement qu'une coquille d'œuf. Crac! la coquille éclatera en morceaux; le sang, le cerveau s'en échapperont. Un jour, un jour... Un jour le loup cruel qui m'accompagne vous sautera dessus et dévorera vos abominables tripes. Un jour, un jour[1]...

Au contraire, Léonie, une femme d'une quarantaine d'années, s'identifie beaucoup aux facettes positives de la Recluse. Indépendante et créative, elle aime la solitude et a vécu plus longtemps seule qu'en couple. Elle passe des journées entières toute seule, s'adonnant à son travail créateur avec délices. Qu'elle se promène, qu'elle joue d'un instrument, qu'elle fasse du ski de randonnée ou qu'elle lise, elle entre parfois dans une sorte de transe. La nature et l'art l'exaltent et la rendent heureuse. Sa vie de recluse lui procure cet espace sacré où elle accède à sa nature la plus profonde. C'est le lieu où elle peut toucher son âme et sa spiritualité.

Cependant, comme bon nombre de femmes solitaires, Léonie ressent parfois une légère paranoïa. Elle s'estime alors si différente que la présence de couples mariés la rend mal à l'aise, comme si elle n'était pas normale. Parfois, les aspects négatifs de Femme indomptée recluse qui vit en elle lui inspire de l'amertume face à la «normalité» de ses amis mariés, l'isole encore davantage et lui fait craindre qu'on exigera trop d'elle. Léonie évite parfois le contact des autres pour se garder de la codépendance quand elle ne sait pas canaliser son énergie. Sa solitude devient négative quand elle l'empêche de s'ouvrir aux autres et de demander de l'aide, et quand sa carapace fait obstacle à l'expression de ses sentiments.

Les personnes qui ne comprennent pas la relation entre créativité et solitude voient en la retraite de Léonie un indice de folie. Son autosuffisance ennuie les maris de ses amies, que son courage rebute. Certains d'entre eux croient même qu'elle exerce une mauvaise influence sur leurs épouses qui pourraient être tentées de l'imiter. En tant que Recluse, Léonie n'apprécie pas les réunions mondaines où les conversations lui semblent le plus souvent superficielles et futiles. Elle préfère rester chez elle avec un bon livre. Mais quand il lui arrive de s'y rendre et d'y rencontrer une personne intéressante, elle s'absorbe pendant des heures dans une conversation sérieuse. Sa participation à un groupe d'aide lui a permis de s'ouvrir davantage et de trouver un équilibre entre sa vie intérieure et sa vie sociale. Une remarque entendue à l'occasion d'une de ces rencontres, «Vous seule pouvez le faire, mais vous ne pouvez pas le faire seule», mettait l'accent sur la nécessité de préserver ce paradoxe qui opposait son indépendance de recluse et son besoin de contact humain.

Quand Léonie doit faire preuve de discipline pour peindre, pour écrire ou étudier ou pour pratiquer son saxophone, elle fait mentalement appel à une représentation positive de la Recluse. C'est dans ce courage intérieur qu'elle puise la foi et la force nécessaires à sa fusion avec ses sentiments, son énergie et ses rythmes naturels et qu'elle parvient à ressentir et à exprimer sa puissance créatrice. Pour combattre sa tendance à se laisser distraire par des éléments extérieurs, Léonie a trouvé un modèle féminin en Miss Helen, le personnage de la recluse dans *The Road to Mecca,* une œuvre dramatique sensible qui illustre l'importance universelle et l'intégrité de la vie solitaire.

LA VIEILLE RECLUSE: *THE ROAD TO MECCA*

The Road to Mecca raconte l'histoire d'une vieille femme solitaire, luttant pour sa liberté créatrice, combat que nous menons tous un jour ou l'autre. Cette pièce d'Athol Fugard lui fut inspirée par l'histoire vécue d'une femme excentrique vivant dans une région reculée de l'Afrique du Sud. On y voit comment les créateurs sont souvent jugés malades par leur entourage, dans ce cas-ci les citoyens d'une petite ville, et illustre le courage exceptionnel que doit déployer la Femme indomptée pour préserver son intégrité et celle de son œuvre. *The Road to Mecca* montre aussi le dilemme entre le besoin de solitude et celui de voir son travail reconnu. Ce processus est illustré par deux femmes très différentes l'une de l'autre, chacune à sa façon Femme indomptée, et par la transformation qui s'opère en chacune d'elles comme conséquence à sa confrontation avec le Juge fou que représente la société patriarcale.

The Road to Mecca met en scène Miss Helen, une femme délicate et petite frôlant les soixante-dix ans qui, au décès de son mari quinze ans plus tôt, s'est mise à sculpter des statues jugées scandaleuses par son entourage. Avant la mort de son mari, elle menait une vie stricte, accompagnant son époux à l'église tous les dimanches. Soumise et obéissante, elle était la paroissienne préférée du pasteur Marius Byleveld. La veille des funérailles, Marius raccompagne Miss Helen chez elle, ferme les volets et tire les rideaux, lui offre des paroles apaisantes, allume une bougie et la laisse à sa solitude. Assise dans le noir, Miss Helen fixe la flamme de la bougie, attendant qu'elle s'éteigne et l'abandonne à l'obscurité. Elle a l'habitude de la pénombre, ayant connu pendant tant d'années un vide intérieur profond qu'elle a toujours caché aux autres. Mais, ce soir-là, il se passe une chose étrange. Au lieu de s'éteindre, la flamme de la bougie soudain grandit et s'anime, offrant à Miss Helen une vision de la flamme créatrice à laquelle elle se rendra.

Peu après, tard un samedi soir, elle voit mentalement l'image d'un hibou. Devinant que, comme lui, elle peut «voir dans l'obscurité», Miss Helen sait qu'elle ne pourra pas se rendre à l'église le lendemain matin, car elle doit sculpter ce hibou avant qu'il ne s'estompe. Le pasteur Marius, voyant sa place restée vide, s'inquiète à son sujet. Par la suite, Miss Helen s'absentera de plus en plus souvent de l'église pour se consacrer à la création d'une cité de lumière, sa Mecque personnelle, qui comprend un grand nombre de statues disposées partout dans la maison et dans le jardin. Elle chante en travaillant, et les gens de sa petite ville la croient folle. L'étrange rassemblement de chameaux et de Rois Mages tournés vers l'orient, les paons scintillants, les sirènes et les hiboux les choquent. Elle sculpte un Bouddha, une statue de l'île de Pâques, et une étrange créature mi-homme mi-coq au pantalon ramassé autour des genoux. Elle construit aussi une mosquée avec des bouteilles de bière. Ses concitoyens médisent d'elle et font peur aux enfants en leur parlant de ses «monstres». Un jour, ils lapident sa maison et ses sculptures.

Après quinze ans de visions et de travail, Miss Helen se met à avoir peur. Les images, l'inspiration ont cessé de se manifester. Sa vue baisse, son arthrite l'empêche de soulever des objets lourds et de prendre soin d'elle-même. Miss Helen craint la mort de ce qui compte le plus pour elle, soit ses facultés créatrices. Dépressive, elle écrit une lettre angoissée à sa seule amie, Elsa, une jeune enseignante de Capetown, dans laquelle elle se dit au cœur des ténèbres les plus sombres et en train de tout perdre. Elle parle d'en finir et décrit ses peurs à son amie:

> Je dois les voir très clairement d'abord. Elles doivent s'imposer à moi comme des images. Et si elles ne le font pas, eh bien, il ne me reste plus qu'à attendre… en espérant qu'elles viendront. Si au moins je savais comment les provoquer, mais j'en suis incapable. Je ne sais pas d'où ces images me viennent. Je ne peux pas me forcer à voir quelque chose qui n'est pas là. J'ai tenté de le faire une ou deux fois dans le passé quand j'étais acculée au désespoir, mais les sculptures que j'en tirais n'étaient que d'informes amas dépourvus de vie. Si elles ne viennent pas, je n'ai plus qu'à attendre…
>
> Je m'efforce d'être patiente, mais c'est difficile. Il ne me reste plus grand temps… et mes yeux… et mes mains… ils sont loin d'être ce qu'ils étaient. Mais le plus grave… s'il se trouvait que j'attends pour rien, que je ne recevrai jamais plus de visions, que cette fois, je suis parvenue *au bout de la route?* Mon Dieu, non! Non, je vous en supplie! Tout, mais pas ça[2].

Venue rendre visite à Miss Helen, Elsa trouve une femme moins soignée de sa personne que d'habitude, nerveuse, et qui essaie de se justifier. Elsa, qui a vingt-huit ans, semble aussi courageuse dans la vie que dans ses convictions sociales. Elsa est une Révolutionnaire, pas une Recluse. C'est une militante révoltée des injustices dont sont victimes les Noirs et les femmes en Afrique du Sud, prête à se battre pour défendre ses idées. À son arrivée, Elsa est amère et furieuse d'avoir été trahie par un homme qu'elle espérait épouser. Mais bientôt, la magie de la maison de Miss Helen l'atteint, avec ses miroirs colorés et ses objets merveilleux, et le sens de l'humour de la vieille femme la détend.

Les deux femmes s'étaient connues par hasard plusieurs années auparavant. Alors qu'elle traversait un village poussiéreux du Karoo, voulant échapper à des mouches qui la rendaient folle, Elsa s'engagea dans un chemin désert qui longeait le jardin de Miss Helen et aperçut ses sculptures. Elle avait entendu parler de la vieille femme réputée «folle à lier», mais pas dangereuse. Miss Helen était dans son jardin en train de réparer une sirène quand elle remarqua le regard étonné de la jeune femme. Elle lui demanda si elle connaissait le chemin de La Mecque. Elsa ne pouvant lui donner une réponse satisfaisante, elle pointa son doigt en direction de l'est et l'invita à boire une tasse de thé. Comme la lumière baissait, Miss Helen alluma des bougies non sans quelque hésitation, car la pièce magiquement éclairée et colorée exprimait sa nature profonde.

Habituée aux regards impolis des villageois qui trouvaient sa maison laide, Miss Helen n'avait jamais laissé quiconque pénétrer à l'intérieur de son univers scintillant et fantaisiste. Elle payait cher d'avoir été si longtemps traitée de «vieille folle[3]». Miss Helen n'avait rien accompli depuis un an, mais les yeux brillants d'étonnement d'Elsa lui rendirent sa fierté.

— La lumière est un miracle, lui dit-elle, à la portée des êtres les plus simples[4].

Ce soir-là, après le départ d'Elsa, son esprit fut submergé de visions pour sa Mecque. Miss Helen sut avec bonheur qu'elle pourrait se remettre à créer.

L'amitié des deux femmes, la jeune et la vieille, se développa dans la créativité.

— J'ai confiance en toi, dit Miss Helen. C'est pour cette raison que ma petite fille peut sortir jouer. Toutes les portes lui sont ouvertes[5]!

En effet, c'était la «petite fille» en Miss Helen qui sortait jouer la première et aidait ainsi la stricte Elsa à se détendre et à s'amuser. Quand ces deux femmes «jouaient ensemble», l'humour de «la vieille folle» se fondait avec le sérieux de la jeune militante et donnait lieu à une merveilleuse amitié féminine.

Cette fois, Elsa ne vient pas jouer mais découvrir ce qui cloche. La vieille femme lui avoue enfin que le conseil de fabrique souhaite la voir s'installer dans un foyer pour personnes âgées, car les paroissiens pensent qu'elle ne peut plus vivre seule. Miss Helen a, en effet, eu quelques petits accidents dus à sa vue chancelante et à son arthrite, notamment un grave incendie dans sa maison. Elsa est d'abord choquée que le conseil de fabrique veuille «enfermer» son amie dans une maison «sûre» pour personnes âgées, la retirant ainsi du monde. Puis elle s'aperçoit que Miss Helen se laisse bousculer par le pasteur Marius. Si elle veut survivre, songe-t-elle, elle devra apprendre à se défendre. Elle lui donne donc quelques conseils pratiques — consulter un médecin et un opticien pour soigner son arthrite et corriger sa vue défaillante, et trouver de l'aide pour les soins du ménage.

Enfermer Miss Helen dans un foyer pour personnes âgées constituerait une victoire de l'Église patriarcale, car son style de vie non conformiste dérange les paroissiens. Miss Helen est elle-même consciente du fait que le pasteur Marius n'attend que le moment où elle vivra en conformité avec les règles sociales et cessera de sculpter sa Mecque. Jusqu'à présent, elle n'a pas eu à défendre ses intérêts. Mais le moment est venu où, si elle ne s'oppose pas à la décision du pasteur Marius, elle s'opposera à sa propre vie. Helen le sait, mais dans sa confusion elle a besoin de la force et de l'autorité d'Elsa. Elle demande à cette dernière d'intercéder pour elle auprès du pasteur Marius.

Au cours de la rencontre qui s'ensuit entre Marius et Elsa, Marius se montre tour à tour condescendant et enjôleur à l'égard de Miss Helen, selon lui une vieille inoffensive qui a besoin d'aide. Elsa comprend que Miss Helen fait peur parce qu'elle est différente, et répond qu'on ne lapide pas les vieilles femmes inoffensives. Les gens de la région sont jaloux de l'inspiration de Miss Helen et craignent ses sculptures de La Mecque qui sont l'expression de sa liberté.

— Je suis persuadée que c'est un péché mortel dans ces parages. Une femme libre! Dieu nous pardonne[6]!

Elle ajoute que Miss Helen est «le seul esprit vraiment libre» qu'il lui ait été donné de rencontrer et que la vieille femme l'a forcée à devenir plus consciente et plus responsable de sa propre vie, ce qu'elle ne croyait pas pouvoir faire avant de la connaître.

À ce moment, le pasteur Marius dévoile ses véritables inquiétudes. Il parle de son angoisse, de sa tristesse à constater que Miss Helen a abandonné l'église pour ses «monstruosités de ciment» qui, à une autre époque, «auraient sans doute été de l'idolâtrie[7]». Il avoue être ébahi et jaloux qu'elle ait mis fin à leur longue amitié et qu'il déteste le lunatique mot de *liberté*. Se posant en Juge, Marius défend son point de vue comme le seul valable.

Miss Helen a recouvré son calme et son courage. Elle dit à Marius qu'elle savait très bien ce qu'elle faisait quand elle choisit de rester à la maison ce premier dimanche pour sculpter un hibou.

— On ne met pas fin à l'habitude de toute une vie, dit-elle avec vigueur, sans se rendre compte que rien ne sera plus jamais comme avant[8].

Puis, Miss Helen demande avec autorité à Elsa d'allumer les bougies, à commencer par le candélabre au milieu de la pièce. Elle rayonne aussitôt, animée par sa vision de La Mecque qu'elle s'efforce de transmettre à Marius.

— Une ville, Marius! Une ville de lumière et de couleurs plus splendide que tout ce que j'avais pu imaginer. Partout des palais et des maisons magnifiques; des murs d'un blanc éclatant et des minarets qui scintillent. Les cours intérieures étaient pleines de statues étranges. Les rues étaient bondées de chameaux et d'hommes enturbannés parlant une langue que je ne comprenais pas, mais cela importait peu, car je savais, oh oui, je savais que c'était La Mecque! Je me rendais à la grande mosquée. Il y a une mosquée en plein cœur de La Mecque, Marius, et au milieu de cette mosquée, une pièce immense aux parois recouvertes de centaines de miroirs et aux lampes suspendues, et c'est là que les Sages de l'Orient étudient la géométrie céleste de la lumière et de la couleur. Cette nuit, je suis devenue leur apprentie[9].

Miss Helen est en extase. Voyant sa création, elle trouve son courage et son centre. Riant de joie, elle demande à Elsa d'allumer toutes les bougies qui se trouvent dans la pièce. Elle veut que Marius soit témoin de ce qu'elle a appris, comme de la magie et de la splendeur qu'elle a su créer dans cette pièce.

> Regarde, Marius! Regarde! Ne sois pas inquiet. C'est inoffensif. Ça veut seulement jouer. C'est ce que je fais, ici. Nous nous amusons comme des enfants avec un jouet magique qui ne cesse de nous émerveiller et de nous occuper. N'allume qu'une bougie ici, une seule petite étoile, et voilà qu'elle se met à danser. Je lui ai même appris à tourner dans les coins. Oui! Quand je m'étends sur mon lit et que je regarde *dans ce miroir-ci,* je peux voir *ce miroir-là,* et *dans ce miroir-là* la pleine lune qui monte sur le Sneeuberg *dans mon dos!* Ceci est mon univers et j'en ai banni l'obscurité.
> Je ne suis pas folle, Marius. On dit que les fous ne savent pas faire la différence entre la réalité et l'illusion. Moi, je peux. Je sais reconnaître ma petite Mecque dehors et cette pièce pour ce qu'elles sont. J'ai dû apprendre à tordre des fils de fer rouillés pour leur donner une forme, et à mélanger du ciment pour sculpter mes Mages et mes chameaux, et comment moudre des bouteilles de bière dans un moulin à café pour que mes murs brillent. Mes mains ne l'oublieront jamais. Ce sont elles qui m'empêchent de devenir folle. Je ne pouvais rien faire de mieux ni m'approcher davantage de la vraie Mecque. Mon voyage a pris fin. Je n'irai pas plus loin.
> Je n'aurai pas besoin de ceci (*le formulaire d'admission).* Je ne pourrais pas rapetisser mon univers aux dimensions d'une chambre minuscule et de quelques objets[10].

Prenant de la sorte le contrôle de sa vie et montrant qu'elle accepte sa mort et s'y prépare, Helen remet au pasteur les formulaires d'entrée à la maison de retraite qui admet enfin la finalité de sa décision. Secrètement amoureux d'Helen, Marius comprend qu'ils ont emprunté des chemins différents.

— Et tu as fait plus que lui dire non, dit fièrement Elsa à Hélène. Tu t'es affirmée en tant que femme[11].

Soudainement, Elsa éclate en sanglots. Elle avoue s'être fait avorter et se détester de l'avoir fait. Elle est en outre très amère du sort qu'on réserve aux femmes de race noire en Afrique du Sud et de la vieillesse d'Helen. Elle regrette son impuissance. C'est au tour d'Helen d'aider Elsa, de la réconforter pendant qu'elle pleure. Les deux femmes, une jeune au seuil de son périple, une vieille parvenue au bout de la route et «à la dernière étape de son apprentissage», puisqu'elle affronte les ténèbres de la mort, se regardent et rient[12]. Leurs bras s'ouvrent, confiantes de pouvoir s'aider l'une l'autre à faire le saut dans l'inconnu, à la fois seules et ensemble.

Elsa et Miss Helen sont deux facettes de la Femme indomptée. Elsa est l'Amoureuse rejetée et amère, dissimulant ses larmes sous son armure de colère. Elle craint de se montrer vulnérable. Mais sous l'armure, une petite fille a envie de jouer et aspire à être aimée et acceptée. Elsa doit intégrer la créativité ludique de Miss Helen et sa vulnérabilité, tout comme la douce Helen doit développer en elle l'autorité et le courage dont Elsa fait si aisément preuve. Elsa incarne une facette positive et révolutionnaire de la Femme indomptée par sa révolte devant les injustices sociales. La colère de la Femme indomptée a su attiser un grand nombre des réformes amorcées par le mouvement de libération des femmes, et elle est tout autant nécessaire aujourd'hui pour mettre un terme aux injustices et aux abus psychologiques, économiques et politiques. L'énergie de Femme indomptée recluse dont fait preuve Miss Helen, tournée vers l'intérieur, est une affirmation de la liberté d'expression créatrice qui engendre souvent les réformes sociales. Ces deux aspects complémentaires de la Femme indomptée illustrent ce qui peut naître d'une rencontre remarquable entre deux ou plusieurs femmes.

Le personnage de Miss Helen incarne la transformation qui peut avoir lieu chez la Femme indomptée qui affirme et exprime sa créativité en dépit du mépris de ses semblables. Bien qu'elle mène une existence retirée, elle n'est pas coupée de l'affection, comme en témoigne l'amitié entre Elsa et elle. Seules les notions de folie que projette sur elle une société conformiste l'isolent des autres. Miss Helen a choisi sa façon de vivre en toute lucidité, car elle savait que pour être libre de créer elle devait sacrifier certaines choses. Pour donner vie à ses visions, ses mains plient du fil de fer et mélangent le ciment de ses sculptures. La discipline et le travail qu'elle consacre à donner une forme à ses visions intérieures lui permettent de modeler la réalité et de transformer l'espèce humaine, comme en témoigne Elsa, dont la rencontre avec Miss Helen et sa Mecque lui ont permis de se hisser à un niveau supérieur de conscience et de responsabilité. La Mecque d'Helen est le symbole du lieu sacré de l'Orient, le centre et le but du musulman pratiquant. Pour elle, c'est une raison de vivre et l'actualisation de ses visions personnelles uniques, la concrétisation de la couleur, de la lumière et de la fantaisie «à la portée des êtres les plus simples[13]». Mais pour créer cette Mecque, Miss Helen dut trouver le courage de s'écarter de la norme chrétienne approuvée par les villageois. Elle dut voyager seule. Confiante en elle-même, en ses visions et en ses émotions, elle symbolise la femme qu'illumine la flamme intérieure de l'esprit féminin. Miss Helen est l'incarnation de cette «folie divine» propre à la création. D'après Socrate, la mouche des chevaux nous pousse à sortir de notre léthargie habituelle pour trouver un sens à la vie. Et en effet, Elsa est ennuyée par les mouches dans ce village poussiéreux et chaud quand elle se réfugie à la maison d'Helen. Sa vie est alors transformée par la rencontre du seul véritable esprit libre qu'elle connaisse, une «folle mouche» dont l'art est l'expression authentique de sa vie.

La Recluse est personnifiée par Miss Helen, la sage vieille chouette qui, en nous, confirme l'importance du périple que chacun doit entreprendre seul, ce passage de la naissance à la mort. Comme le personnage littéraire de Miss Helen, l'écrivain et biologiste recluse Rachel Carson a su obéir aux exhortations de son esprit et devint un des premiers défenseurs de la vie sur terre.

LE RESPECT DE L'ENVIRONNEMENT: RACHEL CARSON

Rachel Carson est une Recluse devenue Révolutionnaire. Elle fut aussi une Visionnaire. Surnommée la «Prêtresse de l'environnement», elle s'est insurgée, dans son livre intitulé *Silent Spring*, contre l'empoisonnement de notre planète. Dès 1962, elle préconisait une approche écologique de la vie. Démontrant comment les pesticides et autres agents toxiques détruisent l'environnement et la nourriture que nous consommons, Rachel Carson livra seule aux industries chimiques une guerre qui devait plus tard modifier le cours de l'histoire. Cette femme timide et aimant la nature fut violemment accusée d'être une «hystérique en proie à des sautes d'humeur» par ses adversaires furieux. On l'accusa de terroriser le public et d'allumer la controverse par ses discours chargés d'émotion. Ses ennemis prétendaient qu'il fallait l'ignorer. D'autres rejetaient ses livres comme autant de «bêtises»[14]. Les horticulteurs, les diététiciens et autres spécialistes de la santé la critiquèrent avec condescendance.

Naturaliste et poète, pionnière dans le domaine de la pensée holiste et consciente que nos moindres actes affectent l'environnement, Rachel Carson avait pour préoccupation première de préserver l'équilibre écologique. Elle savait que nos interventions brutales et insensées auraient pour conséquence non seulement de détruire la beauté de la nature mais aussi toute forme de vie sur terre. Elle s'inquiétait de l'arrogance avec laquelle les êtres humains assaillent l'environnement et abusent de toutes les espèces vivantes.

Rachel Carson était reconnue pour son humilité et sa douceur, et ses amis la disaient fière et passionnée. Elle était sérieuse, mais non dépourvue d'humour. Toujours attentive, perspicace, calme et réservée, elle abhorrait les «babillages» et jouissait du silence et de la solitude des grands espaces. Née un 27 mai 1907, elle grandit aux alentours de Pittsburgh, en Pennsylvanie. Elle aimait explorer les forêts et les champs et jouer avec les animaux de la ferme. Benjamine d'une famille de trois enfants, elle était une petite fille solitaire qui aimait parcourir seule «les forêts et les rives des ruisseaux, et découvrir les oiseaux, les insectes et les fleurs[15]».

Rachel disait que son amour de la nature était un don de sa mère, qui encouragea et partagea sa conscience des beautés et des mystères naturels. Couvée par celle-ci dans son enfance en raison de sa constitution fragile, Rachel restait souvent à la maison quand elle tombait malade. Naguère enseignante, sa mère lui dispensait alors des leçons et lui faisait la lecture. Rachel adorait les livres et, toute jeune, elle aspirait déjà à devenir écrivain. À l'âge de dix ans, elle remporta un prix pour une courte nouvelle qu'elle avait écrite, et à onze ans, elle vendit un article sur saint Nicolas. Solitaire, concentrée sur ses études, elle n'avait pas de vie sociale et très peu d'amis. Mais ses camarades la respectaient, et ses professeurs orientaient et encourageaient ses talents. Elle obtint une bourse pour poursuivre des études de lettres dans une université de femmes (aujourd'hui Chatham College) où elle écrivit dans le journal étudiant. La biologie et la zoologie la passionnant également, elle s'intéressa à la génétique et obtint une maîtrise en zoologie à l'Université Johns Hopkins. Plus tard, elle enseigna à son *alma mater* ainsi qu'à l'Université du Maryland. Elle passa plusieurs étés au Woods Hole Marine Biological Laboratory, au Massachusetts.

La mer fascinait Rachel, qui en écrivit plus tard la biographie (*The Sea Around Us)*, sentant que sa destinée lui était étroitement liée. Elle aspirait aussi à devenir poète, et même si ses poèmes ne reçurent pas l'aval des revues auxquelles elle les soumettait, son imagination poétique mariée à sa passion pour les sciences lui permit d'écrire des ouvrages magnifiques sur la nature. Mais ses premières contributions professionnelles à l'écriture consistèrent en des articles de journaux et des textes de radio pour le Département des Pêcheries (Bureau of Fisheries), qui lui valurent un poste permanent en qualité d'océanographe. Pendant la Dépression, alors qu'elle approchait de la trentaine, elle perdit son père et dut subvenir aux besoins de sa mère. L'année suivante, au décès de sa sœur, elle prit ses deux nièces en charge.

«Undersea», son premier essai à connaître une diffusion nationale, fut publié par *The Atlantic Monthly* en 1937. Elle y décrivait les mystères de la vie océanique dans une suite de très belles images. Les éditeurs lui commandèrent un ouvrage qui fut publié trois ans plus tard, *Under the Sea-Wind.* Le personnage central en était la mer elle-même, qui détenait un «pouvoir de vie et de mort» sur chacun de ses habitants. Elle y décrivait les interrelations entre toutes les formes de vie maritime et leur parcours du temps, impossible à mesurer selon l'horloge humaine. *Under the Sea-Wind* constitue une exquise description de l'océan et de ses créatures, mais il n'eut qu'un faible succès d'estime. Rachel comprit, à sa grande déception, qu'à moins d'écrire des best-sellers, elle ne pourrait gagner sa vie avec ses livres. Mais elle avait l'écriture dans le sang.

Rachel connut le dilemme classique de la Recluse déchirée entre le besoin de s'isoler en elle-même pour écrire et les vicissitudes de l'existence. Elle écrivait tard le soir, en compagnie de ses chats qui lui tenaient compagnie et étaient sans doute ses Muses. La solitude est un sacrifice auquel doit consentir l'écrivain, disait-elle.

> Écrire est une occupation solitaire. (...) Pendant son travail créateur, l'écrivain doit se couper des autres et affronter seul son sujet. Il pénètre alors dans un domaine jusque-là inconnu de lui, peut-être même inconnu de tous. C'est un endroit solitaire et un peu terrifiant. (..) Aucun écrivain ne demeure immobile. Il doit créer ou périr. Chaque tâche complétée comporte l'obligation pour lui de passer à autre chose[16].

Mais pour pouvoir écrire, Rachel devait se «retirer dans ma caverne secrète[17]». L'isolement et la solitude étaient prodigues de récompenses en dépit de la difficulté qu'ils représentaient. Ils permettaient à l'écrivain «d'apprendre à écouter ce que son sujet veut lui dire[18]». Rachel devait permettre à son sujet de l'habiter et de prendre le contrôle, de «déclencher le processus créateur au moment où l'on fait l'expérience de la vraie douleur d'écrire[19]». Concentrée sur l'évolution sensible de l'écriture, elle s'efforçait toujours de déceler l'unité profonde d'un ouvrage, son battement de cœur. Son penchant naturel à la réclusion fut ce qui la soutint dans cette «détermination désespérée», dans cette torture que tant d'écrivains ressentent quand ils sont au travail. Les écrivains sont souvent bouleversés par le processus créateur. Voici comment Rachel percevait ce chaos:

> Je compris que je m'étais longtemps efforcée d'écrire un livre qui n'était pas le bon, et quand je m'attardais aux coraux, aux mangliers et le reste, j'eus l'impression d'être enfin parvenue à traiter «correctement» mon sujet. [...] Le livre est devenu une interprétation de quatre types de rivages, les autres chapitres ne représentant que le cadre de ces passages qui sont le cœur même du livre. [...] La découverte de cette solution confère beaucoup de liberté à mon style. Les efforts que j'avais déployés pour écrire des chapitres sans structure qui n'étaient qu'une suite de petites biographies concises m'avaient rendue folle[20].

Rachel écrivait jusque tard dans la nuit, entourée de ses auteurs favoris en qui elle puisait son inspiration — Conrad, Melville, Thoreau, Richard Jefferies, Henry Beston, H. M. Tomlinson, Henry Williams. Elle avait désiré vivre de sa plume, mais puisqu'elle devait subvenir aux besoins de sa mère et de ses nièces adoptives, elle avait accepté un poste de rédactrice auprès du Département de la Pêche et de la Faune (Fish and Wildlife Service). Son travail lui laissait peu de temps pour l'écriture. L'une des premières femmes à occuper un poste aussi élevé, elle dirigeait presque tout le service éditorial et se montrait très exigeante envers elle-même et son équipe qui lui fournissait l'information dont elle avait besoin sur la nature et sa conservation, mais elle était aussi appréciée pour son ludisme et son goût prononcé de la plaisanterie.

À la maison, sa mère s'occupait des travaux du ménage, permettant ainsi à Rachel de fréquenter des intellectuels avec lesquels elle pouvait parler de musique, d'art, de littérature et de ce qui la passionnait. Elle passait presque tout son temps libre à se promener et à explorer les sanctuaires naturels. À l'été de 1946, elle loua un chalet au bord d'une rivière du Maine. Elle adorait tant les bruits et les parfums de la campagne solitaire qu'elle se mit à rêver de s'acheter un jour un chalet en pleine nature, et réalisa son rêve sept ans plus tard grâce au succès de son livre intitulé *The Sea Around Us*. Ces moments de solitude la comblaient d'émotion. Il lui arrivait même de pleurer d'émerveillement devant les mystères du monde sauvage. Elle sentait qu'un lien spirituel et physique étroit l'attachait à la moindre créature vivante et au rapport complexe entre l'environnement et tout ce qui y vit. Elle éprouvait du respect pour la vie et de l'émerveillement pour son «Créateur et ses créations». Mais la colère l'envahissait devant ceux qui prenaient plaisir à tuer les créatures vivantes, attitude qui, disait-elle, faisait régresser l'humanité.

Bien que Recluse, Rachel s'entourait de nombreux amis qui partageaient tous son amour de la nature. L'un d'eux était son agent littéraire, Marie Rodell, qui l'accompagna plus tard dans un voyage de recherche en haute mer pour la rédaction de *The Sea Around Us*. Elles furent les premières femmes à obtenir la permission de monter à bord du navire de recherche du gouvernement. Rachel apprit à faire de la plongée sous-marine, bien qu'elle n'ait pas été une nageuse expérimentée.

La rédaction même de *The Sea Around Us*, publié en 1950, lui avait coûté trois ans de travail. Il rassemblait les fruits du travail de toute une vie, à partir de sa fascination de l'océan quand elle était petite. La genèse du livre remontait à sa première année d'études à Woods Hole, quand la lecture de travaux scientifiques et ses observations personnelles lui avaient permis d'accumuler de la documentation, et elle y rendait hommage aux spécialistes qui l'avaient aidée dans ses travaux.

Les dernières étapes de la rédaction furent chargées de stress. Les contraintes familiales, s'ajoutant à sa charge de travail, l'épuisèrent tant qu'elle connut une longue période d'insomnie. Elle dut renoncer aux promenades matinales printanières qu'elle consacrait à l'ornithologie et dans lesquelles elle trouvait son plus grand réconfort. Lorsqu'elle remit son manuscrit à son éditeur à l'été de

1950, bien plus que du soulagement elle en éprouva une sorte de deuil, comme c'est souvent le cas lorsqu'un écrivain arrive au terme d'un ouvrage. Après plusieurs rejets, quelques revues firent l'acquisition des droits de suite, notamment *The New Yorker,* ce qui améliora sensiblement sa situation financière. *The Sea Around Us* connut un succès immédiat. Les livres s'enlevaient comme des petits pains chauds, les éditeurs étaient constamment en rupture de stock et, avant la fin de l'année, l'ouvrage s'était vendu à deux cent cinquante mille exemplaires. Il fut traduit en trente-deux langues et se maintint en tête de la liste des best-sellers du *New York Times* pendant plus d'un an et demi.

Rachel bénéficia d'une publicité considérable, épreuve difficile pour une solitaire qui met sa vie privée au-dessus de tout. Elle obtint plusieurs prix, y compris le National Book Award, et fut reçue membre de la Royal Society of Literature de Grande-Bretagne. Invitée à prononcer des conférences, l'introvertie, la timide Recluse craignit de ne pas être à la hauteur. Mais elle prononça un discours inspiré dans lequel elle rendait compte de sa philosophie. Considérant que la science et la littérature sont d'une importance capitale, elle déclara qu'elles partageaient le but de «découvrir et éclairer la vérité[21]». Elle dit que son style poétique voulait exprimer la poésie de la mer, dont l'existence précédait de longtemps l'arrivée de l'homme sur terre.

— Qui sait, dit-elle, si nous retournions nos téléscopes pour regarder l'être humain dans cette lointaine perspective, nous serions moins portés à planifier notre propre destruction[22].

Les tournées de promotion et de conférences l'épuisèrent encore davantage. L'invasion de sa vie privée par un public curieux des écrivains célèbres lui fut difficile à supporter. La couverture de son livre ne portait pas de photo d'elle, de sorte que le public se fit d'elle, de son ombre en fait, une idée préconçue, la décrivant comme «une femme de haute taille et d'apparence rébarbative», «vénérable avec ses cheveux gris[23]». Hollywood s'intéressa au livre, et RKO en acquit les droits d'adaptation en un long métrage documentaire qui fut couronné par un Oscar. Mais en dépit de ce succès, le film déçut Rachel qui lui reprochait bon nombre d'erreurs scientifiques et de distorsions des faits.

Dans *The Sea Around Us,* Rachel mettait surtout l'accent sur les aspects physiques et géologiques de l'univers océanique, sur les marées et la vie sous-marine. Dans son livre subséquent, *The Edge of the Sea,* publié cinq ans plus tard, elle concentrait son attention sur les rivages des profondeurs marines, sur leur formation et sur la survie des espèces dont ils sont l'habitat. Un déluge de lettres de lecteurs, de projets promotionnels et d'invitations la gêna dans son travail. Elle dut fixer des limites, renoncer à bon nombre de projets invitants et même à voir ses amis pour parvenir à terminer ses recherches et son livre. Une bourse Guggenheim qu'elle remboursa plus tard grâce à ses droits d'auteur lui permit cependant de quitter son poste de fonctionnaire.

Dans cet ouvrage, Rachel Carson étudiait les collectivités vivantes plutôt que les individus, selon une approche écologique.

«Au bord de l'océan, la relation entre une créature et son milieu naturel n'a jamais une cause et un effet uniques. Chaque organisme vivant est relié à son univers par de nombreux fils qui forment le tissu complexe de la vie[24].»

Les droits d'auteur de *The Sea Around Us* permirent à Rachel d'acquérir une petite maison dans le Maine, sur des rochers surplombant la mer. Là, en accord avec cet océan qu'elle aimait, elle vécut auprès du sujet même de son travail, ce bord de mer agité par le flux et le reflux des marées. Alors qu'elle travaillait à un projet d'émission de télévision destiné à initier les enfants aux mystères de la nature, intitulé *The Sense of Wonder,* elle insista sur le fait que le sens de l'émerveillement de l'enfant et sa réaction aux secrets que la nature peut lui offrir sont le fondement le plus important de sa vie adulte. L'émotion précède les faits quand il s'agit de préparer le terreau où germe la maturité. Le sens de l'émerveillement est l'antidote le plus puissant de l'ennui et de la désaffection. Pour cela, disait-elle, chaque enfant requiert la présence d'au moins un adulte qui puisse lui faire partager les merveilles de la nature. Elle écrivit également un article sur l'importance de préserver les sites naturels avant que ceux-ci ne soient victimes du «progrès». Elle voulait que ses royautés servent à acquérir des régions côtières pour en faire des parcs nationaux; à sa mort, son testament allouait des fonds pour la conservation des régions sauvages du bord de mer et l'établissement d'une réserve faunique sur la côte du Maine.

À l'approche de la cinquantaine, Rachel entreprit le livre le plus exigeant de toute sa carrière, un ouvrage révolutionnaire qui remettait en question les technologies plaçant la planète en péril.

Cet ouvrage modifia le cours de l'histoire. Des années auparavant, en 1945, Rachel avait déclaré que l'usage intempestif du DDT menaçait la vie des oiseaux et des insectes bénéfiques, et pouvait mettre en danger l'équilibre naturel dont toute vie dépend. En 1958, les avions du gouvernement répandaient des quantités toujours plus grandes de pesticides, exterminant du même coup plusieurs espèces d'oiseaux et d'insectes. Rachel voulut dénoncer cette pratique qui menaçait la faune et la santé des individus, mais les éditeurs craintifs rejetèrent son projet de manuscrit. Constatant combien il était difficile de faire entendre raison à ceux qui s'obstinaient dans leurs idées, Rachel prit la résolution d'écrire un livre sur le sujet sans trop savoir comment s'y prendre. Telle Cassandre, la pythonisse grecque, elle fit des prédictions auxquelles on ne crut pas, parce qu'on ne voulait pas y croire.

Mettant à profit ses dons exceptionnels pour la recherche, Rachel rassembla un grand nombre de preuves des dangers que présentait l'utilisation des pesticides, en échangeant une correspondance avec des scientifiques, des spécialistes et des pionniers dans ce domaine. Elle fit bon usage des documents qui rendaient compte d'arrosages intempestifs à Long Island, cause de la disparition de la vie animale et de l'empoisonnement progressif des habitants de la banlieue et de leurs enfants. Elle découvrit que la communauté scientifique était divisée à ce sujet: certains scientifiques, prévoyant les dangers possibles, préconisaient la mise sur pied de mesures préventives, tandis que leurs adversaires restaient fermement sur leurs positions et refusaient toute action préventive tant qu'ils ne disposeraient pas de preuves documentaires de cette destruction. Rachel dut constater que bon nombre d'individus, en particulier les hommes des milieux professionnels, étaient réfractaires à l'idée de s'opposer à une réalité dangereuse sans d'abord en détenir la preuve, cécité qui s'est manifestée encore récemment sous les présidences de Reagan et de Bush dans le domaine du contrôle de la pollution tant auprès des individus qu'auprès des grandes corporations. Elle comprit que le besoin absolu de se justifier, «d'avoir raison», qui empêchait la révélation de la vérité pouvait contribuer indirectement à la destruction de notre environnement[25]. Révoltée par l'intervention nuisible de l'être humain dans la nature, Rachel fit appel à l'énergie de la Femme indomptée en elle pour concevoir un livre destiné à secouer la conscience de l'humanité.

L'être le plus important de sa vie mourut: sa mère, dont elle avait hérité le caractère doux et compatissant et l'amour de la vie, de même qu'un esprit combatif et redresseur de torts. Bien qu'absente physiquement, elle inspira Rachel dans sa croisade pour la préservation de la faune et du bien-être de l'humanité, ainsi que pour le maintien «de l'équilibre dans l'habitat naturel de toute créature vivante[26]». Rachel signala que les toxines pouvaient endommager le foie, le système nerveux et toutes les cellules du corps, et ainsi provoquer le cancer; elles affectaient aussi le bébé par l'intermédiaire du placenta et du lait maternel; elles pouvaient en outre affecter les enzymes et la division normale des cellules, entraînant un dérèglement du processus héréditaire, et enfin, elles empoisonnaient à petit feu l'écosystème tout entier. Elle étoffa sérieusement son dossier et présenta une recommandation au Sénat pour que soit enfin adopté, après un long délai, un projet de loi pour la protection de l'environnement.

En dépit des atteintes de la maladie et des traitements qui gênaient son écriture (cancer du sein, uvéite qui affectait sa vue, infections dans les genoux et les chevilles qui la clouaient au lit), Rachel écrivit avec l'énergie d'une lionne qui protège ses petits, et mit le point final au livre qui l'avait obsédée pendant cinq ans. Le titre, *Silent Spring*, en faisant référence aux oiseaux chanteurs réduits au silence de la mort par les toxines, rendait bien compte de l'objet du livre.

Silent Spring fit sensation au moment de sa première publication en feuilleton dans *The New Yorker* au printemps de 1962. Rachel Carson fut violemment attaquée par ses détracteurs. Certaines entreprises de fabrication de produits chimiques la menacèrent de poursuites et s'efforcèrent d'empêcher la publication de l'ouvrage sous forme de livre. Des organismes tels que la National Agricultural Chemical Association tenta de la discréditer. Elle fut la cible de parodies provenant de revues d'agriculture ainsi que d'organismes de l'état subventionnés par des usines de produits chimiques. On dit de son livre qu'il était plus empoisonné que les toxines mêmes dont elle condamnait l'usage.

La dangereuse Femme indomptée (celle qui dévoile des vérités qu'on ne souhaite pas entendre) avait fait irruption chez l'auteur calme et aimable de *Silent Spring*. On la traita avec condescendance, prétendant qu'elle ne s'était fiée qu'à son intuition féminine. Les revues, pour qui elle n'était «qu'une amoureuse des oiseaux, des chats et des poissons, une prêtresse de la nature, adepte d'un culte mystique[27]», se moquaient d'elle. L'un de ses détracteurs prétendit qu'elle s'efforçait de nous faire reculer jusqu'au Moyen Âge, quand régnaient la vermine et la maladie.

En raison de son état de santé précaire, Rachel laissa son livre parler de lui-même, à l'exception d'un reportage télévisé auquel elle participa. À cette occasion, elle insista sur le fait que la question des pesticides ne représentait qu'une infime partie d'un problème beaucoup plus vaste englobant la pollution des rivières et de l'air et les retombées radioactives. Elle rappela aux individus leur part de responsabilité dans la révolution écologique essentielle à la survie de la planète. Elle désirait surtout que *Silent Spring* affecte les politiques du gouvernement à la fois présentes et futures. Une des conséquences de son livre fut que le président Kennedy réclama une enquête gouvernementale qui eut pour résultat de critiquer la FDA (*Food and Drug Administration* - Bureau des aliments et des drogues) ainsi que d'autres agences du gouvernement qui avaient jusque-là ignoré les problèmes de toxicité reliés à l'emploi des pesticides. Le rapport démontrait en outre que le public n'avait pas eu conscience de ces dangers jusqu'à la parution de *Silent Spring*.

Rachel n'avait jamais préconisé l'abolition totale des pesticides chimiques, mais elle affirmait que ces substances dangereuses avaient été déposées de façon irréfléchie entre les mains d'individus qui ignoraient tout de leur effet dévastateur sur l'environnement. Elle demanda que des recherches soient effectuées pour mettre au point une solution de rechange et insista sur l'importance d'évaluer le degré de sécurité des pesticides avant d'autoriser leur utilisation. Elle dénonça la recherche du profit qui s'exerce aux dépens du bien-être de l'humanité. Elle applaudit le rapport du gouvernement, ajoutant qu'il devait «être suivi par des actions concrètes[28]». Elle fit des représentations auprès d'un comité sénatorial, insistant pour que soient entreprises d'autres études environnementales et que des mesures législatives soient prises dans le but d'informer et de protéger le public. Elle demanda aussi qu'un comité soit mis sur pied pour tenter de résoudre les conflits d'intérêts entre agronomes et groupes de protection de la faune. Dans sa lutte pour la protection des animaux, elle écrivit au Congrès pour demander l'adoption d'une réglementation fédérale destinée à protéger les animaux de laboratoire.

Silent Spring avait été dédié à Albert Schweitzer, l'homme que Rachel admirait le plus parce qu'il avait mis en pratique sa philosophie du «respect de la vie». Elle se déplaça pour recevoir en personne la médaille Schweitzer du Animal Welfare Institute. En 1963, elle fut également nommée Conservationist of the Year (Écologiste de l'année) par la National Wildlife Federation (Fédération nationale de la faune); elle fut en outre la première femme à recevoir la médaille de la National Audubon Society (Société nationale Audubon), tandis que la American Geographical Society (Société américaine de géographie) lui attribuait la médaille Cullem. Enfin, elle fut élue membre de la American Academy of Arts and Letters (Académie américaine des arts et des lettres), l'une des rares femmes à être admises à cette académie depuis sa fondation soixante ans plus tôt.

Rachel Carson s'enorgueillissait de représenter les femmes auprès de ces organismes. Elle fraya un chemin aux femmes courageuses et sensibles qui vinrent après elle. À la fin de sa vie, sachant qu'elle n'en avait plus pour très longtemps, elle fut reconnaissante pour chaque jour qu'il lui avait été donné de vivre et pour avoir pu mettre ses dons et sa discipline de travail au service de ses rêves, et de contribuer ainsi à la lutte pour la préservation de l'environnement. Elle mourut à l'âge de cinquante-six ans, en 1964, à Silver Springs dans le Maryland. Dans le credo qu'elle nous a livré à la fin de sa vie dans *The Sense of Wonder*, elle expose les principes qui ont guidé son existence.

> Tout au long de ma vie, je me suis intéressée aux beautés et aux mystères qui nous entourent, et aux mystères encore plus grands des créatures terrestres et marines. Nul ne peut réfléchir à ces choses sans approfondir ses pensées, sans se poser des questions profondes souvent laissées sans réponse, sans parvenir à une certaine philosophie de vie.
> Tous ceux qui s'intéressent aux sciences de la terre et aux créatures qui y vivent possèdent une caractéristique commune: ils ne s'ennuient jamais. C'est impossible. Un nouveau champ de recherche s'ouvre toujours devant nous. Chaque mystère résolu nous conduit au seuil d'un mystère encore plus grand. [...] Le bonheur, l'importance de ce contact avec la nature ne sont pas réservés aux seuls spécialistes. Ils sont à la portée de tous ceux qui acceptent de céder à l'enchantement

d'un sommet de montagne, des solitudes océaniques, du silence de la forêt; à tous ceux qui savent s'arrêter pour réfléchir au mystère contenu dans une graine qui germe.
Je ne crains pas d'être jugée sentimentale quand je dis que la beauté de la nature occupe une place importante dans l'épanouissement spirituel d'un individu ou d'une société. Je crois que chaque fois que nous détruisons cette beauté ou que nous substituons quelque chose d'artificiel, fabriqué de main d'homme, à un élément naturel, nous faisons obstacle au développement spirituel de l'être humain. [...]
J'ai eu le privilège de recevoir de nombreuses lettres de personnes qui, comme moi, ont trouvé un point d'ancrage et un réconfort dans l'étude de la terre et des océans et du sens profond du monde naturel. [...] Ces personnes ont su trouver paix et courage dans leur contemplation de «l'extraordinaire beauté terrestre». Car le vol migratoire des oiseaux, le mouvement des marées, le bourgeon sur le point d'éclore, toutes ces choses sont porteuses d'une beauté à la fois symbolique et réelle. Il y a quelque chose d'infiniment apaisant dans ces rythmes naturels, la certitude que l'aube fait suite à la nuit et le printemps à l'hiver.
L'humanité s'est enfoncée très loin dans un monde artificiel de sa propre fabrication. [...] Mais je crois fermement que plus nous serons conscients des merveilles et des réalités du monde qui nous entoure, moins nous serons portés à œuvrer pour leur destruction[29].

LA GUÉRISON DE LA RECLUSE

Pour que la Recluse otage de son isolement et de sa paranoïa puisse effectuer le passage vers la femme qui apprécie sa solitude et y trouve son épanouissement, il est essentiel qu'elle comprenne la différence entre se sentir seule et être solitaire. La solitude choisie constitue le fondement de la vie spirituelle et de la régénération de l'âme. Elle comporte de nombreuses facettes: la douceur, l'intensité, l'introspection et la contemplation, l'extase, la sérénité, l'émerveillement, la divine force du silence, la paix intérieure et extérieure. La solitude n'empêche pas la souffrance; elle requiert quelques sacrifices et exige de nous un certain effort pour que nous puissions nous hausser vers ce qui nous dépasse. Dans les mots du poète Rilke: «L'amour est difficile.» L'amour, c'est «deux solitudes se protégeant, se complétant, se limitant et s'inclinant l'une devant l'autre[30]». L'expérience de la solitude nous aide à développer un sens de l'harmonie ainsi qu'à affermir nos relations personnelles.

Par ailleurs, la solitude est souvent synonyme d'un sentiment d'abandon, de rejet ou de perte. Nous nous sentons trompées, désespérées, en proie à des contradictions et le jouet du destin. Il arrive qu'une personne se sente plus isolée au milieu d'un groupe ou en couple qu'elle ne l'est quand elle est seule, car elle est alors consciente de la pitié qu'on lui manifeste, et l'enfant solitaire en elle en ressent de l'humiliation. La solitude enferme toutefois le germe de sa propre guérison, car il arrive que l'anxiété et la terreur débouchent sur l'émerveillement et une plus grande conscience de soi. Ce fut le cas d'Hélène, une femme solitaire par tempérament.

Hélène a pu commencer à guérir quand elle a été en mesure de faire une distinction entre se sentir seule et être solitaire. Enfant, elle était marginale au sein même de sa famille. Quand les autres s'assoyaient tels des zombies devant la télévision en parlant des voisins et en comparant les succès respectifs de leurs connaissances, Hélène se retirait dans sa chambre, fermait la porte et lisait. Toute son enfance fut marquée par cette réclusion. Le royaume de l'imaginaire lui paraissait stimulant et important, et elle jouait avec une amie qu'elle s'était inventée. Entre autres livres favoris, elle lisait *The Secret Garden* et *Heidi.*

Les autres membres de la famille, tous plus extrovertis qu'elle, ne comprenaient pas qu'elle agisse ainsi et lui reprochaient sa différence. Ils se demandaient pourquoi elle n'appréciait pas les fêtes et pourquoi elle ne participait pas comme ses petites amies aux activités de la paroisse. Elle restait le plus souvent seule dans sa chambre, à lire et à peindre, ou dehors, au grand air. Lors de sa première année d'université, elle dut partager un dortoir avec d'autres étudiantes, ce qu'elle détesta. Elle rêvait d'avoir son propre appartement.

Après ses études, elle vécut en union libre pendant plusieurs années, mais quand cette relation pris fin, elle fut heureuse de retrouver sa solitude dans un chalet de montagne avec ses chats pour uniques compagnons. Elle espérait cependant encore trouver l'âme sœur, et sa solitude lui pesait. Âgée d'une trentaine d'années, elle consacrait beaucoup d'énergie à sa profession, mais elle se sentait jugée par ses parents ainsi que par ses frères et sœurs en raison de son célibat et n'appréciait pas qu'ils la qualifient de vieille fille.

Un changement important s'opéra en elle à la lecture du livre de May Sarton, *The House by the Sea*. Sarton, qui avait non seulement parlé de la difficulté d'être seule mais aussi du besoin de solitude de l'écrivain, aida Hélène à comprendre la différence entre se sentir seule et être solitaire, ainsi qu'à accepter que la solitude soit essentielle au processus créateur et à l'individuation. Un simple changement d'attitude peut nous faire apprécier la solitude et la paix intérieure qu'elle engendre. L'importance que Sarton accorde au fait d'être seul a permis à Hélène de se sentir bien dans sa peau. Elle comprit que son penchant naturel à l'introversion et à l'isolement n'avait rien de malsain, comme elle l'avait craint, mais qu'il s'agissait en fait d'un don précieux et rare qu'elle pouvait mettre à profit pour découvrir comment venir en aide à ses semblables et à la société en général. Elle vit que la Recluse en elle était l'axe lui permettant de s'ouvrir aux autres. La solitude rendait possible la connaissance de soi et une existence plus en accord avec sa nature féminine.

— La recluse m'ouvre les portes du silence, dit un jour Hélène. Vivre en silence est un enrichissement. J'aime me lever tôt pour observer les premières lueurs du jour qui entrent dans mon chalet, sentir la chaleur du soleil, regarder où il se pose et comment il se déplace. Pendant la journée, je passe parfois des heures à le suivre dans sa course, et la nuit, j'observe la lune qui traverse le ciel. Il m'arrive de m'enfoncer tout le jour en moi-même, en ce lieu où mes voix intérieures me parlent. Je dispose alors d'espace et de temps pour réfléchir à ce qui compte le plus pour moi. La solitude m'aide à sortir de ma routine pour accéder à de nouvelles possibilités, et pour que l'inspiration trouve sa voie.

Afin de mieux apprécier sa solitude, développer sa sensibilité et canaliser l'énergie qui lui vient de ces moments passés en solitaire, Hélène fait des exercices de perception sensorielle qui mettent l'accent sur la conscience d'être: du yoga, pour vivifier le corps; de la méditation pour ressentir la quiétude qui l'habite; de la marche et du ski de randonnée dans le silence de l'hiver pour être en harmonie avec les rythmes de la nature. Le jardinage l'accorde à la nature épanouie et à sa propre floraison de femme.

May Sarton insiste sur l'importance de vivre sans réserve, ni complètement isolées des autres ni entièrement données à eux. La vie solitaire est faite de tension créatrice. Dans un entretien qu'elle accorda à l'occasion de son soixante-dixième anniversaire, Sarton dit:

> Je suis terriblement seule maintenant, mais je suis aussi très attachée à ma solitude. Elle est mon dernier grand amour. La solitude est omniprésente; parfois, je n'adresse la parole à personne sinon pour saluer la postière, pendant des jours et des jours, surtout en hiver. Ce n'est pas toujours facile de ne pas en être ébranlée, de ne pas laisser la dépression avoir raison de moi. Tout devient plus intense, voyez-vous, c'est pourquoi c'est si merveilleux. Rien ne vient rompre cette intensité. Ce grand mouvement du subconscient vers le conscient, voilà ce qu'une telle solitude a de bon[31].

Rachel Carson, May Sarton et Miss Helen illustrent de façon exemplaire l'évolution qui conduit la femme de la peur de la folie due à l'isolement et de la révolte suscitée par la solitude, à la conscience des joies, de la sérénité et de la créativité auxquelles cette solitude peut donner lieu. Ces trois femmes ont connu le désespoir dû à leur réclusion, mais elles n'ont pas hésité à faire un saut dans l'inconnu pour transformer les ténèbres en lumière. Elles surent apprécier leur solitude tout en demeurant fidèles à leur vision personnelle et en acceptant avec courage les tensions engendrées par une vie de travail créateur. Au bout du compte, nous sommes toujours seules dans notre traversée de l'existence, de la naissance à la mort. Nous entrons seules dans l'inconnu et nous affrontons seules notre mort. Notre famille, nos amis, nos enfants, les hommes que nous aimons nous accompagnent à différentes étapes de notre vie, mais c'est seules que nous affrontons les grandes décisions qui s'imposent à nous. Les chrétiens, pourtant nombreux dans la culture occidentale, tendent à oublier que le Christ a porté seul sa croix. Les rites d'autres cultures reconnaissent la nécessité d'affronter seul le monde créé. Pour les Indiens Lakota, par exemple, il est d'une importance extrême que chaque individu progresse seul sur le chemin de la spiritualité, parfois appelé la Route rouge. Dans la Quête de la connaissance, la collectivité accompagne l'initiée au cours d'un cérémonial de sudation comprenant quatre étapes, quatre haltes sur le chemin conduisant au lieu de la vision. Parvenue en ce lieu, l'initiée reste seule quatre jours, puis elle redescend vers son peuple pour lui faire partager la lumière reçue. À la première halte, l'initiée renonce aux biens matériels; à la deuxième, elle renonce à ses amis; à la troisième, elle renonce à sa famille; à la quatrième, aux derniers vestiges de son identité. Puis, avec détermination et courage, elle se rend seule au lieu sacré où elle attendra dans la solitude que lui soient transmises les voix, les visions ou tout autre connaissance que les dieux tout-puissants voudront lui envoyer, dans le but de l'initier au mystère de la mort, qui est aussi une renaissance et ce par quoi l'être humain est relié au grand Tout.

1. Jean Rhys, *Good Morning, Midnight,* New York, W. W. Norton, 1986, p. 52.
2. Athol Fugard, *The Road to Mecca,* New York, Theatre Communications Group, 1985, pp. 26-27. Traduction libre.
3. Ibid., p. 25.
4. Ibid., p. 22.
5. Ibid., p. 21.
6. Ibid., p. 61.
7. Ibid.
8. Ibid., p. 63.
9. Ibid., p. 67.
10. Ibid., p. 68.
11. Ibid., p. 71.
12. Ibid., p. 75.
13. Ibid., p. 22.
14. Paul Brooks, *The House of Life: Rachel Carson at Work,* Boston, Houghton Mifflin, 1972, p. 297.
15. Ibid., p. 16.
16. Ibid., p. 1.
17. Ibid., p. 113.
18. Ibid., p. 2.
19. Ibid.
20. Ibid., p. 158.
21. Ibid., p. 3.
22. Ibid., p. 129.
23. Ibid., p. 132.
24. Ibid., p. 176.
25. Voilà l'aspect destructeur du Juge.
26. Brooks, *The House of Life,* p. 244.
27. Ibid., p. 303.
28. Ibid., p. 306.
29. Ibid., pp. 324-326.
30. Rainer Maria Rilke, *Lettres à un jeune poète,* traduit par Bernard Grasset et Rainer Biemel, Paris, Grasset, 1970.
31. May Sarton, *A Self-Portrait,* Marita Simpson et Martha Wheelock, éd., New York, W. W. Norton, 1982, p. 22.

8

La Révolutionnaire

La colère rage
entre moi et les choses,
transfigurant,
transfigurant.
Une saine colère
accomplie
est plus belle que l'éclair,
forte et vive.
Une saine colère refoulée
une saine colère refoulée
et voilà que le sang
fige,
limoneux.

Marge Piercy
A Just Anger

Le film *The Nasty Girl* a révolutionné ma façon de voir la Femme indomptée et m'a procuré un modèle où la douceur et l'affirmation de soi, la sérénité et la lutte étaient réconciliées. Dans une scène de procès, la Justice est représentée par une Femme indomptée, grande, féroce et puissante. Le film met en scène une histoire vécue, celle d'une historienne allemande victime d'ostracisme quand elle tente de découvrir la vérité sur le rôle qu'a joué son village natal pendant la période nazie. La traduction du titre ne rend pas justice à l'original, *Das Schreckliche Mädchen,* ce qui veut dire «la terrible ou la terrifiante jeune fille». Ce film propose un modèle exemplaire de femme contemporaine animée d'un courage suffisamment grand pour lui permettre de se révolter contre le refus de ses concitoyens d'admettre leur participation au mouvement nazi, et de combattre pour la justice. Elle est mère, elle est affectueuse, inflexible dans sa quête de vérité, elle est sensible et dotée du courage et de la détermination d'une Femme indomptée.

L'héroïne, Sonja, relate son histoire et l'histoire de sa famille et de sa petite ville modèles dans une fiction documentaire réalisée par la télévision allemande. Toute jeune, elle était une «bonne petite fille», reconnue à l'école paroissiale pour son intelligence et sa docilité, chouchou de ses professeurs et entourée de nombreux amis en raison de son tempérament amène et son sens de l'humour. En grandissant, elle devient une enfant espiègle et rebelle. À la suggestion de son professeur, elle participe à un concours national de rédaction et gagne un voyage à Paris. Sa réussite lui vaut une médaille spéciale du maire. Elle jouit de la faveur populaire.

Mais les circonstances feront d'elle une révolutionnaire. Au concours de rédaction suivant, elle ne tient pas compte de l'avis de ses professeurs qui cherchent à la décourager et opte pour le thème «Ma ville natale sous le Troisième Reich». Elle est fière de sa ville, un diocèse qui s'enorgueillit d'avoir résisté au nazisme, et veut démontrer l'intégrité de ses concitoyens sous l'occupation nazie. Sa mère lui rappelle qu'elle est née dans une famille respectable et en vue, et lui conseille de s'en tenir à des faits positifs. Ses recherches l'amènent à constater la réticence de ses concitoyens à lui livrer leurs souvenirs. À son étonnement, elle découvre qu'un prêtre respecté fut condamné à mort pour avoir voulu aider les Juifs et elle s'efforce d'approfondir cette question auprès d'un homme d'église tenu en haute estime. Mais ce dernier lui intime brusquement de renoncer à son enquête. Seule sa grand-mère accepte de lui confier que les autorités lui avaient donné l'ordre d'interrompre sa distribution de pain aux prisonniers juifs. Mais elle était d'un tempérament rebelle, continua d'aider les Juifs et regroupa les femmes en vue d'une marche de protestation. Condamnée à une peine d'emprisonnement, elle fut graciée parce qu'elle était mère de dix enfants. Sonja trouve en sa grand-mère rebelle son seul modèle de compassion et de justice.

Le concours de rédaction est annulé. L'ancien professeur de Sonja, son fiancé, qui lui reprochait de s'y consacrer au détriment de leur relation, s'en montre ravi. Ils se marient et ont deux enfants, mais Sonja ne parvient pas à oublier le résultat de ses recherches. Pour approfondir son enquête, elle s'inscrit à l'université en histoire et en théologie. Fouillant les journaux de l'époque, elle met au jour des faits d'importance capitale qui avaient été passés sous silence.

Sonja soupçonne ses concitoyens de dissimuler la véritable nature de leurs rapports avec le régime nazi dans le but de préserver la réputation de leur ville. On lui refuse l'accès aux archives municipales. Furieuse, elle traduit la municipalité en justice pour l'obliger à dévoiler des documents tenus secrets. Son mari la traite de folle et lui interdit de poursuivre ses recherches, mais elle gagne le procès qui s'ensuit et accède aux documents secrets. Une représentation de la Justice est alors projetée sur un écran derrière elle, une énergique Femme indomptée qui tient dans sa main les plateaux de la balance, symbolisant la fusion de la justice et du courage de la Femme indomptée.

Accablé par les travaux ménagers et l'éducation des enfants pendant que sa femme se consacre à son enquête, le mari de Sonja déclare avec dégoût: «À quoi rime l'engagement social s'il oblige le mari à s'occuper des enfants?» Il intime l'ordre à Sonja de prendre ses responsabilités de mère et d'épouse. Mais Sonja est «socialement engagée» et poursuit ses recherches. Plus elle débusque des faits compromettants, plus ses concitoyens sont sur la défensive et plus elle est ostracisée. Des voyous néo-nazis lancent une pierre dans le pare-brise de sa voiture, clouent un chat sur sa porte et bombardent sa maison. Sa famille reçoit de nombreuses menaces par téléphone.

Sonja se demande si sa quête mérite qu'elle mette ainsi en péril la sécurité de ses enfants et de sa famille. Mais elle est incapable de renoncer. Son intégrité l'oblige à poursuivre ses recherches. Profitant d'une défaillance des services de sécurité, elle accède à des dossiers incriminants où est démontrée la collaboration de ses concitoyens au régime nazi. Ceux-ci avaient projeté leur culpabilité sur les personnes intègres qui s'étaient efforcées d'aider les Juifs, en les persécutant et en faisant d'elles leurs boucs émissaires. Deux prêtres, maintenant haut placés dans la hiérarchie de l'Église catholique, loin de se voir punis pour leur collaboration avaient été loués. L'un d'eux était celui qui l'avait incitée à mettre fin à son enquête. La révélation de ses découvertes lui vaut une poursuite en diffamation. Au moment où elle pénètre dans la salle d'audience, elle reçoit une vision d'elle-même clouée sur la croix comme le Christ. Mais elle gagne son procès. La vérité sort au grand jour. Dans une tentative pour se disculper, la municipalité demande qu'une statue de Sonja soit érigée à l'hôtel de ville. Ses enfants dans ses bras, Sonja se révolte quand elle constate que le système s'efforce ainsi de la récupérer et de la réduire au silence. La Femme indomptée en elle se révolte. Sonja refuse de se soumettre. Sa colère éclate en pleine salle d'audience. Elle s'en prend violemment à sa mère qui cherche à la faire taire.

Sonja s'enfuit de la salle d'audience et cherche refuge en un lieu sacré, au pied d'un arbre situé sur une colline surplombant la ville. C'est l'Arbre de Miséricorde. Les écolières clouent des photos à son tronc en priant pour que leurs désirs se réalisent. Le film se termine quand Sonja, à l'abri du feuillage de l'Arbre sacré de Miséricorde, fixe le vide de son regard de Femme indomptée en serrant contre elle la plus jeune de ses filles. Les spectateurs emportent avec eux l'image de cette femme indépendante et douce que le besoin de liberté et de vérité a rendue furibonde, maintenant à l'abri de l'arbre de vie, son refuge spirituel et son lieu de sacrifice.

Ce film, qui rassemble la satire et la réalité, s'inspire d'un fait vécu, l'histoire de l'historienne allemande Anja Elisabeth Rosmus. Il illustre la façon dont les patriarches corrompus en viennent à ostraciser et persécuter une femme lorsque celle-ci s'efforce de dévoiler des vérités contraires à l'opinion publique et aux systèmes en place. Il témoigne du courage de la Femme indomptée qui s'acharne contre le refus de ses concitoyens à dévoiler la vérité. Au cours d'un entretien, madame Rosmus déclara qu'en dépit des nombreux prix qui avaient couronné ses ouvrages traitant de l'histoire contemporaine, la sortie du film fit d'elle une fois de plus la cible de l'hostilité publique. Mais grâce à sa persistance, son souci de vérité s'attire de plus en plus de respect[1]. Le film montre que la Femme indomptée et la Justice peuvent se fondre l'une dans l'autre, même si le prix à payer pour une telle fusion est élevé.

LA RÉVOLUTIONNAIRE LUCIDE ET LA TERRORISTE: L'ÉVEIL DE LA CONSCIENCE FÉMININE

Selon Albert Camus dans *L'Homme révolté*, le ressentiment et l'intempérance qui enferment l'homme dans l'absurde débouchent sur le meurtre: «Nous portons tous en nous nos bagnes, nos crimes et nos ravages. Mais notre tâche n'est pas de les déchaîner à travers le monde, elle est de les combattre en nous-mêmes et chez les autres[2].» Ce paradoxe entre terroriste et révolutionnaire lucide anime toutes les femmes qui s'efforcent de comprendre et d'intégrer la Femme indomptée. Comment la lutte peut-elle être juste? Est-il possible de nous défendre et de mettre fin aux abus de la société sans recourir à la violence? Est-il possible d'incarner l'énergie créatrice de la Révolutionnaire sans faire appel à la violence destructrice du terrorisme? La force combative de la Femme indomptée doit travailler à unifier les femmes plutôt qu'à les diviser par l'envie, l'ambition et les jeux de pouvoir. Mais au lieu de créer dans un esprit de fraternité, les femmes s'efforcent souvent de se nuire, surtout si elles sont animées d'une volonté de domination et d'une soif de pouvoir proprement masculines.

Quand la part révolutionnaire de la Femme indomptée échappe à son contrôle, la dangereuse terroriste risque de faire surface. Partout où dominent les intérêts égoïstes, la force de la Femme indomptée peut tout détruire, tout faire sauter — même la cause à laquelle elle a cru jusque-là — pour parvenir à ses fins. La femme qui craint de voir la Femme indomptée en elle se métamorphoser en terroriste risque de ne pas reconnaître le souffle révolutionnaire qui l'anime. Le rêve qui suit illustre cette peur de la fusion mystérieuse entre la Femme indomptée et la terroriste qui aspire au pouvoir total, qui a recours à l'intimidation pour parvenir à ses fins et qui livre sa féminité à l'esprit meurtrier qui l'habite.

> Je suis à bord d'un avion nolisé en compagnie d'autres femmes avec lesquelles je me rends à une assemblée féministe. Soudain, une passagère à l'avant de l'avion se lève et brandit une mitrailleuse. C'est une terroriste qui nous prend en otage. Je reconnais une psychiatre féministe renommée, une militante de la cause des femmes. Toutes les passagères de l'avion ont peur d'elle, mais certaines croient que cette prise d'otage est sans doute pour la bonne cause. En réalité, elle

> détourne l'avion dans le but de nous livrer à des bandits mexicains qui échappent à la justice dans une région désertique éloignée. En somme, cette terroriste trahit les femmes qu'elle a aidées en les abandonnant à des meurtriers qui les violeront.

Pour la rêveuse Renée, cette terroriste représente une combinaison de la Reine des Neiges et du Dragon. Dans la vie, il s'agit d'une personne distante, insensible, froide et agressive qui manipule les autres à des fins personnelles. Lorsqu'elle est soumise à la critique, elle se justifie sans cesse et passe à l'attaque, sourde à toute observation. Elle est réputée auprès de ses collègues pour sa tendance à défendre les femmes trahies en portant des accusations, et à leur infliger des blessures pour satisfaire sa soif de pouvoir. Renée n'apprécie pas l'agressivité de cette psychiatre, mais elle lui envie son assurance. Dans son rêve, elle lui apparaît sous les traits d'une terroriste livrant à la violence de l'ennemi les personnes mêmes qu'elle prétendait aider. Elle symbolise la propension patriarcale à diviser pour régner, fréquente chez la femme assoiffée de pouvoir et qui aspire à dominer. L'affirmation de sa personnalité représente, quant à elle, son côté positif.

Renée devait relever le défi qui consiste à prendre sa propre défense, à déceler sa fureur et son courage et à en user pour faire face à l'intimidation des hommes et des femmes plutôt que de battre en retraite. Dans son engagement à dénoncer publiquement et à lutter contre les attitudes de violence, Renée devait affronter personnellement la femme en question. Son rêve lui indiquait que, pour poursuivre sa quête de spiritualité féminine, il lui fallait réagir contre le terrorisme, c'est-à-dire à la fois contre la tyrannie du monde extérieur et celle de son moi profond qui mettait en péril son dévouement à une cause en l'intimidant et en l'isolant, puis en faisant d'elle l'otage d'un hors-la-loi intérieur.

L'énergie de la Femme indomptée peut aussi être victime d'un enthousiasme maniaque, indiscipliné et désordonné pour une cause révolutionnaire. L'exaltation romantique peut déboucher sur un sentiment de confusion et de désorientation quand le zèle tourne au chaos. Bien que la cause soit juste et la passion réelle, l'absence de discipline et de maîtrise de la situation peut éveiller l'amertume et le cynisme si les efforts se soldent par un échec. L'animosité ressentie pour un système face auquel on est impuissant peut, en nuisant à une cause, animer la terroriste au lieu d'enflammer la Révolutionnaire.

La Révolutionnaire lucide qui lutte pour ce qu'elle est et qui ne permet aucune atteinte à son intégrité peut mettre son énergie de Femme indomptée au service de la liberté et des droits humains. De nos jours, plus qu'à tout autre moment de notre histoire, la domination masculine a fait se développer une société minée par les problèmes reliés à la drogue et causé de tels dommages à l'environnement que la vie même sur terre est menacée. L'énergie de la Femme indomptée, la colère des femmes face à la violence et à l'abus chez les individus, dans la famille, dans la société et sur l'ensemble de la planète, peut stimuler un désir de transformation personnelle et sociale dans la mesure où ce pouvoir est maîtrisé et correctement utilisé. De nombreuses femmes doivent apprendre à lutter pour leurs droits. Leur culture et leur éducation leur ayant appris qu'une femme ne doit pas exprimer de colère ni se défendre, elles doivent trouver des modèles à imiter dans leur combat pour le respect de leurs droits. Pour que les femmes puissent se transformer, transformer leur famille, leur société et le monde, elles doivent être des Révolutionnaires lucides. Notre époque nous fournit un modèle en la personne de Anita Hill, qui porta des accusations de harcèlement sexuel contre Clarence Thomas quand ce dernier fut proposé au poste de juge en chef à la Cour suprême des États-Unis. En dépit de sa nomination, le courage et la dignité de Anita Hill continuent de servir d'encouragement aux femmes dans leur lutte pour le respect de leurs droits.

L'APPRENTISSAGE DE LA LUTTE POUR LE RESPECT DES DROITS DE LA FEMME: L'HISTOIRE D'ANNE

L'histoire d'Anne, une femme d'aujourd'hui qui dut intégrer la force positive de la Femme indomptée, est un bon exemple de la façon dont un régime patriarcal peut entraîner une action révolutionnaire féminine. En sa qualité d'historienne, Anne avait toujours lutté pour les droits des minorités en participant à des manifestations et en rédigeant des articles où s'exprimait sa vision d'une société harmonieuse. Capable de lutter pour ses semblables, Anne montrait peu d'aptitudes dans la défense de ses propres droits, car son éducation lui avait appris le renoncement de soi et le dévouement aux autres. Elle admirait les héroïnes de l'histoire qui incarnaient son idéal, des femmes telles Rosa Luxemburg, Emma Goldman, Margaret Sanger et Jane Addams. Mais elle déplorait l'absence de modèles féminins contemporains et regrettait de devoir s'identifier aux hommes dans sa carrière professionnelle.

Anne enseigna plusieurs années dans une université du sud des États-Unis. Comme beaucoup de ses collègues du milieu, elle souffrit de ne pas recevoir un traitement égal à celui des professeurs masculins à l'emploi de la même université ni les promotions auxquelles elle avait droit. Plusieurs professeurs de sa faculté, qui jouissaient de la même ancienneté et avaient à leur crédit un nombre égal ou inférieur de publications, étaient promus à des postes plus élevés dans la hiérarchie et recevaient des augmentations de traitement, alors qu'elle piétinait sur place depuis des années. Quand Anne se décida à réagir auprès du conseil d'administration, ses requêtes furent rejetées en dépit d'un dossier étoffé. En outre, on lui dit avec condescendance qu'elle ferait mieux de se consacrer davantage à ses enfants. Pourtant, ni son enseignement ni aucune de ses tâches professionnelles n'avaient souffert de ses responsabilités familiales.

Les demandes de promotion soumises en son nom par le département furent toutes refusées. Les hommes qui grimpaient les échelons de la hiérarchie profitaient tous d'un système fondé sur la confraternité masculine. Lorsqu'un nouveau directeur fut nommé à la tête de son département, Anne se vit peu à peu reléguée à des charges d'enseignement moins importantes et assignée à des comités secondaires. Anne soupçonnait le nouveau directeur de misogynie, mais deux de ses collègues plus jeunes l'appréciaient, car il semblait leur accorder sa tutelle. Mais quand vint le moment de les promouvoir à des postes de plus grande responsabilité, il les sabota. Sa seule influence suffit à empêcher le renouvellement du contrat d'une des deux femmes. Quant à la seconde, en l'incitant à se lancer dans la politique intérieure du campus et à changer d'orientation, il l'empêcha de satisfaire aux exigences de son poste en matière de publications. Le moment venu de son agrégation, elle fut renvoyée en raison d'un nombre insuffisant de travaux publiés. Anne possédant déjà son agrégation, elle était intouchable, mais le directeur persistait à la maintenir au plus bas niveau de l'échelle salariale, tandis que ses collègues masculins voyaient leur traitement augmenté avec régularité. Il qualifiait en outre de «niaise» l'originalité de son enseignement.

Anne se décida à réagir. Elle se plaignit au doyen qui lui répondit que «les directeurs de département sont libres de leurs décisions». Révoltée et furieuse, Anne demanda au doyen de réexaminer son dossier, mais celui-ci refusa. Elle sortit de son bureau en claquant la porte, puis déposa un grief devant le conseil d'administration pour inégalité salariale. Une analyse quantitative démontra que son traitement était inférieur à celui de ses collègues de plusieurs milliers de dollars, mais le conseil en vint à la conclusion qu'il n'y avait pas d'injustice. Anne contesta cette décision sur la base de l'analyse quantitative. Mais l'analyse en question «disparut», et quand Anne demanda aux membres du conseil de la produire, ces derniers déclarèrent ne l'avoir jamais eue entre les mains. Dans une lettre indignée, elle remit en question tout le processus de décision. Puis elle tenta d'obtenir le soutien de ses collègues de département. Elle adressa à chacun une lettre par laquelle elle décrivait sa situation, mais elle ne reçut d'eux aucune réponse.

Pendant un certain temps, Anne chercha désespérément une oreille attentive. Elle s'exaspéra de voir que personne ne comprenait ou ne voulait entendre son point de vue. Vaincue et humiliée, elle finit par capituler. Elle avait l'impression de revivre une situation qu'elle avait déjà connue, enfant, invisible et coincée entre ses sœurs plus âgées et plus jeunes, et sous la tutelle d'une mère autoritaire. Elle se sentait impuissante devant le pouvoir d'hommes portés à se justifier, reléguée au rang de citoyenne de seconde zone, humiliée et blessée dans son amour-propre. Cette passivité freina sa créativité et se solda par des accès de paranoïa et un grand isolement. Lorsqu'on cède à la passivité et à l'amertume, notre courage de Femme indomptée peut se retourner contre nous, contribuer à nous rendre inapte et à faire naître en nous un complexe de persécution.

Anne continuait à stimuler le désir d'apprendre chez ses étudiants et ses cours demeuraient populaires, mais son aptitude et son succès ne lui valaient ni promotion ni augmentation de traitement. Elle se tenait à l'écart de ses collègues et ne participait pas aux activités du département, se contentant de dispenser ses cours puis de rentrer en hâte chez elle, où elle jouait au solitaire jusqu'à l'obsession. Comme le personnage de *Mémoires écrits dans un souterrain* de Dostoïevski, elle menait une existence bien en deçà de ses possibilités réelles, car l'amertume qu'elle éprouvait à être la victime du pouvoir universitaire masculin sapait toute son énergie.

Au cours de cette période, les rêves d'Anne reflétèrent le désespoir qui la rongeait d'être injustement traitée, sa colère et sa peur d'être seule, étiquetée, invisible, et de ne pas compter. Mais ils lui révélaient aussi une personnage féminin courageux, capable, dans sa déraison, d'opérer les transformations qui s'avéraient nécessaires. Dans l'un d'eux, elle voyait un livre ouvert sur le portrait d'un homme et le titre *Les Raisins de la colère.* Au réveil, elle fut effrayée de sa révolte et de la colère qu'elle ressentait devant les injustices subies par les travailleurs opprimés, incarnés dans le roman de Steinbeck. Un autre rêve lui fit prendre conscience de sa peur qu'on la croie folle et qu'on l'enferme dans un hôpital psychiatrique.

> Je cherche le Département d'histoire au long de rues et de couloirs inconnus. J'y parviens enfin. Un collègue solidaire me prend dans ses bras. J'éprouve brièvement un sentiment de bien-être. Puis, je m'égare de nouveau en cherchant le bureau du département. Je m'engage avec une autre femme dans un couloir sombre, et j'ai peur qu'on nous voie. Nous frôlons quelqu'un dans l'obscurité. J'essaie de prévenir mentalement ma compagne de ne pas bouger ni parler de peur que nous soyons découvertes. Aussitôt, je suis seule, cachée dans une cabine des toilettes. Deux infirmières en psychiatrie discutent de ce qu'elles feront de leurs patients. J'ai peur qu'elles me découvrent et m'enferment dans un hôpital psychiatrique où je me perdrai dans l'anonymat des malades mentaux. Quand tout me semble perdu, j'aperçois un homme en face de moi. C'est un inconnu, silencieux, souriant. Il a les yeux fermés et se tient droit, et il porte un bandeau autour du front comme un Amérindien du centre. En souriant, il m'offre son aide et, me prenant par la main, il me dit que je peux voler. Nous nous envolons ensemble, et j'éprouve un grand soulagement d'avoir été sauvée ainsi.

Le rêve d'Anne fut très révélateur. Elle comprit dans quel état d'égarement, de peur, de confusion et de désespoir elle se trouvait, et sa terreur d'être enfermée par erreur dans une institution. Le rêve illustrait l'ambiance exaspérante de l'université. Sa compagne du rêve représentait un côté noir, une Femme indomptée d'apparence courtoise qui manipulait les autres pour parvenir à ses fins, une femme combative, agressive et connue pour ses propos acerbes.

Cette femme ambitieuse, qui voulait se hisser au sommet, était sans cesse en conflit avec ses collègues, ce qui lui valait leur désaffection. Elle ignorait comment utiliser efficacement son énergie de Femme indomptée. En rêve, parce qu'Anne pensait qu'un mot d'elle suffirait à la faire enfermer, elle s'efforçait de l'empêcher de parler. Dans les faits, Anne devait s'efforcer d'intégrer certaines caractéristiques de son tempérament bouillant afin de parvenir à se défendre. Elle incarna la première manifestation du côté noir et dément d'Anne que cette dernière devait apprendre à transformer et à intégrer. Au niveau conscient, Anne était sidérée par l'agressivité inacceptable de cette femme. Mais les voies du psychisme sont étranges. Les rêves possèdent la faculté de nous secouer, de nous forcer à sortir de notre enfermement en nous mettant en face de personnages et de scènes qui nous effraient et nous stimulent. Anne devait travailler de concert avec la Femme indomptée en elle et s'efforcer de tirer parti de son tempérament. Pour l'aider dans cette tâche, son rêve lui révéla un inconnu amical capable de l'aider à prendre son envol. Il représentait l'aspect secourable, amène, réfléchi et chamanique de sa personnalité, celui qui se démarquait du Juge patriarche.

Anne fit d'autres rêves similaires. Dans l'un d'eux, la même femme l'incitait à habiter une maison souterraine. Anne trouva cette proposition terrible et déclina. Elle commençait à s'affirmer. Ce rêve fut suivi d'un autre où un homme voulait qu'elle s'installe dans une cave sous le trottoir. Anne refusa encore, lui signalant qu'il n'avait pas vu cette cave obscure, étouffante, horrible. La cave symbolisait l'existence étriquée d'Anne. Ces deux rêves l'encouragèrent dans son aptitude nouvellement acquise à dire non, à refuser une situation inférieure. D'autres rêves mirent Anne en position de devoir fuir l'université inondée, et de réparer une cuvette de toilette qui débordait. L'inondation et le débordement de la cuvette symbolisaient les émotions accablantes qu'Anne avait reléguées au secret et qu'elle devait néanmoins maîtriser et exprimer. Dans un autre rêve encore, elle assistait en compagnie de sa sœur à une conférence donnée à l'université qui suscita dans l'auditoire des réactions démentielles. Une femme dut être chassée en raison de son comportement irrationnel. Puis, la sœur d'Anne qui était révoltée en dépit de son calme apparent, devint elle aussi hystérique, et Anne dut la faire sortir. Dans ce rêve, Anne faisait face à la Femme indomptée dans le contexte patriarcal d'une conférence universitaire.

Les rêves d'Anne lui révélèrent les oppositions inhérentes au tempérament de la Femme indomptée. Les humeurs amères, passives, agressives et martiales de la Femme indomptée sont néfastes et rivalisent d'intelligence avec le Juge. Par ailleurs, une femme capable de s'affirmer, de réagir quand il le faut avec une colère opportune, de se moquer des contraintes inflexibles, peut employer cette énergie de manière constructive.

La Femme indomptée se manifesta de plus en plus souvent dans les rêves d'Anne. Elle rêva qu'elle assistait à une réception où se trouvait un patriarche, une «vieille branche» du département. Découvrant avec stupéfaction et émerveillement qu'elle était enceinte, elle reçut de lui le conseil de se faire avorter. Tout à coup, ses ongles longs et rouges se métamorphosèrent en flammes dévorantes. Sa grossesse symbolisait la naissance potentielle de son assurance féminine, capable de composer avec les «chers confrères» de l'université. Elle se portait à la défense de son nouveau moi au lieu de le détruire. Dans un autre rêve encore, Anne fit la connaissance d'une Femme indomptée indépendante et pleine d'humour.

> On vient de m'accorder une augmentation de salaire à la condition que je déménage en banlieue d'une grande ville. Refusant de m'éloigner de la sorte, je comprends que mes collègues cherchent à me tenir à distance. Ils insinuent aussi avec sarcasme que j'ai maintenant de nouvelles responsabilités. Ce sont des Juges, qui me disent quoi faire et comment le faire. Cyniquement, je me dis que «plus ça change, plus c'est pareil». Soudain, une étrange femme paraît devant moi, et je lui demande: «Que dois-je faire?» Elle me répond en riant: «Il n'y a pas de règle. Fais ce que tu veux!»

Au réveil, Anne se sentit soulagée d'un poids. Il y avait sans doute moyen de composer avec les critiques patriarcales des Juges, non pas en leur cédant mais en affirmant sa nature féminine. La femme de son rêve était une représentation positive de la Femme indomptée, une femme capable de rire et de vivre en dehors des normes admises, une femme qui lui dit de faire ce que bon lui semblait, bref, une femme qui contrevenait aux préceptes que lui avait inculqués sa mère aux yeux de qui Anne devait se montrer bonne et obéissante.

À la suite de ce rêve, Anne se sentit investie d'une énergie nouvelle. Elle commença à prendre soin d'elle-même en faisant du yoga, de la bicyclette et du conditionnement physique pour accroître sa force musculaire et sa flexibilité. Elle fut de moins en moins à la merci des comportements capricieux des autres. Un autre rêve lui révéla son courage naissant. Un homme lui faisait visiter un appartement fort laid rempli de mauvaises vibrations. Elle refusa de le louer. Puis, les membres d'une secte dangereuse voulurent la prendre en otage. Elle se défendit. Munie d'un couvercle de poubelle en guise de bouclier et d'un bâton en guise de sabre, elle s'abattit sur eux en chantant moqueusement la chanson interprétée par Shirley Temple, *The Good Ship Lollypop.* Anne était maintenant apte à se défendre. Elle n'accepterait plus d'avaler des couleuvres. Elle avait fracassé l'image de la bonne petite fille qui jusque-là l'avait gardée prisonnière.

Anne se libérait intérieurement grâce à son nouveau rapport avec la force positive de la Femme indomptée. Parallèlement, sa vie commença à changer comme c'est souvent le cas lorsque se produit une transformation de cet ordre. Un nouveau directeur fut nommé au département. C'était un homme d'honneur qui sut admettre la discrimination dont Anne était victime. Il écrivit au doyen, réclamant un meilleur traitement pour elle et des postes de plus grande responsabilité. À la même époque, un nombre important de femmes de l'université, environ un tiers de la faculté, se réunirent pour discuter de leur situation. Chacune d'entre elles déclara s'être efforcée en vain de remédier aux injustices que lui faisaient subir les hommes à la tête de l'institution. Elles avaient toutes effectué les mêmes démarches qu'Anne et réagi comme elle, blâmant leur inaptitude pour leur salaire médiocre et le manque d'avancement, se sentant indignes d'une promotion et se pliant à la supériorité masculine et aux décrets du patriarcat. Comme Anne, elles refoulaient leur colère et leur amertume. À mesure qu'elles racontaient leur vie d'universitaires, les mêmes histoires d'injustice, d'abus, de culpabilité, de complexe d'infériorité et de mésestime de soi, elles comprirent qu'il leur fallait mettre leurs efforts en commun pour réagir. Cette première réunion marqua le début de leur action collective.

Entre-temps, Anne réitéra sa demande de promotion, en vain. Elle se joignit à un groupe de femmes qui préparaient un grief dans le but de faire valoir leurs droits. Leur solidarité fut une source de courage et d'enthousiasme, et leur permit d'élaborer une stratégie efficace. Avec elles, Anne se lança efficacement dans la défense de ses droits. Ces femmes partageaient une puissante combativité dont elle croyait être dépourvue mais qui lui fut révélée en rêve. Maintenant confiante de pouvoir améliorer sa situation, elle fut davantage consciente de sa valeur personnelle. Le fait de se joindre à un groupe de contestation l'anima d'une merveilleuse énergie nouvelle. Elle se libéra de l'amertume et de l'isolement engendrés par le rejet du mâle dominant, et fut en mesure de poursuivre jusqu'au bout la rédaction d'un ouvrage qu'elle avait abandonné en route.

L'histoire d'Anne est exemplaire de l'importance, dans la contestation, de la solidarité féminine. Les femmes gagnèrent finalement leur cause, Anne reçut un traitement équitable et la promotion qui lui était due depuis si longtemps. Cette lutte collective contre les injustices des Juges la secoua, lui redonna le courage et l'estime de soi qui lui faisaient défaut et l'affranchit des attentes et des projections négatives de ses semblables. À mesure qu'Anne apprenait à connaître la Femme indomptée en elle, qu'elle se liait d'amitié avec elle, acceptait qu'elle soit révoltée devant les injustices subies et acceptait de transformer cette énergie en un combat constructif et solidaire, elle éprouva un sentiment grandissant de liberté. Deux rêves merveilleux lui révélèrent le vaste espace mental auquel elle accédait. Dans l'un d'eux, elle déposait chez elle un immense rocher naturel. La pierre, qui climatisait la maison en permettant à l'air de circuler librement, symbolisait la force naturelle, la solidarité et l'indépendance qui l'aidaient à respirer. Dans un autre rêve, elle se tenait à la proue d'un vaisseau spatial. Admirant la grandeur de l'espace, elle était en proie à l'émerveillement devant la beauté et la grandeur de la vie et du cosmos.

L'histoire d'Anne montre comment l'énergie de la Femme indomptée peut donner lieu à une révolution et nous ouvrir des espaces infinis, tant dans notre vie personnelle que dans la société tout entière. Le cinéma d'aujourd'hui illustre de plus en plus souvent la façon dont la force de la Femme indomptée peut aider les femmes à s'affranchir de leur façon de vivre désuète et se construire une nouvelle vie.

LA SOLIDARITÉ FÉMININE: *THELMA ET LOUISE*

Le film *Thelma et Louise* montre comment les femmes victimes des abus sexuels qu'entérine le pouvoir mâle dominant peuvent faire appel au courage de la Femme indomptée. Dans leur tentative pour échapper aux abus du patriarcat, ces femmes préfèrent devenir des Révolutionnaires plutôt que de rester les otages d'un système qui les empêche de se défendre.

Thelma est un Oiseau en cage, prisonnière d'un mariage étouffant. Son mari bigot, grossier et violent lui donne constamment des ordres et la méprise, la traitant de «folle à lier». En réaction, Thelma a tendance à se montrer sotte et écervelée, confirmant par là l'opinion stéréotypée que son mari se fait d'elle, opinion commune dans une société dominée par les hommes. Moins les hommes sont en contact avec les facettes féminines de leur personnalité, plus ils sont portés à recourir à ces stéréotypes, et plus ils se gardent des différences innées de la femme en exigeant qu'elle soit passive. Les hommes qui se méfient du pouvoir féminin s'efforcent souvent de diviser pour régner. Une de leurs tactiques préférées consiste à humilier une femme qui se met en colère pour mieux étouffer son courage. Une femme qui s'affirme est souvent qualifiée de garce agressive. C'est ainsi que le mari de Thelma qualifie Louise, l'amie de sa femme.

Le mari de Thelma est violent envers sa femme qu'il contrôle de près ou de loin, exactement comme il *zappe* devant son téléviseur. Il ne lui permet aucune liberté et l'abreuve d'injures si elle ose entreprendre quelque chose par elle-même. Il s'attend à ce qu'elle reste à la maison pour s'occuper des soins du ménage, bien qu'il soit rarement là et en dépit du fait qu'il voit d'autres femmes en cachette. Thelma, qui s'est mariée à l'adolescence, n'a jamais connu d'autres hommes que son mari et n'a jamais goûté à la liberté. Mais c'est une femme indépendante d'esprit, un Oiseau en cage qui rêve de prendre son envol.

Quand Louise lui propose de partir en montagne avec elle pour le week-end, Thelma est tentée par cette escapade mais, sachant que son mari la lui interdira et l'insultera, elle craint de lui en parler. Elle part donc en cachette, après avoir fixé un message sur la porte du four à micro-ondes. Fidèle à son chaos intérieur, elle jette pêle-mêle quelques vêtements dans un fourre-tout. Pour leur protection, elle prend aussi une arme à feu qu'elle confie à Louise.

Louise est plus âgée et possède de la vie une expérience plus vaste que Thelma. Elle travaille comme serveuse et ne se laisse intimider par personne. Aguerrie par les vicissitudes de l'existence, y compris les plaisanteries de mauvais goût des hommes, et par un passé traumatisant qu'elle s'efforce de fuir et de dissimuler, Louise prend sa vie en main. Elle a appris à se battre et à se défendre quand le besoin s'en fait sentir. D'un tempérament opposé à celui de Thelma, Louise fait soigneusement sa valise et range la maison avant d'aller chercher son amie chez elle. Les deux femmes partent donc en vacances à bord d'une Thunderbird décapotable de 1966. Cheveux au vent, Louise met le cap sur leur refuge dans la nature.

En route, Thelma exprime le désir de s'arrêter pour boire un verre. Dans un bar au bord de la route, un homme interrompt leur conversation, les appelle «mes jolies poupées» et invite Thelma à danser. Louise n'apprécie pas cette intrusion, mais Thelma a envie de danser. Au fond, Thelma est une femme fougueuse, séduisante et désirable. Heureuse de se trouver loin d'un mari qui la bouscule, elle goûte enfin à la liberté, elle veut s'amuser en compagnie de l'inconnu qui flirte, trinque et danse avec elle. Louise souhaite qu'elles reprennent la route et se lève pour payer la note. Étourdie et un peu ivre, Thelma se dirige vers la voiture en compagnie de l'inconnu, qui essaie de la séduire. Quand elle repousse ses avances et qu'elle lui demande d'arrêter, il la frappe et la traite de «salope», puis il essaie de la violer. Voyant qu'il attaque son amie, Louise sort l'arme à feu de son sac sans réfléchir et menace de lui tirer dessus s'il ne la laisse pas tranquille. L'homme recule, mais dès qu'il se croit en sécurité, il blasphème et abreuve les deux femmes d'injures. Furieuse, Louise lui signale que lorsqu'une femme pleure comme Thelma, il devrait savoir qu'elle n'est pas en train de s'amuser. Il traite Louise de garce et dit: «Suce-moi», à quoi Louise répond: «Fais attention à ce que tu dis, mon vieux», et elle appuie spontanément sur la gâchette, l'atteignant en plein cœur.

Prises de panique, Thelma et Louise sautent dans la voiture et s'enfuient. Elles n'arrivent pas à croire à ce qui vient de se produire, mais Louise sait qu'elle a un sérieux problème. Thelma est persuadée que la police les croira quand elles diront qu'il s'agissait d'une tentative de viol et d'un cas de légitime défense. Mais Louise réplique:

— Qui voudra te croire? La vie n'est pas faite comme ça, Thelma.

Dans un monde machiste, même lorsqu'une femme dit non et veut dire *non!*, on ne lui accorde pas foi, quelles que soient les circonstances. On prétend au contraire qu'elle ne sait pas ce qu'elle veut ou qu'elle est dépourvue de jugement. Un slogan des cadets de West Point dans les années soixante est éloquent à ce sujet: «Ce qui fait la différence entre séduction et viol, c'est l'art de vendre.» Cette notion réduit la femme à un réceptacle de compliments et de semence et lui nie sa voix et sa liberté de choix. Mais c'est à ce code d'honneur de «chauds lapins» que les femmes doivent faire face. Louise craint que Thelma ne soit accusée d'avoir séduit l'inconnu et qu'elle-même sera incarcérée pour meurtre.

Poussée par le désespoir, Louise décide de s'enfuir au Mexique. Elle se sait recherchée. Quand, téléphonant à son mari à quatre heures du matin, Thelma constate qu'il n'est pas à la maison, elle décide de fuir avec elle. En route, Thelma convainc Louise d'inviter un jeune auto-stoppeur à monter dans la voiture. Ensemble, ils se rendent au motel où l'ami de Louise devait lui expédier de l'argent. Elle confie l'argent à Thelma pendant qu'elle discute avec son ami, venu au motel contre le gré de Louise. Elle lui dit qu'elle l'aime, mais elle refuse de l'épouser, car si elle reste avec lui ou si elle lui avoue ce qui s'est passé, il risque d'être arrêté pour complicité. Entre-temps, Thelma a couché avec l'auto-stoppeur qui lui a pourtant avoué être un bandit, et laisse innocemment l'argent sur la table de nuit. Le lendemain matin, Louise s'effondre en constatant que l'argent a disparu. Elle perd aussitôt le contrôle de la situation.

Thelma prend la relève. Puisqu'elles ont perdu l'argent, elle décide d'en trouver d'autre en commettant un vol à main armée. Elle s'inspire pour ce faire des méthodes que lui a décrites l'auto-stoppeur. Ignorant tout du projet de Thelma, Louise attend désespérément dans la voiture. Thelma, qui s'est emparée «poliment» de la caisse du magasin, est maintenant recherchée à son tour. En route, elle menace un policier zélé qui les a arrêtées pour excès de vitesse. Thelma l'enferme dans le coffre de sa voiture patrouille et lui dit de demander gentiment pardon à sa femme. Plus tard, elle avouera à Louise:

— Quelque chose s'est brisé en moi. Je ne peux plus retourner en arrière. Je ne pourrais plus jamais vivre de cette façon. Je suis réveillée, maintenant. Tout à fait réveillée. Je ne me souviens pas de m'être jamais sentie comme ça. Tout me semble différent.

Elle a entendu «l'appel du large», elle apprécie sa nouvelle liberté. Enfin consciente de l'injustice, du manque d'égards et de la violence qui sévissent dans la société, Thelma n'est plus disposée à les tolérer.

Lorsqu'un chauffeur de camion grossier et lubrique leur adresse des mots et des gestes obscènes et essaie de forcer leur voiture sur le bas-côté, la Femme indomptée se réveille chez les deux femmes en même temps. Furieuses, Thelma et Louise l'amènent par ruse à arrêter son camion. Louise exige qu'il leur présente des excuses et lui demande s'il oserait traiter aussi vulgairement sa mère, sa sœur ou sa femme. Le chauffeur blasphème et les traite de folles. En réaction, elles dégonflent ses pneus en tirant dessus et font exploser son réservoir d'essence, s'attaquant métaphoriquement à la vanité des mâles, à leur avidité, et à leur viol de la nature. Prenant position au nom de toutes les femmes, elles s'insurgent contre l'exploitation des hommes et du pouvoir masculin tout entier.

Entre-temps, la police qui enquête sur le meurtre du client du bar a trouvé le dossier de Louise et mis le téléphone de Thelma sur écoute. Ils conseillent au mari de cette dernière de se montrer aimable quand elle communiquera avec lui et de lui faire croire qu'il l'aime.

— Les femmes adorent cette guimauve, dit cyniquement un agent du FBI décidé à mettre la main sur les deux femmes rebelles.

Seul le premier enquêteur a de la sympathie pour elles. Il comprend que leur vie est en danger en raison des injustices du système judiciaire. Son étude du dossier de Louise lui a révélé que celle-ci a été victime de viol au Texas. Quand Thelma rejoint son mari au téléphone, l'affabilité inhabituelle de ce dernier lui fait soupçonner la présence de la police. Ensuite, Louise communique avec l'enquêteur qui croit que le meurtre est un accident. Il lui demande de se livrer à la police avant qu'il ne soit trop tard. Mais Louise pressent qu'on ne voudra pas l'entendre jusqu'au bout. Des hélicoptères décrivent des cercles au-dessus de leur tête, des voitures les entourent, des carabines automatiques de fort calibre sont pointées en direction de ces deux femmes «dangereuses». On leur enjoint de se livrer, à défaut de quoi, on leur tirera dessus.

Pendant leur périple, Thelma et Louise ont goûté aux beautés de la nature, elles se sont fondues à la Terre Mère, et cette fusion leur donne la force d'entreprendre ensemble leur dernier voyage. Leur traversée nocturne du désert et des canyons les a émues jusqu'aux larmes, et le ciel étoilé les a comblées d'émerveillement et de bonheur. Louise s'aperçoit que ses larmes avaient jusque-là refusé de couler. Acculées au bord du Grand Canyon, symbole de l'abîme, Thelma et Lousie se rendent compte qu'elles sont à un croisement: elles doivent choisir entre se livrer ou aller de l'avant. Elles choisissent la fuite, car il leur est impossible de retourner à leur ancienne vie. Les deux femmes se regardent, admirant l'une l'autre leur courage. Leur périple a fait naître entre elles un rapprochement unique, celui d'une femme pour une autre, une sorte d'amour que les hommes comprennent rarement. Elles s'embrassent affectueusement en décidant d'aller de l'avant, de faire le grand saut. Se tenant par la main, elles foncent dans le vide au-dessus du canyon et s'élancent dans l'espace. Thelma et Louise ont atteint un niveau de conscience qui ne leur permet pas de retourner vivre dans un système policier et opprimant qui exploite et violente les femmes. Elles optent pour la liberté par la mort. Le film se termine sur les deux femmes, unies dans leur affection, qui s'envolent au-dessus de l'abîme.

Incapables de réintégrer une société dysfonctionnelle qui abuse des femmes, Thelma et Louise n'ont d'autre option que de se lancer en avant, dans le vide, vers la liberté et l'inconnu. L'abîme symbolise la transformation spirituelle, il est le lieu où les mystiques vont trouver la révélation divine. Leur saut représente une descente dans l'inconscient, dans le néant, la quête, dans le chaos de l'inconscient créateur, de nouveaux modes d'expression. C'est le puits au fond duquel doivent descendre les toxicomanes avant de pouvoir se hisser jusqu'à la guérison. L'abîme est le lieu où nous devons tous nous enfoncer et nous affranchir de nos idées préconçues, des attentes du moi, de nos biens matériels, bref, de tout ce qui nous retient de prendre le tournant nécessaire à une transformation personnelle et sociale. Il peut sembler dément de se jeter dans le vide d'un point de vue conventionnel de ceux qui refusent les transformations, qui tiennent à leur sécurité, qui veulent préserver le *statu quo* et freiner tout changement. En ce sens, Thelma et Louise sont devenues des Femmes indomptées, elles trouvent insoutenable l'ancien système solidaire des hommes et refusent de se soumettre aux Juges patriarches d'une société dégénérée. Une façon de vivre inédite et humaine peut émerger de leur sacrifice et de leur histoire révolutionnaire. Thelma et Louise symbolisent la conscience féminine qui rejette et fuit l'ancien système pour trouver des voies nouvelles. Il est étonnant de constater que le film *Thelma et Louise* a essuyé les foudres des critiques pour son contenu supposément violent, quand on songe à tous les films machistes où les hommes s'entretuent à qui mieux mieux. Que ces femmes n'aient pas su s'adapter à leur société est au fond moins important que le fait d'avoir opté pour la liberté, d'avoir refusé l'oppression et la condamnation. Le grand succès commercial de ce film mettant en scène le courage de la Femme indomptée qui vit en nous toutes n'a pas de quoi surprendre.

UNE RÉVOLUTIONNAIRE LUCIDE: ROSA LUXEMBURG

Thelma et Louise commençaient à peine à accéder à la conscience féminine et n'eurent pas le temps de mettre en pratique leurs nouvelles connaissances. Car pour transformer l'énergie de la Femme indomptée en actes révolutionnaires capables d'entraîner des changements sociaux, il faut faire un pas de plus, apprendre à inculquer des valeurs humaines dans la société et agir conformément à ces principes. Dans ce domaine, les modèles féminins sont rares. Mais au début du siècle, Rosa Luxemburg, une Femme indomptée férue de justice, a su plonger dans la rébellion active et accéder à la conscience. En tant que porte-parole social-démocrate, elle a élaboré sa perception des changements radicaux qui devaient survenir, persuadée que la révolution doit prendre sa source, chez ceux qui sont victimes d'oppression, dans une conscience accrue acquise par des moyens pacifiques et non violents. Fermement opposée au terrorisme et à l'opinion reçue voulant que les transformations sociales soient la responsabilité d'une élite dominante, Rosa croyait que la réforme devait au contraire émerger spontanément de la perception accrue, au sein de la communauté humaine, de ce qui engendre une vie spirituelle saine et épanouie. Rosa Luxemburg préconisait un système politique humaniste prenant sa source au cœur même d'une situation donnée, de préférence à un système imposé du dehors par les décrets rigides et absolus du pouvoir dominant.

L'axe de sa philosophie humaniste était son engagement moral pour «la liberté de celui qui pense autrement». Selon elle, en l'absence de vertus morales, il n'y a pas de progrès possible. Le marxisme avait pour but premier de redonner au peuple une intégrité qui allait au-delà des allégeances nationalistes et une unité prenant sa source dans les profondeurs mêmes de l'être. La discrimination des femmes, le racisme, l'exploitation, la domination des faibles par les forts ne pourraient prendre fin qu'avec l'émergence d'un socialisme universel authentiquement humain. N'approuvant pas les grèves organisées et contrôlées par les dirigeants du parti, Rosa avait la conviction que seuls les ouvriers avaient le droit d'entreprendre leur combat pour la liberté, et que ce combat pouvait se faire avec des moyens pacifiques. «L'harmonie et la solidarité» devaient unir les individus. Contrairement aux nationalistes, Rosa rêvait d'un état universel.

Rosa Luxemburg (née Luksenburg) naquit en 1870 à Zamosc, en Pologne, de parents juifs. En cherchant à s'intégrer dans la vie sociale polonaise, ses parents durent faire face à l'antisémitisme des Polonais, à la résistance des Juifs orthodoxes et aux difficultés économiques. Ils s'installèrent à Varsovie, espérant trouver une vie meilleure dans un quartier bourgeois ayant récemment ouvert ses portes aux Juifs. Rosa était une enfant intelligente, vive et heureuse, adorée de ses parents. À l'âge de cinq ans, elle fut victime d'une affection locomotrice qui se solda par un boitement humiliant.

Elle fut admise à l'école publique à l'âge de dix ans en fonction d'un système de quotas qui l'obligeait à obtenir de meilleurs notes que les Gentils, parce qu'elle était juive. Hypersensible, elle fut humiliée de cette ségrégation qui accroissait sa peur d'être jugée différente. Elle voulait se fondre aux Polonais, mais elle se démarquait des autres par son boitement et son apparence (elle était de petite taille avec des yeux et des cheveux foncés et un nez sémitique), de même que par son intelligence exceptionnelle et ses succès scolaires. Elle dissimula son malaise et son complexe d'infériorité sous un comportement ferme et robuste qui frisait parfois l'arrogance. À l'âge de douze ans, elle vécut un traumatisme terrible: un pogrom violent et brutal eut lieu dans son quartier, au cours duquel de nombreux Juifs trouvèrent la mort.

À l'adolescence, elle se rallia à un petit groupe d'étudiants marginaux qui appréciaient la poésie et la littérature et dont la conscience sociale commune s'inspirait de celle du poète mystique et prophète Adam Mickiewicz, pour qui le cheminement spirituel représentait la voie de la justice et de la liberté pour les peuples dont l'équilibre psychique pouvait donner lieu à une révolution sociale pacifique. Sous l'influence de Mickiewicz, Rosa développa une philosophie humaniste selon laquelle la révolution spontanément issue de la sagesse spirituelle et de l'équilibre des masses prolétariennes devait être encouragée si l'on voulait que les peuples accèdent au bonheur de l'existence.

Lorsqu'elle partit étudier les sciences, le droit, l'économie et la philosophie à Zurich (les femmes n'étaient pas encore admises à l'université en Pologne), Rosa modifia l'orthographe de son patronyme: Luxemburg. Réfractaire aux aspirations bourgeoises, l'image de la «femme rebelle» l'attirait. Elle refusait d'être comme sa mère une femme au foyer conformiste et dépendante, une Juive modèle et sans identité. Ses idéaux féminins étaient les héroïnes qui avaient voué leur existence à la défense de la liberté.

Joignant les rangs du parti socialiste révolutionnaire «Prolétariat», elle y fit la connaissance de son plus grand amour, Leo Jogiches, un révolutionnaire radical. Ils devinrent amants, bien que ce dernier ait insisté pour que leur relation demeure secrète. Rosa fut constamment frustrée dans son amour pour Jogiches, un amour fondé sur leurs échanges épistolaires, car leurs actions révolutionnaires les forçaient à vivre éloignés l'un de l'autre. Elle était convaincue que les femmes pouvaient à la fois aimer et travailler pour s'épanouir. Pour elle, le mariage devait à la fois favoriser l'intimité émotionnelle, la passion physique et la spiritualité, contribuer à l'épanouissement mutuel des deux partenaires, et à la croissance spirituelle de la société. Mais Jogiches plaçait ses valeurs révolutionnaires avant la vie de l'individu. Il ressentait l'intimité comme une menace et résistait à ses sentiments, dans sa conviction que la vie personnelle et le travail ne pouvaient se fondre qu'au détriment des causes sociales. Pour Rosa, l'individu était plus important, car elle comprenait que seule une vie personnelle heureuse pouvait permettre à l'individu d'œuvrer pour le bonheur de ses semblables. Ce conflit empoisonna leur relation.

Rosa désirait désespérément un enfant, mais Jogiches le lui refusant, elle sublima son désir dans l'écriture et le combat social. Son écriture nourrit la vision révolutionnaire de Jogiches. Il lui prodiguait son amour quand elle suivait ses instructions, et le lui refusait quand elle s'en démarquait. Cependant, grâce à son soutien financier, elle put se consacrer à ses études, à ses travaux d'écriture et à ses tâches politiques. Voyant que la réputation de Rosa surpassait la sienne, il s'efforça de plus en plus de la tenir sous son contrôle et de diriger sa vie.

Rosa fit son entrée en politique active en 1893, alors qu'elle prononça un discours passionné au nom du parti social-démocrate du royaume de Pologne lors du Deuxième congrès mondial socialiste. Brillante, intense et passionnément vivante, Rosa dégageait un charisme et un magnétisme exceptionnels. Ses discours enflammés émurent les délégués. Douée pour l'éloquence et l'écriture, elle mit sa plume au service de plusieurs quotidiens socialistes. Elle put ainsi transformer la colère qu'elle ressentait face aux injustices subies dans sa vie privée (son handicap et son statut inférieur en tant que Juive polonaise) en une polémique dirigée contre les politiques injustes, et en sa vision humaniste d'une société harmonieuse, vision qui devait changer le cours de l'histoire.

À peine âgée de vingt-sept ans, munie d'un doctorat en droit et en science politique, ayant plus d'une cinquantaine d'articles publiés, Rosa jouissait d'une reconnaissance et d'un succès croissants. Un mariage fictif lui permit d'obtenir la citoyenneté allemande. Plus tard, elle divorça dans le but de s'installer à Berlin. De ce quartier général, elle séduisit les ouvriers polonais d'Allemagne grâce à des discours admirables où il était question de l'exploitation dont ils étaient victimes et de la nécessité de combattre pour la défense de leurs droits.

Rosa fut reconnue mondialement pour ses vues socialistes scientifiques. Son esprit rebelle et son imagination captivaient ses auditeurs. On l'adorait. Son bagage littéraire, philosophique et historique conférait de la profondeur et de la perspective à ses thèses sociales. Naturellement portée à défendre ses idées, Rosa ne ménageait pas ses critiques à l'endroit du parti, qui l'accusa de «se comporter davantage en femme qu'en membre du parti[3]». Mais son pouvoir était précisément la conséquence de ses valeurs féminines. Il se fondait sur la conviction que tout écrivain se doit d'entrer profondément en lui-même pour faire l'expérience émotionnelle de la validité et de l'importance de ses préoccupations, s'il souhaite parvenir à toucher le cœur de ses lecteurs.

Grâce à sa popularité en tant que conférencière et journaliste politique, Rosa exerça une influence considérable au sein des partis socialistes allemands (SDP), polonais et lithuaniens. Elle se déplaçait sans cesse, prenait quotidiennement la parole devant des milliers de personnes, invoquant l'unification des ouvriers allemands et polonais qu'elle inspirait par ses discours sur le suffrage universel et la liberté créatrice, et auxquels elle transmettait sa philosophie politique. Elle électrisait les foules par sa chaleur, son charme, son énergie, son intelligence et sa profondeur, elle émerveillait et impressionnait les dirigeants plus âgés du socialisme international.

Mais pendant ses premières années à Berlin, la solitude et la dépression l'envahirent à un point tel qu'elle crut perdre la raison. Elle souffrit d'épuisement nerveux, de graves maux de tête et d'autres malaises débilitants. En dépit de sa renommée, de ses succès publics et de l'affection que lui prodiguait le peuple, elle s'en voulait de devoir laisser trop de choses en plan. Elle se culpabilisait aussi de ne pas écrire à ses parents, de ne pas leur rendre visite et les abandonner à la garde de sa sœur aînée. Rosa reprochait à ses parents leur judéité bourgeoise. Elle n'appréciait pas le manque d'idéalisme de son père et critiquait sa mère pour sa bonté et sa douceur, incapable qu'elle était de reconnaître la force intérieure de cette dernière.

Rosa crut avoir échappé au sort commun des femmes en dépit du fait que les dirigeants condescendants du parti méprisaient et raillaient tant Rosa que son amie Clara Zetkin, rédactrice en chef de mensuels féminins socialistes tels que le *Frauenzimmer* («la chambre des dames»). Bien que persuadée qu'un mouvement proprement féminin nuirait à sa cause, elle soutenait le combat des femmes pour la liberté, les incitant à des actions conséquentes. Elle blâmait les femmes de la bourgeoisie «lasses d'être une poupée ou la domestique de leur mari» et leur conseillait de «trouver à occuper leur tête et leur existence vides[4]» en les comparant aux prolétariennes qui percevaient plus intensément le rapport essentiel entre les droits de la femme et les droits de l'humanité tout entière. Les femmes devaient lutter pour l'égalité et la liberté de tous les opprimés, croyait-elle, et pas seulement pour l'égalité et la liberté des femmes. Lorsque, en 1919, elle devint rédactrice en chef du seul quotidien socialiste berlinois, elle prépara une édition spéciale consacrée aux femmes qui mettait l'accent sur l'importance de leur rôle politique. Sans pouvoir politique, les femmes ne sauraient prendre leur sort en main, encore moins celui de leurs enfants ou de leur nation.

Rosa fut incarcérée souvent pour ses convictions révolutionnaires. En 1904, elle passa trois mois dans une prison de femmes à

Berlin pour avoir insulté publiquement l'empereur de Prusse. On lui permit d'étudier, de lire, d'écrire et de recevoir des visiteurs. Profitant de sa détention pour réfléchir, elle remit en question son amour pour Jogiches et se demanda si la vie valait la peine d'être vécue. Elle puisa un secours plus grand dans la quête spirituelle du sens de Tolstoï que dans les idéologies marxistes.

À cette époque, Rosa contesta le plaidoyer de Lénine en faveur de la discipline et de l'autoritarisme.

— Il se contente de *diriger* le parti au lieu de le *bonifier*, de le *réduire* au lieu de travailler à son *développement*, d'*enrégimenter* ses membres plutôt que d'œuvrer pour leur *unification*, dit-elle, l'incitant à faire preuve d'un «esprit positif et créateur» de préférence à sa «stérilité de gardien de nuit» (l'approche léniniste)[5].

Elle se montra également critique de la machine bureaucratique. Antimilitariste et opposée à l'insurrection armée proposée par Lénine, elle croyait que la révolution prolétarienne devait émerger de l'éveil de la conscience collective. Cependant, en dépit de leurs conflits idéologiques, Vladimir Lénine et Rosa Luxemburg éprouvaient l'un et l'autre de l'admiration pour leur génie respectif.

Après que Rosa eut rejoint Jogiches à Varsovie au cours d'un soulèvement des Polonais provoqué, en 1905, par le «dimanche rouge» de la révolution russe, les milices polonaises firent irruption chez elle, où elle cachait une presse clandestine. Elle fut arrêtée la veille de son trente-sixième anniversaire de naissance. La presse allemande antisocialiste qualifia Rosa de marginale dangereuse, prétendit qu'elle avait illégalement obtenu la citoyenneté allemande et étala au grand jour sa relation avec Jogiches. L'argent de sa caution fut réuni, mais, en 1906, un conseil de guerre déclara Rosa et Jogiches coupables d'avoir tenté de renverser le gouvernement russe. Mais Rosa avait déjà trouvé refuge en Allemagne.

Au milieu de sa trentaine, Rosa tomba amoureuse du fils d'un de ses meilleurs amis. D'un tempérament opposé à celui de Jogiches, c'était un rêveur romantique, amateur de musique, de poésie et de la nature. Elle voulut le former comme s'il avait été son fils. Quand Rosa romput avec Jogiches, il devint furieux et refusa de quitter leur appartement, menaçant de la tuer avec son nouvel amant. Rosa le mit au défi, comme elle avait défié toutes les hiérarchies dominantes qui entravaient les libertés humaines, qu'il s'agisse de l'idéologie marxiste, de la société bourgeoise ou d'un individu.

Jogiches et Rosa ne pouvaient éviter tout contact en raison de leur action révolutionnaire commune, mais leur conflit fut interrompu lorsqu'elle fut de nouveau arrêtée pour «incitation à la violence» au cours d'une conférence prononcée plusieurs années auparavant. Appréhendant de perdre son amant pour une femme plus jeune et plus belle, Rosa se montra possessive. Il s'éloigna quelque peu, sans cesser pour autant de dépendre d'elle. Rosa se contenta de son amitié, mais ses humeurs noires entachèrent leur relation. Elle mit sa frustration au service de son combat contre l'idéologie marxiste mâle et continua de se montrer critique à l'égard de «l'autoritarisme du parti central». En dépit de son charisme et de son pouvoir public, elle souffrait d'un complexe d'infériorité en amour. Elle renoua avec Jogiches et se remit au travail. Plus tard, elle connut une relation plus mûre, quoique de courte durée, avec son avocat Paul Levi, qui resta son ami et poursuivit sa lutte après qu'elle fut assassinée.

C'est à l'âge de quarante ans que Rosa démarqua sa notion du socialisme de celle de Marx, de Lénine et du SPD. Elle soutenait que le marxisme n'était pas un dogme et que de vouloir s'en tenir au Manifeste communiste était une erreur. Elle devint la cible de violentes critiques pour avoir contesté l'appel à l'insurrection armée et au terrorisme préconisés par le SPD. Les rédacteurs en chef du parti refusèrent de publier ses articles. L'un des dirigeants qualifia Rosa de «vipère venimeuse, capable de dommages d'autant plus considérables qu'elle est dangereusement futée[6]». Consciente de sa réputation de femelle enragée et persuadée que le parti s'efforçait de la réduire au silence, elle porta atteinte à l'honneur de certains membres du parti. Fidèle à sa nature rebelle, elle refusa de se soumettre et de se taire. Rosa, la révolutionnaire, persista à défendre ses idéaux, mais elle se vit de plus en plus isolée politiquement.

Elle subit les attaques de la presse parce qu'elle était juive. Sa boiterie fut mentionnée comme preuve de la dégénérescence des Juifs. On l'accusa d'antisémitisme envers sa mère patrie, la Pologne, mais elle fut soutenue dans sa défense par les social-démocrates européens. Elle ne mit que quatre mois à rédiger son œuvre majeure, *l'Accumulation du capital,* publiée en 1913. Cette période fut pour elle une phase d'extase créatrice, le moment le plus heureux de son existence. Son ouvrage controversé fut l'objet de critiques tant de la gauche que de la droite du parti social-démocrate allemand. Elle y démontrait que le capitalisme était appelé à disparaître, et que le socialisme ne pourrait le remplacer que par une radicalisation révolutionnaire des conflits de classe. Dans *Anti-Critique*, son ouvrage subséquent, elle soutenait qu'il n'existait pas de spécialiste du marxisme, y compris Marx lui-même. Rosa préconisa toujours la créativité, non pas le dogmatisme.

Condamnée pour incitation à la désobéissance civile, elle fit appel du jugement de la cour prussienne en 1914, soutenant que le peuple seul, non pas le gouvernement, pouvait décider de sa destinée, et que les grèves des masses prolétariennes n'étaient qu'une étape dans la lutte des classes pour la liberté et la paix. Son plaidoyer brillant et courageux la rendit célèbre. La presse social-démocrate, qui jusque-là les lui avait refusés, s'arracha ses articles. Condamnée à un an de détention, elle fit publiquement état de sa philosophie antimilitariste, préconisant une grève générale, et réclama l'abolition des forces armées. Si le prolétariat, conscient de son pouvoir, refusait de se battre, il pourrait promouvoir la paix et éviter la guerre.

Les dissensions s'accrurent au sein du SPD. À la déclaration de la Première Guerre mondiale, les social-démocrates donnèrent leur appui au conflit en votant en faveur des crédits de guerre. Avec d'autres, Rosa s'opposa au conflit armé et se dissocia du SPD. Navrée que la guerre ait éclaté, Rosa se donna si entièrement à la lutte qu'elle souffrit d'un épuisement nerveux et physique et dut être hospitalisée, puis fut réincarcérée quelques mois plus tard. Rosa passa plus de trois ans en prison pendant toute la durée de la guerre. Pour sa protection, elle fut souvent transférée d'un lieu de détention à un autre. Pendant son incarcération, elle écrivit des lettres de défi et d'encouragement par lesquelles elle décriait le manque de force morale du peuple. Mais elle confessa aussi sa vulnérabilité et son désespoir.

Son épuisement spirituel lui fit craindre de sombrer dans la folie. Elle était accablée de cauchemars. Elle relata un rêve horrible dans lequel elle devait chanter en public en s'accompagnant au piano. Au moment d'entrer en scène, elle se rendit compte qu'elle ne savait pas jouer du piano et que personne n'était là pour l'accompagner. Pour éviter d'avoir à le faire, elle se coupa un doigt, puis hurla de panique à la pensée qu'elle serait abandonnée par le promoteur du concert. Elle espéra que sa nièce pourrait l'accompagner, puis elle se rappela soudainement que sa nièce ne savait pas jouer du piano. Ce rêve témoignait de sa terreur de l'isolement et de l'abandon. Il révélait le désespoir qu'elle ressentait de ne pouvoir chanter seule pour affirmer son existence.

Rosa sombra dans le chaos, dans la nuit noire de l'être. Sur le plan universel, elle était confrontée au paradoxe de la vie humaine, au combat du bien et du mal, tout en étant psychologiquement la victime de ses humeurs changeantes. Dans un moment de bonne disposition, elle écrivit: «Je souris à la vie en dépit de l'obscurité [...] et je cherche une justification à ce bonheur. [...] L'obscurité profonde de ma nuit est si belle, douce comme le velours quand on sait l'apprécier. [...] On doit toujours pencher du côté de la vie et trouver que *tout* est beau et bon. C'est du moins ce que je fais, non pas en me laissant guider par la raison ou la sagesse, mais parce qu'il est dans ma nature d'agir ainsi. Mon instinct me dit que c'est ainsi qu'il faut vivre, et je suis vraiment heureuse en toute circonstance[7].»

Son contact avec la nature lui redonna du courage. Pendant sa détention, on lui permit de s'occuper d'un petit jardin. Les oiseaux, les plantes, le temps qu'il faisait, tout cela la rassura. Elle put enfin s'identifier à sa mère qui croyait possible de comprendre le chant des oiseaux. Autorisée à lire et à étudier, elle transmit à ses amis des citations tirées des ouvrages qu'elle aimait, leur fit part des concerts qui se donnaient, et leur réaffirma son courage et son optimisme. L'écriture lui permit de ne pas sombrer dans le désespoir. Elle transforma sa défaite matérielle en victoire spirituelle.

À sa libération en 1918, Rosa revint à Berlin. La ville était en plein chaos, des foules envahissaient les rues. La révolution menaçait et le gouvernement allemand mettait le peuple en garde contre les dangers du bolchévisme. Elle apporta sa contribution à un nouveau journal socialiste révolutionnaire qui déménageait périodiquement son quartier général d'hôtel en hôtel, prônant une action consciente, la maturité spirituelle et le recours à des mesures réalistes, tout en continuant à dénoncer le terrorisme qu'elle considérait comme la corruption ultime du socialisme.

Jogiches la soutint dans son combat journalistique pour la renaissance spirituelle du prolétariat allemand. Ils étaient plus vieux, plus tolérants l'un de l'autre, plus compréhensifs et plus aptes à s'exprimer une tendresse mutuelle. Il comprit que Rosa ne céderait jamais au compromis, ni envers Lénine dont elle critiquait l'autoritarisme, ni envers les social-démocrates qui avaient trahi le socialisme en appuyant la guerre. Prise entre l'arbre et l'écorce, ses critiques des deux camps opposés lui valurent d'être qualifiée de «diablesse» vouée à la destruction du peuple allemand. Panneaux publicitaires, pamphlets, journaux, partout on l'abreuvait de propos haineux et malveillants.

En décembre 1918, un conflit éclata entre le prolétariat et l'armée, les grèves paralysèrent le pays, et les différentes factions du SPD s'opposèrent et s'accusèrent les unes les autres de trahir la révolution. Rosa accusa le SPD d'appuyer la guerre et l'armée impériale qui s'était retournée contre les ouvriers, tout en rappelant à ces derniers qu'ils n'étaient pas encore prêts à renverser le gouvernement. Dans son isolement, elle dut affronter sa plus grande peur: l'échec de son idéal. La génération plus jeune de socialistes aspirait au pouvoir et recourait à la violence pour y parvenir.

L'armée massacra les ouvriers en révolte, les roua de coups et mutila leurs corps. Les soldats dénigraient les prédictions de Rosa selon lesquelles le sang répandu engendre le chaos, prédictions qui s'avérèrent avec l'avènement de Hitler. Elle blâmait le pouvoir, non les masses, pour cet échec.

Rosa fut arrêtée par la milice dans la nuit du 15 janvier 1919. Une récompense de cent mille marks avait été offerte pour sa capture. Elle fut conduite aux quartiers généraux temporaires d'une division de l'armée, établis dans un hôtel, pour y être identifiée. Comme on l'escortait dans le hall, les soldats tapageurs l'abreuvaient d'insultes telles que «Röschen» et «vieille pute»[8]. À son retour dans le hall, un soldat sortit du groupe des soldats rassemblés qui la traitaient de «sanguinaire» et lui assena un coup violent à la tête avec la crosse de son fusil. Les soldats la portèrent, sanguinolente, dans une voiture où un officier lui tira une balle dans la tempe. On emporta son corps jusqu'aux berges de la rivière Spree, où on le traîna dans les buissons et le jeta à l'eau en crachant: «Qu'elle nage, maintenant, cette vieille pute[9].»

Son meurtre fit l'objet de plusieurs comptes rendus divergents. Un quotidien allemand la traita de militante terroriste et déclara que son meurtre avait été décidé par «la justice du peuple». Mais Jogiches dévoila la vérité, que les meurtres de Rosa et de Karl Liebknecht, un autre chef de la révolution socialiste, avaient été planifiés par le même réseau militaire responsable de l'enquête.

Jogiches fut arrêté et fusillé à son tour, mais ses révélations entourant l'assassinat de Rosa Luxemburg et de Karl Liebknecht donnèrent lieu à un procès. Les assassins ne furent condamnés qu'à deux ans de détention.

Lorsque son corps fut retrouvé plusieurs mois plus tard, la police s'efforça de l'inhumer en cachette, par crainte des représailles du peuple qui l'avait adulée. Paul Lévi, alors à la tête du parti communiste allemand, exigea un post-mortem, mais il ne fut pas possible de déterminer avec exactitude si la mort de Rosa était due aux coups qu'elle avait reçus, à la balle dans la tête, ou à la noyade.

Le 13 juin 1919, une foule immense se rassembla aux funérailles de son héroïne pour la pleurer. La conclusion de son dernier article fut imprimée au bas de sa photo sur de grandes bannières. Elle avait déclaré que la révolution reviendrait clamer: «J'ai été, je suis, je serai[10].» Cette affirmation ultime, venue des profondeurs féminines de cette grande révolutionnaire, nous inspire encore aujourd'hui et nous rappelle à notre devoir: combattre la violence, lutter pour la sauvegarde des droits de l'humanité et pour la dignité de tous les peuples, sans égard au sexe, à la race, à la nationalité ou à la religion.

Rosa Luxemburg sut bien canaliser le courage de la Femme indomptée. Elle composa avec la colère que réveillaient en elle les frustrations de sa vie personnelle: sa boiterie, sa solitude amoureuse, son enfance, les préjugés religieux et sexuels, et les terribles injustices sociales dont elle était témoin. Sa fureur lucide lui permit de transformer son énergie en action constructive. Elle s'opposa au terrorisme et refusa d'être une victime des événements. Reconnaissant sa différence et l'acceptant, elle se donna un idéal humain révolutionnaire. Grâce à son courage et à sa discipline, à son instinct et à son acharnement au travail, elle lutta pour la matérialisation des transformations sociales auxquelles elle aspirait. Elle sacrifia sa vie en toute lucidité à cette cause. Le poème de Muriel Rukeyser sur l'artiste révolutionnaire Käthe Kollwitz résume bien l'essence du pouvoir de transformation de la Femme indomptée et révoltée dont Rosa Luxemburg est une représentation exemplaire:

> ce regard révolté
> dit que je suis au monde
> pour transformer le monde[11].

L'INCARNATION DU POUVOIR FÉMININ

Comment une femme peut-elle être une Révolutionnaire lucide dans notre monde d'aujourd'hui? Elle doit d'abord regarder en face ses peurs intérieures et extérieures. La Révolutionnaire se donne des valeurs capables, selon elle, de transformer le monde, puis elle agit en conséquence. Cela exige de sa part une prise de position et la volonté de se battre quand le besoin s'en fait sentir. En fait, tant l'offensive sévère que la résistance passive peuvent déboucher sur le terrorisme et la persécution.

Le plus grand danger que doit affronter la Révolutionnaire consiste à succomber à l'égoïsme qui risque de l'entraîner vers le terrorisme et l'hypocrisie, qui sont les deux faces d'une même médaille. En s'enlisant dans l'énergie de la Femme indomptée, on court le risque de se croire infaillible et de faire l'apologie de ses propres actes, ce qui, paradoxalement, est une attitude dominante. Ainsi que le précisent les auteurs de *The Madwoman in the Attic*, la solidarité féminine n'est pas facilitée par une société patriarcale, car l'effet miroir oppose les femmes entre elles. Les femmes dont la fierté est ainsi artificiellement suscitée ont tendance à se mépriser les unes les autres au lieu de s'entraider. Cette crainte et cette méfiance les mettent à leur insu au service du pouvoir mâle, et il en va de même des femmes dont le complexe de persécution les garde prisonnières de leurs peurs.

Affronter ses peurs et croire que l'inconnu nous réserve un destin meilleur, voilà une façon d'utiliser l'énergie rebelle de la Femme indomptée. Lauréate du prix Nobel, la Birmane Aung San Suu Kyi, rebelle à son gouvernement injuste, a affronté sa peur avec courage en prenant position et en luttant activement pour le bien de l'humanité tout en étant confinée. Elle croit que la peur engendre la peur. Au fond de lui-même, dit-elle, l'individu aspire à la liberté[12]. Pour surmonter leur peur et devenir des Révolutionnaires, les femmes d'aujourd'hui peuvent choisir de raconter leur histoire, ainsi que le fit Anita Hill. On cessera de nier le harcèlement et l'abus qui sévissent dans nos sociétés seulement quand les victimes s'avanceront et raconteront leur histoire. Quand les femmes agiront et prendront position ensemble, quand, stimulées par l'énergie de la Femme indomptée, elles feront face à la solidarité des hommes, alors seulement pourront-elles se transformer, faire appel à leur force intérieure et changer le système.

Des metteurs en scène comme Margarethe von Trotta, qui décrivent le combat révolutionnaire des femmes pour atteindre la plénitude féminine dans des films tels que *Rosa Luxemburg* et *Marianne and Juliane*, peuvent nous aider à puiser dans notre courage et notre solidarité de femmes.

L'affirmation révolutionnaire *exige* des actions honnêtes et un but spirituel bien défini. Elle requiert que nous nous vouions à une cause, que nous renoncions à nos aspirations égoïstes, que nous acceptions certains sacrifices, que nous mourions à une vie pour mieux renaître à une autre et pour accéder à notre identité réelle. Le travail concerté des femmes, plutôt que la concurrence déloyale, est essentiel à leur libération. Nous avons été témoins il y a plusieurs années d'un exemple frappant du pouvoir actif de la Femme indomptée mis au service d'une action commune, à Alice Springs, en Australie, au cours d'une démonstration des femmes aborigènes. Elles marchèrent à travers la ville, bras dessus, bras dessous, leur poitrine nue portant les tatouages rituels féminins, protestant contre la vente illégale d'alcool et de drogue aux hommes de leur communauté, affaiblis par leurs toxicomanies.

La Révolutionnaire peut recourir à l'énergie constructive de la Femme indomptée en suscitant la renaissance par le chaos. En combattant les systèmes sociaux régressifs qui charcutent le courage des femmes, elle peut labourer l'humus où germeront de nouvelles idées et une nouvelle vie. La Révolutionnaire peut «récrire» les lois sévères des patriarches qui aspirent à la perfection et à la victoire, susciter des schémas inédits de changement, de découverte et d'exploration, et ainsi enrichir le monde de sa vision et de ses valeurs proprement féminines. De nombreuses femmes, de nos jours, sont des Révolutionnaires «évolutionnistes» telle Rachel Carson. Ces «écoféministes» partagent un même idéal, aspirent à une saine et chaleureuse harmonie avec la nature, découvrent des moyens nouveaux pour venir en aide à l'écologie et pour rétablir l'équilibre de notre société et de notre milieu ambiant.

1. Anja Elizabeth Rosmus, «Should German Movies Look Back?», *The New York Times,* 21 octobre 1990.
2. Albert Camus, *L'Homme révolté,* Paris, Gallimard, 1951, p. 376.
3. Cité par Elzbieta Ettinger, *Rosa Luxemburg: A Life,* Boston, Beacon Press, 1986, p. 88.
4. Ibid., p. 113.
5. Ibid., p. 120.

6. Ibid., p. 173.
7. Ibid., p. 215-216.
8. Ibid., p. 245.
9. Ibid., p. 246.
10. Ibid., p. 244.
11. Muriel Rukeyser, «Kathe Kollwitz», dans *No More Masks: An Anthology of Poems by Women,* Florence Howe et Ellen Bass, éd., New York, Doubleday Anchor Books, 1973, p. 100.
12. Aung San Suu Kyi, *Freedom from Fear,* Michael Aris, éd., New York, Penguin Books, 1991, p. 234.

9

La Visionnaire

Cela eut lieu la sixième année, après cinq ans de visions merveilleuses et vraies. Une prescience de la lumière éternelle me fut donnée, à moi, un être absolument inculte. Je vis la diversité de la vie humaine. [...] Je tremblai de tout mon être et je tombai malade de faiblesse. Pendant sept ans, je m'acharnai à décrire cette vision, mais je faillis ne pas me rendre au bout de ma tâche. [...] La révélation fut un cadeau mystérieux du ciel, mais mon corps était parfaitement en éveil et mon esprit lucide. Je la vis grâce à mon troisième œil, je l'entendis de l'intérieur. [...] Une voix venue du ciel me parlait. Elle me disait: «Note tout ce que je te dirai!»

Hildegarde von Bingen

En règle générale, on ne croit pas les femmes intuitives quand elles parlent de leurs visions. Cassandre connut ce sort tragique dans la mythologie[1]. Archétype de la Visionnaire, Cassandre, qui possédait le don de prophétie, avait prédit que les Grecs se cacheraient dans un immense cheval en bois dressé devant les portes de la ville et prendraient Troie par surprise. On la crut folle. Personne ne voulut l'écouter. Priam, son père, roi de Troie, l'enferma dans une cellule sous la garde d'une femme à qui il demanda de lui rendre compte de ses moindres paroles. Il s'efforça ainsi de garder sa fille indomptée sous son contrôle tout en profitant de ses intuitions. Beaucoup de pères emprisonnent ainsi leur fille clairvoyante. Parfois, ils le font avec douceur, comme ce fut le cas pour Claire, dont nous avons parlé au chapitre 2. Le père de Claire s'appuyait sur la sagesse innée de sa fille, et il en fit son assistante et sa gouvernante. Maris et employeurs profitent eux aussi dans leur carrière de l'intuition féminine, même lorsqu'ils ignorent ou dénigrent leur sixième sens en public, comme c'est souvent le cas pour la Muse et l'Oiseau en cage. L'expression «derrière chaque grand homme se tient une femme» illustre bien le pouvoir mâle et son exploitation des femmes.

Parfois, c'est la mère qui décourage l'intuition de sa fille en n'y prêtant pas attention ou en la dénigrant. Dans une des variantes de la légende de Cassandre, le don de prophétie lui est donné dans l'enfance, un jour que ses parents l'abandonnent dans le temple d'Apollon où l'on célèbre leur anniversaire. Pour avoir trop bu, les parents oublient leurs enfants qui dorment dans un coin, et rentrent chez eux. Quand, plus tard, Hécube revient chercher ses jumeaux, elle aperçoit les serpents d'Apollon en train de lécher l'oreille de Cassandre, et voit là le premier indice du don conféré à sa fille. Sous l'effet du choc, Hécube chasse les serpents, bien qu'elle soit elle-même une parente d'Hécate, la déesse de la Magie et des Enchantements, qui dispense à la fois le don de prophétie et la folie[2]. Sur le plan symbolique, la mère de Cassandre est initiée aux arts divinatoires, mais, refusant que sa fille y ait accès, elle néglige de lui transmettre son savoir. La négligence d'Hécube envers Cassandre est typique de la mère qui ne développe pas ses propres dons et s'efforce de les nier en sa fille. L'histoire de Claire dans le chapitre 2 et le rêve de Sophie dans le présent chapitre illustrent ces cas de femmes Visionnaires qui appréhendent la folie parce que leur mère n'aura pas su reconnaître et assumer son pouvoir ni le transmettre lucidement et en toute sécurité.

Dans une autre variante du mythe, Apollon confère à Cassandre le don de prophétie pour gagner son amour. Quand Cassandre refuse de céder à ses avances, il se fâche et lui jette un sort. Incapable de faire appel à ses propres pouvoirs, il lui demande un baiser. Comme elle lui tend ses lèvres, il crache dans sa bouche et maudit son pouvoir divinatoire pour qu'on ne croie pas à ses prédictions. Les femmes victimes de harcèlement sexuel de la part de membres de leur famille, de leurs employeurs, de leurs professeurs, de leur ministre du culte ou de leur thérapeute ont connu ce problème à facettes multiples: la promesse d'un appui confidentiel, le sort réservé aux Femmes indomptées si elles repoussent les avances qui leur sont faites, et la certitude qu'on ne les croira pas si elles parlent. Lorsque Anita Hill déclara que Clarence Thomas l'avait harcelée sexuellement, on ne la crut pas et on la traita de folle hystérique en proie à des rêves chimériques. Tout comme Cassandre, violée par Ajax quand il la trouve cachée derrière la statue d'Athéna, déesse de la Justice, Anita Hill vit sa réputation violée.

Plus tard, d'autres anciens trahissent Cassandre. Agamemnon la ramène à son palais comme du butin de guerre. Agamemnon a déjà trahi sa fille Iphigénie dans le but de remporter la victoire sur Troie[3]. À l'entrée du palais, Cassandre devine le sort qui l'attend: la mort aux mains de Clytemnestre, épouse d'Agamemnon. Clytemnestre tuera son mari et abattra Cassandre à coups de hache. Devant le palais, Cassandre crie qu'elle peut humer le sang passé et à venir sur le sol de la Maison des Atrides, la famille qui déshonora la femme en sacrifiant Iphigénie. Toute une série de meurtres vengeurs s'ensuivent. Les Atrides ayant déshonoré l'esprit féminin, les Furies s'en mêlent. Ainsi, Cassandre, abandonnée une première fois par Hécube, est ensuite assassinée par Clytemnestre, symbole de la mère abusive. La colère et la jalousie de Clytemnestre sont typiques de la façon dont les femmes se tournent les unes contre les autres, s'accusant de «sorcellerie», de meurtre ou d'autres actes réprouvables, quand en réalité ces offenses et ces atrocités ont été commises par des hommes.

Tout comme Cassandre, les femmes douées d'un sixième sens sont l'objet de railleries. Les femmes au tempérament plus doux, les femmes introverties, intuitives, perspicaces et sensibles craignent souvent les attaques des personnes plus agressives ou davantage portées à la critique. Elles taisent leurs intuitions, se referment sur elles-mêmes ou ne parviennent pas à exprimer la prescience si intimement liée à leur nature profonde. D'autres tissent leurs visions dans leurs poèmes ou leur peinture, mais elles n'osent pas livrer leurs œuvres au regard d'autrui.

Une Visionnaire que sa phobie des discours portait à refuser de donner des conférences rêva qu'elle avait en elle un grand nombre de pierres précieuses. Mais ces joyaux (ses visions) lui restaient dans la gorge et menaçaient de la faire périr par asphyxie. Sa peur d'être jugée et censurée, par les hommes ou par les femmes, l'empêchait de révéler ses visions. Il lui fallait entrer en contact avec ses Furies intérieures, c'est-à-dire le courage de la Femme indomptée, pour assumer le risque du rejet et dévoiler ses dons.

Une autre femme, réfléchie et pratique, qui s'efforçait toujours de voir les conséquences de ses décisions, décrivait ce qu'elle ressentait. On répondait habituellement à ses prévisions par «Tu t'inquiètes trop», ou «Oublie cela. Tu ne peux pas toujours tout prévoir». Elle se sentait incomprise, puisqu'on ne jugeait pas réaliste qu'elle ait des appréhensions. Furieuse à l'intérieur, elle rongeait son frein, surtout quand les événements lui donnaient raison.

Une autre femme encore, qui se reconnaissait en Cassandre, disait se sentir trahie quand on ne la croyait pas dans les moments critiques. Elle avait été molestée dans l'adolescence, mais ses révélations n'avaient rencontré que l'incrédulité de ses parents. Elle fut d'autant plus blessée quand, parvenue à l'âge adulte, elle faisait part de ses intuitions aux hommes qu'elle fréquentait, mais qui ne la croyaient pas et minimisaient ses intuitions. Plus tard, quand elle voulut faire part aux autres du livre qu'elle projetait d'écrire, on s'efforça de l'en dissuader en disant: «Tu perds ton temps. Il n'y a pas de marché pour un tel livre. Qui voudrait acheter ça?» Elle dut lutter pour conserver sa confiance en elle-même et pour persister dans son écriture jusqu'à ce que son livre soit publié.

La Visionnaire est une femme intuitive qui, voyant dans le futur, en révèle les messages, qu'il s'agisse de sombres prophéties ou de visions lumineuses. Pour les cerveaux rationnels, c'est un personnage suspect. Sa connaissance et sa perception ont une origine mystérieuse qui transcende la logique et les méthodes empiriques. Puisque la pensée rationnelle ne peut pas comprendre ses visions, elle est une menace pour le pouvoir qui la craint, la ridiculise et parfois même la condamne parce qu'elle a accès à un domaine que d'autres refusent de pénétrer. Les poètes, les mystiques, les saintes, les chamanes, les artistes, les actrices, les enseignantes et les guérisseuses, y compris certaines thérapeutes, sont quelques-uns des médiums contemporains et traditionnels de la sagesse visionnaire.

La Visionnaire reçoit directement la connaissance de son inconscient par l'intermédiaire d'images, de rêves, de voix intérieures, de mots, de titres, d'idées ou de sensations physiques qui lui arrivent soudainement, parfois en la secouant, parfois en la projetant dans l'extase. Elle est un médium pouvant accéder directement à une source psychique. Toni Wolff, la Muse et collègue de Jung, fut la première à parler d'intuition pour décrire cette prescience féminine[4]. La femme intuitive est plongée dans l'inconscient collectif. Elle possède le don de double vue pour le bien de toute l'humanité, pour l'unité et l'harmonie universelles. Mais puisque son rapport avec la psyché a lieu principalement au niveau universel, il arrive que sa vie personnelle en souffre. En outre, la femme intuitive qui n'est pas consciente de sa relation particulière avec l'inconscient peut être dépassée à son insu par ce pouvoir et en devenir l'agent, faisant «ce qui est dans l'air». Elle court alors le risque de devenir le bouc émissaire de ceux qui projettent sur elle ce qu'ils refusent de voir en elle et dans la société en général. Porteuse des aspects noirs qui dérangent les valeurs reçues, la femme intuitive est une menace pour les autres. La Visionnaire Jeanne d'Arc fut un tel bouc émissaire, mais elle sut donner de l'espoir à une société tout entière, et devint un modèle et un symbole de rédemption.

La Visionnaire peut paraître dangereuse parce qu'elle voit ce qui se passe «de l'autre côté». Si ses visions semblent le produit de la folie, c'est qu'elle renverse et précipite dans le chaos les valeurs reçues et tout ce que nous prenons pour acquis. Ses visions démontent les formules admises et les solutions superficielles pour montrer la profondeur du sens que l'évidence occulte. Ces personnes qui voient au-delà de la matière se sentent parfois isolées des autres. En raison des différents aspects de sa perception intuitive qui la rend réceptive à des idées nouvelles ou inhabituelles, la Visionnaire appréhende parfois de perdre la raison. Il peut être dangereux de perdre le contact avec la vie réelle en trouvant refuge dans les rêves et les visions; ce périple peut déboucher sur la folie. Certaines Visionnaires sont si délicates et si fragiles, par exemple, le personnage de Laura dans la pièce de Tennessee Williams, *La Ménagerie de verre*[5], que l'on craint de pénétrer tant soit peu dans l'onirisme de leur vie.

Bien que les talents et la nature de la Visionnaire soient souvent jugés ésotériques, l'intuition est une vertu inhérente à la nature humaine que chacun peut développer jusqu'à un certain point. La plupart d'entre nous avons un jour ou l'autre des intuitions profondes, des éclairs de conscience qui peuvent changer notre vie, ou encore des rêves prémonitoires qui nous indiquent les choses que nous devons changer ou la voie à suivre. La femme «normale» doit apprendre à déceler son potentiel intuitif et y répondre dans la mesure de ses moyens. Dans le film *Résurrection*, Ellen Burstyn incarne une femme ordinaire qui devient visionnaire tout en demeurant humble et terre à terre. Après avoir frôlé la mort dans un accident d'automobile, elle se met à recevoir des visions et découvre peu à peu qu'elle possède le don de guérir. D'abord, elle se guérit elle-même de la paralysie dont elle est victime depuis son accident. S'apercevant ensuite qu'elle peut guérir les autres par empathie, elle rassemble publiquement les malades. Mais elle affirme ne pas savoir d'où lui vient ce don, sinon de son amour profond pour ses semblables, de sorte que les fondamentalistes chrétiens, qui veulent lui faire dire qu'il lui vient de Dieu et de Sa parole, mettent sa vie en danger en la marquant du sceau de l'infamie. Constatant qu'il est trop dangereux d'exercer en public, elle se réfugie dans le désert où elle trouve du travail dans une station-service isolée. Là, inconnue de tous, elle poursuit secrètement son apostolat. À la fin du film, elle guérit un jeune garçon atteint de cancer sans que ni lui ni ses parents ne sachent qu'elle est responsable de ce miracle. Elle agit par simple amour humain.

Dans les temps reculés, un grand nombre de femmes ne révélèrent pas leur nature intuitive par peur de la persécution, de la torture ou de l'ostracisme. Certaines d'entre elles la réprimèrent. Chez d'autres, elle fut refoulée dès l'enfance en raison du jugement sévère des parents. Les femmes qui niaient ainsi leur intuition en subissaient les conséquences, car leurs aptitudes psychiques inutilisées se retournaient contre elles sous forme de peur, d'amertume, de culpabilité, de colère, de maladie ou de folie. Celles qui révélaient leurs visions furent pourchassées comme sorcières: Jeanne d'Arc; Jezabel, épouse du roi Ahab, que les patriarches de l'Ancien Testament qualifièrent de dangereuse séductrice parce qu'elle vouait un culte païen à la Déesse Mère; et les poétesses russes Anna Akhmatova et Marina Tsviétaïeva, interdites pendant des décennies par le régime soviétique. Marina Tsviétaïeva, incapable de supporter ces souffrances et ces persécutions, parvint à s'enfuir. Plus tard, elle s'enleva la vie. Anna Akhmatova survécut et mémorisa ses poèmes au lieu de les écrire jusqu'à ce que l'interdit soit levé. Elle fut alors célébrée comme la grande prêtresse de la poésie russe. D'autres Visionnaires furent enfermées dans des institutions psychiatriques pour avoir révélé leurs dons.

Les femmes qui nient posséder une intuition innée font parfois l'expérience de la folie. Leurs enfants payent pour ce potentiel resté en friche. Le rêve de Sophie, dont la mère était méchante et désaxée, illustre bien cette conséquence tragique. La mère de Sophie choisissait d'abord un adversaire, puis elle déclenchait une dispute.

> Ma mère tente d'expliquer à mon frère et à moi pourquoi elle s'est toujours montrée aussi cruelle et folle avec nous. Elle nous dit posséder le don surnaturel de deviner ce qui se passe en un lieu donné à un moment donné, et la faculté de prédire l'avenir. Dans son appréhension du danger inhérent à un tel don, elle s'efforçait de le réprimer. Elle se contentait de rester au foyer et de fuir toute vie sociale de peur que ses pouvoirs psychiques ne soient révélés au grand jour. En conséquence, nous dit-elle, elle était fâchée, irritable et toujours sur la défensive. Mon frère et moi la regardons, ébahis: «Ne comprends-tu pas que tu pourrais mettre tes dons au service de l'humanité?» Quel dommage, me dis-je, que ma mère ait gâché de tels dons.

Sophie avoue que sa mère était déprimée la plupart du temps et souvent malade. Selon elle, si elle avait tenu compte de ses dons médiumniques, si elle avait su les développer, son énergie ne se serait pas transformée en irritation envers sa famille. Mais sa mère devint un Dragon possessif, particulièrement acharné vis-à-vis de sa fille et de l'énergie créatrice de cette dernière. Elle-même intuitive, Sophie s'appliqua à développer et parfaire ses dons médiumniques après avoir rêvé qu'elle épousait sa mère. C'était un cauchemar qui amplifiait sa peur de lui ressembler ou, au contraire, de trop dépendre d'elle. Elle tint compte du message de son rêve et s'inscrivit à un cours de création littéraire afin d'apprendre à articuler ses intuitions.

Par sa faculté de sentir les émotions inexprimées et d'acquérir ainsi des connaissances, la femme intuitive ressent souvent ce qui se passe autour d'elle sans toujours en être consciente. Par exemple, si les interactions familiales ou sociales dysfonctionnelles ou énervantes sont jugées normales par son entourage, elle peut en venir à croire que c'est elle qui est désaxée. Elle absorbe alors ce stress et le reproduit à son tour. Affaiblie par l'énergie chaotique qu'elle capte inconsciemment, elle s'isole, allant parfois jusqu'à sombrer dans l'hystérie, la paranoïa ou la folie. Si, au contraire, elle s'identifie à ses pouvoirs ou aux messages qu'ils lui transmettent, elle peut s'en enorgueillir et penser être la source des idées inédites qu'elle formule. Elle court alors le risque de prêter de l'éclat et du romantisme à son rôle de prophétesse. Par ailleurs, si elle se sent l'objet d'une force qui la dépasse, elle peut devenir dépressive et en vouloir à son destin. Si elle ne comprend pas son rôle de médiatrice, «elle peut devenir la principale victime de sa propre nature[6].» Une femme qui, par exemple, se croit seule détentrice des idées ou des archétypes qu'elle a pour fonction de transmettre à la société risque de se sentir appelée au rôle enchanteur de gourou.

Le défi spirituel de la femme intuitive ou visionnaire consiste à prendre conscience de ses dons, à apprécier son aptitude exceptionnelle à recevoir et à transmettre ses visions. Elle doit apprendre à discerner les intuitions qui touchent sa vie personnelle de celles qui affectent son entourage. Certaines de ses visions, issues de l'inconscient collectif, sont une réponse au besoin d'épanouissement de la psyché. Puisque tout don demande à être développé lucidement, la femme intuitive affronte une tâche particulière: elle doit apprendre à séparer ce qui la concerne personnellement de ce qui ne la concerne pas, ou, dans les mots de Toni Wolff, «à devenir une médiatrice plutôt qu'un simple médium[7]». Cela signifie qu'elle doit se préparer activement non seulement à recevoir des visions mais aussi à les transmettre. Si elle opte consciemment pour cet apprentissage, «elle se met au service de l'esprit innovateur, sans doute encore occulté, de sa génération[8]».

Toni Wolff, elle-même douée d'une grande intuition, décrivit cette faculté proprement féminine en 1951. En cette fin du vingtième siècle, les femmes d'aujourd'hui, de plus en plus conscientes de leurs dons divinatoires, s'efforcent d'employer leurs connaissances intuitives avec lucidité et de façon responsable. Ancrées dans le féminin, que ce soit par le biais de leur rapport avec les religions de la déesse, avec l'ancienne tradition matrilinéale ou avec la nature, elles s'efforcent, dans un esprit sororal, à concevoir et à créer un univers où les valeurs féminines seraient respectées. Mais pour célébrer la Visionnaire, sa nature paradoxale et les conflits auxquels elle fait face doivent être compris. À défaut de cela, elle court le risque d'être rejetée en tant que Femme indomptée.

LE CONFLIT DE LA VISIONNAIRE: AMBITIONS PERSONNELLES ET MISSION INTERPERSONNELLE

La femme intuitive doit harmoniser ses dons et ses ambitions. En sa qualité de Visionnaire, elle est appelée à servir les puissances supérieures interpersonnelles et à transmettre des messages à la communauté des vivants. Mais en tant qu'être humain avec des désirs humains, elle veut mener une existence «normale» et connaître une relation affective qui risque d'entrer en conflit avec sa mission médiumnique. Elle doit apprendre à faire coïncider sa vie personnelle et l'appel du devoir.

Une des causes de ce dilemme de la Visionnaire réside dans la crainte que le fait d'accepter son don prophétique se soldera par l'impossibilité d'avoir une vie amoureuse, puisque la médiumnité est souvent appréhendée, voire condamnée. Ainsi, parce qu'elle cherche à cacher ou à nier ses facultés exceptionnelles, la femme intuitive transfère ses aptitudes psychiques sur ses relations personnelles. Mésusant de ses dons, elle conseillera son amant, ses enfants ou ses amis et leur soulignera leurs faiblesses. Quand l'amoureux s'irrite des conseils qu'elle lui donne sans qu'il les sollicite, elle ne comprend pas sa réaction. Craignant qu'on les rejette en raison de leurs intuitions, certaines femmes évitent de s'engager dans une relation amoureuse et souffrent de solitude. D'autres, qui croient passer à côté de leur vie, refusent de mettre leurs facultés intuitives au service de Dieu et de l'humanité. D'autres encore aident l'homme qu'elles aiment à solutionner les problèmes qu'il affronte dans une relation parallèle, pour se voir ensuite remerciées et abandonnées. En guise d'exemple, une femme de ma connaissance constata dernièrement qu'elle tombait toujours amoureuse d'hommes mariés. En apprenant à les connaître, elle en venait à percevoir et à leur révéler les défauts de communication qui sévissaient dans toutes leurs relations affectives. Mais ses intuitions profondes effrayaient ses amants et les incitaient à projeter sur elle des jugements négatifs. L'un d'eux parla d'elle à sa famille qui la considéra comme une sorcière et une fautrice de trouble. En dirigeant leur colère contre elle, ils se liguèrent contre un ennemi commun, et elle fut rejetée et abandonnée. Ayant pris conscience en thérapie de sa tendance à faire connaître prématurément ses intuitions, elle s'efforce maintenant de développer des relations plus réalistes et d'être plus lucide dans sa façon de communiquer.

D'autres femmes intuitives ont au contraire des aspirations plus élevées. Celles-là répondent à l'appel de la religion, prennent le voile ou entrent en sacerdoce, ou bien deviennent des artistes inspirées. Si elles choisissent cette voie en toute lucidité, elles n'en ressentent habituellement aucune amertume. Mais si elles se sentent poussées par une volonté extérieure à s'engager sur ce chemin très exigeant, elles peuvent éprouver un sentiment d'amertume, de persécution et d'isolement qui débouche parfois sur le désespoir. Par exemple, une femme placée devant l'alternative d'épouser l'artiste qu'elle aimait ou de rester célibataire choisit de ne pas se marier. En se mariant, elle aurait été forcée de sacrifier ses ambitions créatrices au profit de la vie de couple à laquelle son amant aspirait, car elle aurait été l'axe même de leur relation. Elle souffrit donc de ne pouvoir connaître une relation amoureuse enrichissante.

Certaines femmes choisissent de nier leurs dons, de ne pas répondre à l'appel de leur créativité, par haine de leur destin de Visionnaires. Maria Callas connut un tel conflit entre son rôle de diva et son désir d'être l'épouse d'Onassis. Elle revécut dans sa vie personnelle la tragédie de la grande prêtresse druidique de l'opéra *Norma*, qui trahit sa mission de Visionnaire en faveur d'un amant mortel qui la quittera pour une autre femme. Norma se jette dans les flammes d'un brasier funéraire quand elle prend conscience de s'être ainsi trahie elle-même.

Le rêve qui suit est celui d'une Visionnaire frustrée dans sa vie amoureuse. Il illustre son dilemme entre le désir d'être aimée et le rôle de prêtresse auquel elle résiste.

> Je suis prise en otage par deux hommes qui m'engouffrent dans une voiture ouverte et me conduisent au faîte d'une montagne des Andes. Je suis l'oracle que le peuple attend. On me conduit au milieu d'un cirque et on me donne des herbes qui me feront entrer en transe. Terrifiée, je m'échappe et retourne à Paris où j'ai vécu lorsque j'avais une vingtaine d'années. Je me réveille en sursaut, sachant que les ravisseurs reviendront et me ramèneront sur la montagne.

À Paris, elle avait connu l'amour. Maintenant plus âgée, elle se sentait appelée à transmettre sa sagesse intuitive. Mais elle se refusait à devenir l'oracle de son entourage, car cet appel entrait en conflit avec son désir de mettre ses dons visionnaires au service de l'écriture romanesque.

La Visionnaire est souvent projetée dans un dilemme qui la confond et lui inspire un comportement négatif. Certaines femmes répondent à l'appel de ces forces créatrices dans la solitude et le silence de la nature afin de mieux capter et révéler les mystères de la Terre Mère. Néanmoins, sa chair et son cœur brûlent du désir d'être aimés. Dans le roman *Les brumes d'Avalon,* Morgane souffre de ce dilemme. En tant que prêtresse de la Grande Mère, elle s'est donnée à la Déesse. Elle doit renoncer aux liens du mariage et à l'amour d'un mortel pour se consacrer aux grands desseins de la Déesse. Morgane, qui est novice, étudie les choses sacrées et se prépare à recevoir le don de guérison. Elle a été choisie par Viviane, la Dame du Lac, et doit la remplacer en tant que Grande Prêtresse d'Avalon. Mais Morgane succombe à la tentation lorsqu'elle tombe amoureuse de Lancelot. Plus tard, les dieux lui ordonnent de s'unir à Arthur, dont elle ignore qu'il est son frère, au cours d'un rituel sacré qui célèbre l'union divine de l'homme et de la femme devant la Déesse. Morgane obéit à l'appel de la Déesse, à cette voix qu'elle connaît et dont elle ne peut se cacher. Mais quand elle comprend ce qu'elle a fait, son cœur est animé d'une violente colère, car son union incestueuse va à l'encontre des coutumes des hommes. Désespérée et révoltée de la brutale volonté de la Déesse, elle fuit le royaume surnaturel d'Avalon pour vivre parmi les humains, à la cour de son frère. Morgane se sent victime de son don de double vue et de sa destinée d'oracle. Pourtant, en vivant parmi les humains, elle sait qu'elle a trahi sa mission. N'étant pas appelée à vivre dans le monde, elle craint de devoir payer en perdant son don de double vue.

Viviane, la Grande Prêtresse vieillissante d'Avalon, se rend à la cour d'Arthur et lui demande de veiller sur Avalon, de protéger ses lois séculaires, les forêts sacrées, les anciens cultes de la nature, violés par les rois des petits royaumes. Morgane appréhende d'être chassée de la cour par les prêtres chrétiens en tant que Femme indomptée et païenne. Mais ce qui se passe est bien pis: Viviane est assassinée au nom du Christ par un homme qui la considère comme une sorcière et désire débarrasser le royaume des cultes païens d'Avalon. Le meurtre de Viviane ramène Morgane sur le chemin de sa véritable destinée.

Morgane se demande pourquoi les humains en sont venus à associer les forces créatrices avec le dieu vengeur de la guerre plutôt qu'avec la douce mère des moissons. Elle sait que la Déesse Mère a elle aussi un aspect sombre et qu'elle sait cacher la Femme indomptée sous le couvert de ses nombreux mystères. La Grande Mère n'est pas seulement la Dame verte représentant la terre nourricière; elle est aussi la Dame sombre, la Semence enfoncée dans le sol gelé de l'hiver, et la Dame de putréfaction[9]. Morgane elle-même traversa ce royaume des ombres quand elle fut forcée de coucher avec son frère. La Déesse, cette «Femme indomptée», fut chassée par les prêtres chrétiens qui ne comprenaient pas que les rythmes de la nature, les forces divines, la lumière et l'ombre, le christianisme et le paganisme, sont en réalité une seule et même chose. Les gens ne veulent pas souffrir pour accéder à la connaissance, ils ne tolèrent pas de ne pas comprendre les mystères qui dépassent l'entendement, de sorte qu'ils fondent leur espoir en un Dieu protecteur qui facilitera leur existence. Ainsi, les prêtres tentent d'effacer les paradoxes divins qui ont pénétré les desseins des hommes. Ils se satisfont de définitions qui nient le caractère profondément sacré du rythme de la nature.

À la fin, Morgane revient seule sur ses pas, retourne à Avalon et réclame le titre de prêtresse auquel elle avait renoncé. Consciente qu'elle ne peut échapper à son destin et qu'elle devra bientôt remplir ses devoirs de Déesse partout où elle ira, elle accepte enfin le sacrifice et la souffrance inhérents à ses tâches, à savoir, le renoncement à ses désirs et l'obéissance à sa mission.

CÉLÉBRATION DE LA VISIONNAIRE

Notre société n'accorde plus d'importance au savoir des oracles, nous n'honorons plus, nous n'écoutons plus les Visionnaires qui nous transmettent les messages de l'au-delà. Nous avons oublié le culte des anciens mystères et rejeté les rituels qui pourraient nous les dévoiler. Autrefois, la prêtresse était au centre de la vie humaine. À Delphes, par exemple, on consultait l'oracle en raison de sa sagesse. Le mot même de sibylle (autre nom de la prêtresse) dérive des mots grecs *sios (theos)*, qui signifie «Dieu», et *bola*, dont le sens est «conseil». On croyait que la sibylle entendait la parole de Dieu au cours d'un rituel sacré. Après s'être purifiée, la sibylle pénétrait dans une grotte jusqu'aux profondeurs de la terre. Là, elle entrait en transe, son corps se tordait, ses cris montaient jusqu'à la surface. Elle prononçait l'oracle de vive voix, ou bien elle l'écrivait sous forme de hiéroglyphes et de symboles[10].

Ces prêtresses étaient choisies avec soin dès l'enfance, pour leur sagesse, leur beauté et leur pureté. Elles recevaient une éducation rigoureuse, subissaient des épreuves initiatiques, devaient mourir puis renaître. La chasteté et la pureté étaient des conditions essentielles pour qu'elles reçoivent la révélation divine et la transmettent au cœur des mortels. Elles devaient consentir à d'énormes sacrifices et renoncer aux biens matériels. Certaines chroniques rapportent qu'elles devaient être animées des tremblements et des mouvements cycliques de la terre. Ainsi possédées, au seuil de la mort ou de la folie, leur corps se tordait d'agonie quand la révélation les traversait.

La sibylle guidait les voyageurs dans leur aller et retour au royaume des Ténèbres, et interprétaient ce qu'ils y avaient appris. Elle conseilla aux Romains de consulter Hécate, la déesse des Ténèbres, celle qui se tient au croisement de trois chemins. Elle aida Énée à traverser la forêt vierge jusqu'au royaume des ombres en quête du Rameau d'or qu'il lui fallait offrir à Perséphone avant de revenir sur terre. Dans la version d'Ovide, Énée souhaite ériger un temple en l'honneur de la sibylle qu'il considère à l'égal d'une déesse. Mais la sibylle refuse son présent, prétextant qu'elle sert les forces divines en tant que prêtresse sans être elle-même admise au sein des dieux.

La sibylle était une prêtresse âgée et souveraine. Michel-Ange peignit la sibylle de Cumes sur le plafond de la chapelle Sixtine. Il en fit un personnage imposant, puissant et massif au regard vif perdu dans un amoncellement de chairs flétries. Il croyait que la sibylle avait prédit le destin de l'humanité. Entre autres prophéties, la sibylle de Cumes avait annoncé la chute de l'Empire romain et la naissance du Christ.

La légende qui suit illustre les conséquences du manque de respect envers cette prophétesse de l'Antiquité. Un jour, une vieille femme de Cumes rendit visite à Tarquin l'Ancien, le légendaire roi étrusque de Rome. Elle offrit de lui vendre neuf livres contenant la destinée du monde en échange de trois cents pièces d'or. Le roi refusa l'étrange marché de l'excentrique vieille femme, car il pensait que ce n'était pas une bonne affaire. La vieille femme repartit, mais revint à Rome quelques semaines plus tard. Cette fois, elle lui offrit seulement six livres, pour le prix des neuf. Le roi refusa encore, prétextant que ce prix était trop élevé. Longtemps après, la vieille femme revint une dernière fois lui offrir trois livres, toujours pour le même prix. Le roi consentit enfin à les acheter et lui demanda ce qu'elle avait fait des autres. Elle dit les avoir brûlés. Après avoir lu les trois ouvrages qui relataient le destin du monde, il demanda à la vieille femme (la sibylle de Cumes) de récrire les autres six livres, mais elle refusa. Les trois ouvrages relataient en détail l'ascension de l'Empire romain. Mais le roi ne sut rien de son destin ultime, car il n'avait pas su reconnaître et respecter la vieille femme, qui était nulle autre que la Grande Prêtresse de Cumes.

La sibylle de Cumes et l'oracle de Delphes puisaient leurs pouvoirs de divination dans la terre même. La terre et les lieux sacrés où étaient érigés les temples de l'oracle les inspiraient. La transe ou le rêve leur apportaient la révélation[11]. Lorsque l'âme humaine s'unissait à l'âme divine en un mariage sacré, le message des dieux pouvait être transmis. Ainsi, quand on lui demandait de rendre l'oracle, la pythie de Delphes revêtait une robe blanche et se présentait au temple d'Apollon vêtue comme l'épouse du dieu. Elle était encore une prêtresse mortelle. Son nom dérive de Pytho, le dragon abattu par Apollon. Elle rendait l'oracle depuis une grotte sombre située de l'autre côté d'un gouffre profond, une faille terrible qui résonnait des tremblements de la terre. Au fond de cette gorge, une chute alimentait les eaux purificatrices de la fontaine de Castalia.

Les fidèles qui consultaient l'oracle de Delphes devaient au préalable se soumettre à certains rites sacramentels: jeûne, réclusion, purification, vêtements rituels, offrandes. Ils s'engageaient sur la Voie Sacrée, un sentier abrupt et caillouteux jusqu'au gigantesque portail du temple, où ils entraient par son côté est. Les temples grecs étaient orientés vers l'est en honneur du berceau de la lumière. Puis ils longeaient la flamme perpétuelle du foyer d'Hestia et se rendaient jusqu'à l'arrière du temple, où une statue en or d'Apollon était érigée. Pour consulter la grande prêtresse, les fidèles devaient ensuite descendre dans une antichambre souterraine. La grotte prophétique s'enfonçait encore plus profondément dans la terre. Là, la prêtresse, la pythie était assise sur un trépied au-dessus d'une fissure profonde. La pythie inhalait les vapeurs qui montaient de l'abîme et entrait en transe. C'est dans cet état que la grande prêtresse revivait les grandes tragédies humaines et prononçait ses prophéties. Le spécialiste de la mythologie Mircea Eliade signale que la Terre Mère, révérée par tous, fut le premier oracle de Delphes.

La prophétesse de Delphes recevait la connaissance par voie de la révélation divine et en appelait à l'intuition de ceux qui l'interrogeaient. Son précepte était: «Connais-toi toi-même».

Socrate était à ses yeux le plus grand sage de la terre, car il avouait ignorer beaucoup de choses. Elle avait pour principes le sens de la mesure, l'acceptation de la finitude de l'être, la fidélité à la voie choisie. Elle respectait surtout la vérité poétique, car la poésie était un hommage au mystère de la vie et l'expression des rapports entre le visible et l'invisible.

Après que les sociétés qui vouaient un culte aux déesses furent déshonorées et qu'Apollon eut perdu ses aspects féminins et dionysiaques, les prêtresses tombèrent sous le joug des valeurs et des raisonnements patriarcaux. La sibylle devint un objet d'exploitation.

RAGER CONTRE LES DIEUX: *LA SIBYLLE*

Parce que le destin de la Visionnaire consiste à révéler des vérités universelles englobant non seulement ce qui est beau, mais aussi ce qui est terrible, et parce que ses prophéties font parfois peur aux personnes conservatrices qui nient alors leurs dons et les déclarent folles, les Visionnaires sont isolées, marginales même, tenues à l'écart de la vie. Il arrive que leur colère éclate, quand elles se sentent doublement exploitées, par les dieux et par les hommes. Le passage qui suit, tiré du roman mythique de Pär Lagerkvist, *La Sibylle,* illustre éloquemment la colère de la Visionnaire.

> Mais je brandis mon poing vers celui qui m'a traitée de la sorte, qui s'est servi de moi, dans son puits, son puits d'oracle, qui a fait de moi un instrument passif, qui a violé mon corps et mon âme, dont le terrible esprit, le délire, la supposée inspiration m'ont possédée, celui qui m'a remplie de son souffle brûlant, son feu étranger, qui a déversé dans mon corps son rayon lubrique et fertile pour que je porte son fils idiot, cette caricature de l'homme, de la raison et de l'homme, cette caricature de moi qui l'ai porté dans mon sein. Celui qui m'a sacrifiée, qui m'a possédée, qui a voulu que l'écume me monte aux lèvres pour le dieu et que je donne le jour à un idiot. Qui m'a exploitée toute ma vie durant; qui m'a privée du vrai bonheur, du moindre bonheur humain; qui m'a dépossédée de tout ce dont peuvent jouir les

> autres, tout ce qui leur donne la sécurité et la paix. Qui m'a pris mon amour, mon bien-aimé; tout, tout, et qui ne m'a rien donné en retour, rien d'autre que lui-même. Lui-même. Qui est encore en moi, me remplissant de sa présence, de son agitation, sans jamais me donner de paix, car lui-même est sans repos; sans jamais renoncer à moi. Sans jamais renoncer à moi!
> Je brandis mon poing vers lui, mon poing impuissant[12]!

Révélant de la sorte le dilemme qu'elle affrontait en tant que prêtresse assoiffée d'amour, la sibylle de Lagerkvist fait rage contre le dieu qui a parlé par sa voix, pour la punir ensuite d'avoir cédé à l'amour d'un mortel. Lorsqu'elle était la grande prophétesse du temple de Delphes, on révérait ses prophéties comme celles d'aucune autre prêtresse avant elle. Enfant de paysans, elle connut la solitude de ses visions. Elle grandit à la campagne, où ses parents étaient de simples fermiers qui vouaient un culte à la déesse Gaia. Très jeune, elle pressentit la présence divine dans la Nature. Son père déposait des offrandes à l'intention de la déesse sur un petit autel en terre qu'il avait érigé de ses mains. Sa mère honorait les mystères en se désaltérant à l'eau sacrée. Les arbres et les sources étaient les lieux saints où l'enfant priait avec les siens. Quand elle devint femme, des visions et des voix la troublèrent au point qu'elle se sentit différente des autres. Terrifiée par l'évolution chaotique de sa psyché, elle appréhenda de perdre la raison. Mais elle connut également l'extase et brûla de recevoir en elle la présence divine que lui révélaient ses visions.

Quand on la choisit pour devenir le vaisseau de l'esprit saint au temple d'Apollon, elle espère que le dieu la hissera vers la lumière. Mais elle se voit contrainte de demeurer assise au fond d'une caverne obscure et étouffante sur un trépied posé au-dessus d'un gouffre profond d'où montent des relents de chèvre. Perchée au-dessus de l'abîme, les serpents sacrés du dieu glissent à côté d'elle tandis qu'elle aspire la fumée étourdissante d'un feu de feuilles de laurier. Elle entre en transe, son corps se tord de douleur et l'esprit sauvage du dieu pénètre en elle. Elle est à peine capable de tolérer cette agonie, elle pleure de douleur et crie aux prêtres les messages qu'elle reçoit pour qu'ils les traduisent à l'intention des fidèles assemblés. Quand elle revient à elle, elle porte une robe de noces, car elle s'est unie au dieu qui l'abandonne toujours à sa solitude, mais elle brûle de connaître à nouveau l'extase divine. Pendant plusieurs années, elle n'a d'autre vie que celle-là. Elle est la pythie qu'on révère à distance, que l'on évite de crainte d'approcher de trop près l'oracle du dieu. Elle se sent marginale. Les prêtres n'ont pour elle que de la condescendance. Ce sont eux qui interprètent ses cris sauvages dont elle n'est que l'instrument. Mais elle ne peut pas vivre sans l'oracle qui la garde en otage. Elle découvre aussi la corruption qui sévit dans les environs du temple. Les citoyens profitent de la lubricité de ceux qui s'y rendent dans le but d'entendre et de célébrer ses paroles.

Le jour où sa mère meurt, les prêtres envoient la sibylle chez elle revêtue de ses robes de cérémonie. Sa mère la reconnaît à peine dans ses vêtements étranges. Obtenant la permission de demeurer quelque temps dans la maison familiale, elle se rend un jour à la source sacrée où elle aperçoit un homme en train de boire. Ils parlent, elle s'éprend de lui, et pour la première fois, elle connaît l'amour humain. Ils font l'amour au bord de la rivière où l'homme se noiera plus tard pour avoir osé prendre l'épouse du dieu. Quand leur union est découverte, tous la condamnent parce qu'elle a trahi ses vœux de chasteté. La foule voudrait la lapider, mais elle inspire encore beaucoup de crainte et on la laisse passer sans lui faire de mal. Elle trouve refuge dans les montagnes aux abords de la ville où, ostracisée par le peuple, elle vivra en recluse. Enceinte, elle donnera naissance à un enfant qu'elle croit être de son amant mortel.

Mais les événements qui entourent cette naissance sont des plus étranges. Le fils de la sibylle vient au monde avec plusieurs mois de retard, et quand elle revient à elle après l'accouchement, elle voit des chèvres lécher le bébé pour le laver de son sang. Elle se rappelle sa dernière union avec le dieu dans le puits de l'oracle. Le dieu lui avait alors manifesté sa présence sous forme d'un bélier noir qui la violait cruellement. Son fils grandit idiot, un sourire narquois sur le visage, et elle sombre dans un fol désespoir. Quelle cruauté que le fruit d'un si bel amour humain connaisse une telle destinée! Pis, elle se demande parfois si son fils ne fut pas conçu à Delphes, par le dieu qui l'a violée. Cet idiot est-il le fils du dieu? L'amertume et le ressentiment qu'elle éprouve à la cruauté de celui pour qui elle a sacrifié sa jeunesse, sa vie, ses parents, et qui l'a privée de l'amour des hommes, la certitude d'avoir été exploitée, raillée, violée et terrifiée, tout cela la jette dans un désespoir profond.

> Dieu est sans pitié. Ceux qui le disent bon ne le connaissent pas. Il est la chose la plus inhumaine qui soit. Il est sauvage et aussi imprévisible que l'éclair. Comme l'éclair qui surgit d'un nuage quand on ignorait que l'éclair était dans le nuage. Il frappe sans qu'on s'y attende, il nous frappe soudain, de toute sa cruauté. De tout son amour, son amour cruel. Avec lui, tout peut arriver. Il se manifeste quand il veut, comme il veut. [...] Le dieu n'est pas humain; il est tout le contraire d'humain. Ni noble, ni sublime, ni immatériel comme on voudrait le croire. Il est étranger et repoussant. Parfois il est la folie même. Il est malin, dangereux, fatal. C'est ainsi qu'il m'est apparu[13].

La sibylle devient vieille, rejetée des siens elle vit sur les collines des alentours de Delphes avec pour uniques compagnons son fils idiot maintenant adulte et les chèvres sauvages des environs de leur refuge de montagne. Elle a raconté son histoire à un étranger également maudit du dieu, qui espérait trouver près d'elle un sens à sa vie sans espoir. Quand l'ancienne prophétesse lui narre son récit étrange, il comprend que son visage aux rides profondes a été «touché par le feu» et que ses yeux ont vraiment «vu le dieu». Parvenue au terme de son récit, elle constate que son fils a disparu. Comme une folle qui ne sent plus son âge, elle suit ses traces dans la montagne jusqu'à ce qu'elles disparaissent dans le brouillard infini et neigeux que la lune éclaire. À son retour, elle comprend que l'idiot n'est autre que le fils du dieu, né dans un corps inacceptable, et retourné vers son père aussi mystérieusement qu'il était venu à elle. La vieille sibylle voit enfin l'insondable mystère, le dilemme divin qui rassemble le bien et le mal, la lumière et les ténèbres, l'extase et le néant, le bonheur et l'agonie, le feu dévorant et l'abîme profond, ce casse-tête divin qui ne cesse de nous torturer. Son vieux regard entre en elle-même, puis elle se tourne vers l'étranger et lui dit:

> L'aspect le plus incompréhensible du divin, c'est qu'il peut être un petit autel en terre battue où nous déposons quelques épis de maïs pour trouver la sérénité et la paix. Il peut aussi être une source qui reflète notre visage, dont nos mains puisent l'eau douce et bonne pour la boire. Il peut être cela aussi, je le sais. Mais il ne fut pas cela pour moi. Il ne saurait être cela pour moi.

> Il a été pour moi un abîme béant qui m'a engouffrée avec tout ce que j'aimais. Un souffle lumineux et une étreinte sans pitié, sans paix, que néanmoins je désirais. Une force brûlante et inconnue à laquelle j'ai dû me soumettre[14].

Comprenant que le sort de l'étranger, tout comme le sien, est un bienfait qui les unit au mystère insondable et les force à s'interroger, elle lui révèle que sa haine du dieu est elle-même une expérience du divin. Puis elle retourne à sa solitude, son vieux regard glisse sur Delphes qui s'étend à ses pieds, et elle voit tout.

L'histoire de la sibylle est exemplaire de la transformation de la Visionnaire furieuse contre le dieu qui s'est servi d'elle. Elle s'assoit sur son trépied, droguée par les prêtres qui relatent et interprètent ses visions en fonction de leurs lois et de leurs besoins d'hommes. Elle accepte d'être un instrument passif dans l'ignorance de ce qu'elle-même a vu. Quand elle prend conscience du dilemme qui l'écartèle entre l'amour divin et l'amour humain, elle est reléguée à sa solitude, bannie par ses concitoyens qui symbolisent la foule que ses visions terrifient, surtout lorsque les lois et les coutumes patriarcales ne parviennent pas à les contrôler ou à les contenir. Les gens ont peur de l'inconnu, de l'ineffable, des puissances et des visions qu'ils ne comprennent pas, et ils s'efforcent de les fondre dans les idées reçues du patriarcat. On peut comparer cette peur à celle qui, de nos jours, anime ceux qui se méfient de la capacité de reproduction des femmes et qui s'efforcent de contrôler leur sexualité.

Seule dans la nature, la sibylle doit regarder en face son désespoir et sa colère contre le dieu. Lorsqu'elle raconte son histoire à l'étranger, elle aide celui-ci à comprendre le sens de sa quête et peut examiner sa propre vie avec recul. Quand elle accepte les insondables mystères de la vie, elle comprend qu'elle a donné naissance au fils du dieu (symbole de l'enfant-dieu qui séjourne en nous tous, peu importe que cela semble ridicule aux esprits rationnels). Grâce à cette métamorphose, elle cesse d'être aveugle, elle reçoit ses visions sans interférence. Les prêtres ne sont plus là pour interpréter sa vie à sa place. Elle n'a besoin de personne pour découvrir les mystères de la vie. Elle peut observer le divin paradoxe de la laideur et de la beauté, et accepter cette union ineffable aussi facilement qu'elle accepte tout le reste. C'est là le plus grand défi de la Visionnaire: accepter d'être responsable de ce qu'elle perçoit et parvenir à incarner ses visions pour les traduire, sans égard à leur étrangeté et à leur caractère énigmatique.

LA PRÊTRESSE DE LA POÉSIE: ANNA AKHMATOVA

Anna Akhmatova, l'un des plus grands poètes russes du vingtième siècle, a connu le dilemme de la Visionnaire. Surnommée «la grande prêtresse de la poésie russe», elle subit les foudres du totalitarisme stalinien pour sa poésie lyrique et personnelle. Avec Boris Pasternak, Ossip Mandelstam et Marina Tsviétaïeva, elle fut l'un des quatre grands poètes russes du vingtième siècle qui symbolisèrent la Vieille Russie[15]. Contrairement à bon nombre d'autres poètes russes, elle choisit de ne pas émigrer. Très attachée à sa terre, elle considérait l'exil à l'égal d'une trahison. Dans sa jeunesse, Akhmatova n'appréciait pas son destin de prophétesse qui l'empêchait de goûter aux joies de l'amour humain. Elle choisit enfin de témoigner de ses dons visionnaires par la poésie. Tous ne la crurent pas quand elle prédit les destructions et les malheurs de la guerre. Sa voix était lourde de menaces. Pendant vingt ans, le régime soviétique la bâillonna.

Née à Odessa sur les bords de la mer Noire en juin 1889, Anna s'installa plus au nord avec sa famille, à Tsarkoe, où elle grandit au milieu de verdoyants jardins publics et de prairies, là même où avait vécu Pouchkine. L'été, la famille retournait au bord de la mer Noire, où elle tomba amoureuse de l'océan. Elle connut précocement un rapport mystique avec la nature qui nourrit sa poésie. Parlant de son enfance, elle écrit:

> Or j'ai grandi dans un silence tout brodé,
> Dans la fraîche chambre d'enfants du jeune siècle
> Et si je ne chérissais pas la voix des hommes
> Je comprenais la voix du vent[16].

À l'âge de dix ans, elle fut atteinte d'un mal mystérieux; elle délira et l'on craignit pour sa vie. Quand elle fut remise, elle se mit à écrire des poèmes. Elle déclara plus tard que sa poésie était intimement liée à cet épisode. La mort et la maladie marquèrent sa famille. Une sœur plus jeune mourut quand Anna avait cinq ans; d'autres sœurs, d'autres membres de sa famille furent atteints de tuberculose, maladie dont souffrit aussi Akhmatova plus tard. Mais sa joie de vivre païenne n'en fut pas affectée. L'eau était son élément naturel: les étangs de Tsarkoe et la mer Noire.

C'est de ce personnage de sirène que le poète Nicolas Stepanovitch Goumilev s'éprit et qu'il immortalisa plus tard en en faisant la fille lunaire de ses poèmes, la naïade aux yeux tristes, tout comme Dante avait trouvé l'inspiration en Béatrice. Au début, Anna ne lui rendit pas son amour. Désespéré, il fit plusieurs tentatives de suicide. Des années après, quand ils se furent mariés, la Muse devint à ses yeux une «sorcière» et il parla d'elle ainsi dans un de ses poèmes. À cette époque, Anna écrivit de nombreux poèmes où il était question de sa souffrance et de son agonie.

En 1905, Anna côtoya plusieurs fois la mort: sur le plan personnel, quand Goumilev tenta une première fois de se suicider; sur le plan national, quand les Japonais détruisirent la flotte russe. Puis, ses parents se séparèrent et l'argent se fit rare. La mort prématurée de sa petite sœur assombrissait aussi sa vie, mais elle persista dans ses études et sa poésie.

Ses premiers poèmes célébraient l'enfant qui faisait un avec la nature, l'enfant intuitive capable de faire venir à elle les poissons et les goélands. Assise sur le rivage, cette enfant rejette l'admirateur qui la convoite et attend le prince charmant qui n'arrive jamais. Dans son poème intitulé «Tout près de la mer», elle est accompagnée par l'«ombre» d'une sœur plus jeune, une enfant estropiée qui cependant comprend la douleur, la mort et le sens profond de la vie. La Muse de ces premiers poèmes vient à Anna en rêve sous l'apparence d'une jeune fille élancée, une étrangère qui se baigne avec elle dans la mer, qui lui apprend à nager, et dont les mots «tombent comme des étoiles sur la nuit de septembre» avec «une voix de flûte argentée»[17]. Incapable de se rappeler au réveil les mots qu'a prononcés la Muse, Anna lui demande pourquoi elle lui a enlevé sa vision. Beaucoup plus tard, Akhmatova a beaucoup insisté sur l'importance de se remémorer les visions reçues, tâche qu'elle dut accomplir elle-même au cours des années où, victime de censure, elle fut forcée de confier sa poésie à sa mémoire.

Pour Akhmatova, la Muse était un personnage féminin, la fille païenne de la nature, apparentée à la Vierge orthodoxe. Profondément religieuse et passionnée, Anna s'efforça de combler l'écart entre désir spirituel et désir physique dont souffraient les femmes de son époque. Elle tenta, par sa poésie, de parler au nom des femmes, de dévoiler leur humanité, leur courage, leur héroïsme. Pour Anna, l'inspiration poétique fut toujours un présent de la Muse, de la nature ou de la bonté miraculeuse de Dieu. Elle associait la Muse païenne aux pèlerines de la chrétienté tout comme elle associait la poésie à la prière. Quand la voix du poète s'enfonce dans la douleur muette et le retrait du monde, sa sœur païenne apaise son tourment par son rapport créateur avec la nature.

> Tes cheveux sont devenus gris. Tes yeux
> sont ternes et brouillés de larmes.
>
> Tu n'entends plus le chant des oiseaux,
> Tu ne vois plus l'éclair de l'été ni les étoiles.
>
> Le tambourin ne résonne plus depuis longtemps
> Et pourtant le silence t'effraie.
>
> Je suis venue prendre la place de ta sœur
> Dans la forêt, aux abords du grand feu[18].

En 1910, Anna et Goumilev firent leur voyage de noces à Paris. C'est dans cette ville qu'Anna fit plus tard la connaissance d'Amedeo Modigliani, avec qui elle s'assoyait dans les jardins du Luxembourg et récitait des poèmes de Verlaine, et en compagnie de qui elle se promenait au clair de lune dans le quartier latin. Rêveuse et romantique, Anna était une femme intuitive, capable de deviner les rêves secrets et les désirs des autres.

Goumilev étant souvent absent, Anna se consacra plus sérieusement à sa poésie. Ses œuvres furent publiées dans les journaux. Elle y exprimait la certitude de la présence de Dieu sur terre, elle y disait que la poésie est organique, que nous devons aimer la vie qui nous est offerte comme un cadeau, et nous appliquer à la vivre. Peu importe la cruauté du monde, écrivait-elle, la solution ne réside pas dans la fuite. Le poète doit se faire le témoin de la vie et incarner la vérité dans sa parole. *Le Soir*, le premier recueil d'Akhmatova, publié en 1912, reçut un accueil favorable de la critique. Elle y déversait ses sentiments personnels, les sentiments d'une femme mal aimée ou abandonnée par son amant, que la douleur d'aimer conduit aux portes de la folie. Dans ces moments-là, même la Muse semble lui refuser son don divin, «l'anneau d'or» de l'inspiration poétique.

En 1912, Anna mit au monde un fils, Lev, alors que son mariage allait à la dérive. Elle affirmait son indépendance et sa liberté, tandis que son mari, qui insistait pour demeurer libre, n'hésitait pas à fréquenter d'autres femmes. Ils partageaient leur amour de la poésie, mais comme le dit plus tard Akhmatova, chacun vivait dans son univers secret. Ils étaient unis spirituellement, mais leur quotidien était insoutenable. Ils se séparèrent, et Anna confia son fils à la garde de sa belle-mère.

Belle, gracieuse et douée pour le chant, Akhmatova se mêla bientôt à la vie littéraire de Saint-Pétersbourg et devint la Muse de quelques poètes russes. Ossip Mandelstam voyait en elle un «ange noir» touché par une étrange grâce divine. Il la surnomma «Cassandre». Sa très grande beauté inspira de la terreur à Alexandre Blok. Marina Tsviétaïeva, la poétesse tragique pour qui elle représentait le «feu du ciel», lui dédia un recueil de ses vers. Grande et élancée, ses yeux gris encadrés de cheveux sombres à frange, vêtue de soie noire qu'elle agrémentait d'un châle et d'un camée fixé à sa ceinture, Akhmatova était une beauté charismatique qui inspira Modigliani, entre autres artistes, à peindre son portrait. Pourtant, en dépit du lyrisme personnel et révélateur de sa poésie, elle était une femme extrêmement réservée.

Son deuxième recueil de poèmes, *Le Rosaire,* lui valut d'être un des poètes les plus populaires de la Russie du début du siècle. Bien qu'elle s'y montrât désolée de la «gloire amère» qui remplaçait la tendresse de l'amour et le bonheur de la jeunesse, *Le Rosaire* célébrait l'amour éternel qui transcende et le temps et l'espace, ainsi que la finitude des départs et des séparations. Elle croyait que la poésie est ce qui permet à l'amant qui souffre de survivre à l'abandon en dépit de sa douleur, et parlait de ces paysannes qui incarnent cette philosophie par leur espoir et leur foi, car elles savent que la vie est faite de souffrance, une épreuve et une source de courage pour les humains.

La guerre de 1914 bouleversa la vie en Russie pendant plusieurs années. Au contraire des rêves patriotiques de gloire qui exaltaient tant de ses compatriotes, Anna Akhmatova pressentait des années sanglantes et amères. Elle se sépara définitivement de

Goumilev pendant la guerre et quitta Tsarkoe. À compter de ce jour et jusqu'à la fin de sa vie, elle vécut un peu chez l'un, un peu chez l'autre, et n'eut jamais de chez-soi. En 1918, elle se remaria avec un homme très différent de son premier mari, un érudit du nom de Vladimir Chileïko, possessif et jaloux, un tyran rigide qui détruisait ses poèmes en les brûlant au feu du samovar. Ce mariage ne dura que quelques années, des années dures et difficiles au cours desquelles la Muse d'Akhmatova demeura silencieuse.

Bien plus que de ses malheurs personnels, Anna souffrit de la guerre qu'elle jugeait à l'égal d'une violation du corps du Christ et de la terre nourricière. Dans ses poèmes, elle empruntait souvent la voix d'une pèlerine. En tant que poète, elle se donnait le devoir de relater la tragédie de la guerre telle qu'elle la ressentait. Tout comme la jeune fille désemparée par la perte de son amour, l'Akhmatova de la maturité était désemparée par les horreurs de la guerre. Bien que son instinct premier ait été de demander à Dieu de la sacrifier, elle savait que son devoir de poète qui a reçu le «don secret du chant» était de continuer à vivre et à témoigner du sang répandu. Ainsi, dans *La Volée blanche*, son troisième recueil publié en 1917, elle ne se contenta plus de parler de l'amour; elle parla aussi de la guerre.

Akhmatova acceptait peu à peu sa destinée de poétesse et de prophétesse. Dans ses poèmes précédents, elle s'était souvent désolée d'avoir été plongée dans une gloire amère qui ne compensait pas la perte de l'amour. La gloire était pour elle «un piège sans lumière ni joie[19]!». Mais elle se montrait maintenant plus apte à reconnaître sa force et son influence poétiques, de même que les responsabilités que lui conférait son talent. Elle était prête à renoncer au prince charmant et à son rôle de Muse romantique pour assumer celui de prêtresse et d'errante.

> Non, tsarevich, je ne suis pas celle
> Que tu souhaites voir en moi
> Depuis longtemps mes lèvres
> N'embrassent plus, mais prophétisent.
>
> Ne crois pas que dans mon délire,
> Dans ma peine et dans mon tourment,
> Je courtise à grand bruit le désastre:
> C'est mon métier[20].

La révolution russe la plongea dans la terreur. En 1921, Goumilev fut arrêté et fusillé pour avoir comploté contre le bolchévisme. La révolution éloigna Anna de beaucoup de ses amis et des cercles littéraires, mais elle continua à écrire. Ses recueils *Le Plantain* et *Anno Domini MCMXXI,* publiés au début des années vingt, exprimaient son tourment et son horreur de la guerre. Elle ne publia rien d'autre jusqu'en 1940. La critique littéraire soviétique se démarquait de la piété classique de la vieille Russie, incarnée par Akhmatova, pour se tourner vers la poésie révolutionnaire des Futuristes. On jugea qu'Akhmatova était un «poète d'alcôve», un poète «décadent» et un anachronisme «antipopulaire». On lui reprocha son mysticisme et son érotisme, les limites de ses émotions personnelles et son absence de pensée révolutionnaire. La critique marxiste estima sa poésie indigne d'attention, et il lui fut difficile de trouver un éditeur. En 1925, une résolution officieuse du parti interdit ses ouvrages[21].

Pendant ce temps, Anna fut gravement atteinte de tuberculose. La plupart de ses amis écrivains s'étaient exilés et elle n'avait plus de lecteurs. Elle s'associait mystérieusement aux souffrances du peuple russe et devinait que sa voix, bien que réduite au silence, reflétait celle de ses compatriotes. Parce qu'elle avait choisi de rester en Russie pour subir le chaos et les tourments qui l'affligeaient et pour témoigner de sa renaissance le moment venu, elle fut perçue par certains comme une Femme indomptée aspirant au martyre.

Le régime de terreur de Staline s'abattait peu à peu sur les écrivains. Les arrestations et les exécutions étaient de plus en plus fréquentes. Akhmatova emménagea avec l'historien d'art Nicolas Pounine. Comme il n'était pas facile de trouver à se loger, l'ex-famille de Pounine s'installa avec eux. Lev, le fils d'Anna, alors âgé de seize ans, les rejoignit. Sa relation avec Pounine, qui flirtait avec les autres femmes et maltraitait Anna, fut distante et solitaire. Anna connut aussi une extrême pauvreté, mais elle était toujours belle en dépit de ses vêtements défraîchis. Elle écrivit peu, mais approfondit Pouchkine et effectua des traductions. Elle étudia la vie des héroïnes de l'histoire et de la Bible, qu'elle incarna plus tard dans ses poèmes. Pendant cette période, elle perdit toute confiance en elle-même, mais elle savait cette épreuve nécessaire. Ce fut aussi à cette époque que Pounine, Lev et son grand ami le poète Ossip Mandelstam furent arrêtés. Dans les années trente, avec la détérioration des conditions de vie en Union soviétique, Akhmatova avait appris à survivre. Mais la peur était partout. Décrivant ce dont elle avait été témoin lors d'une de ses visites à Mandelstam qui fut exécuté peu après, elle écrivit:

> Et dans la chambre du poète disgracié,
> Veillent tour à tour la peur et la Muse.
> Et vient une nuit
> Qui ne connaît pas l'aurore[22].

De nouveau arrêté, Lev fut condamné à mort, puis à l'exil, et enfin relâché pour être envoyé au front. La poésie d'Anna ne pouvant la faire vivre, elle tomba gravement malade des suites d'une alimentation à base de pain noir et de thé amer. Dans la file d'attente aux portes de la prison, alors qu'elle espérait voir son fils, elle composa les poèmes de *Requiem*. Ses amies et elle les mémorisèrent, car si on découvrait des traces écrites de ses poèmes, elle risquait la peine de mort[23]. Quand il lui arrivait de noter quelques vers, elle les brûlait aussitôt après les avoir appris par cœur.

Le talent d'Akhmatova à mettre sa pensée en mots, à ordonner le chaos, fit d'elle une prophétesse aux yeux du peuple. Comme toutes les prophétesses, elle pouvait regarder l'horreur en face. Elle pouvait exprimer l'inexprimable et sentir que les masses refusaient la destruction. Dans *Requiem,* sa tristesse et sa souffrance parlèrent au nom des autres femmes confuses et solitaires qui attendaient avec elle aux portes des prisons pour voir leurs êtres chers et qui continuaient à survivre et à vivre malgré la peur.

Pour Anna, le périple de la femme seule et séparée des siens était un drame universel qui l'associait et associait ses sœurs à Marie, pleurant le Christ, son fils crucifié. En ouvrant la porte à la mort et en traversant la folie, une femme pouvait se découvrir un nouveau courage. «Déjà la folie, de son aile a recouvert la moitié de mon âme[24]», dit Akhmatova, selon laquelle nous devions regarder l'horreur en face et garder les yeux ouverts, traverser la folie, sans oublier «le cri de bête blessée de la vieille femme[25]», le hurlement d'horreur, le cri de rage de la femme qui voit ses êtres chers emmenés ou exécutés. Pour que les souffrances vécues ne se répètent pas, il faut que nous nous les *rappelions.* Le poème «Requiem» est son cri de rage devant les atrocités qui se commettent dans son pays, un hurlement fou destiné à les graver dans notre mémoire.

L'interdit qui frappait les œuvres d'Anna Akhmatova fut levé brièvement en 1940. Quelques-uns de ses poèmes purent être publiés sous forme de livres ou dans des revues. Cependant, quelques mois plus tard, les autorités prétendirent que ses poèmes avaient été publiés par erreur, retirèrent ses livres des librairies et en interdirent la vente. Elle crut perdre la raison, mais en dépit de cet abus de pouvoir, elle poursuivit l'écriture de *Requiem* et composa un poème dont l'héroïne, originaire de Kitezh, une cité du ciel, est rappelée de son séjour sur terre où elle a affronté la folie et l'envie de mourir. Elle doit traverser «la ligne de feu» et revenir auprès de Dieu[26].

Avec l'invasion de l'Union soviétique par Hitler en 1941, le peuple combattit une fois de plus un ennemi commun, apaisant de la sorte les conflits qui avaient fait se retourner les individus les uns contre les autres sous le règne de la terreur. Akhmatova eut de nouveau le droit de parler en public. Elle s'adressa à la radio aux femmes de Léningrad, leur rappelant qu'elles étaient assez courageuses pour protéger leur ville, venir en aide aux personnes blessées et survivre à ces temps difficiles. En dépit de sa santé fragile, elle se porta à la défense de la ville pendant les raids aériens. Par la suite, le parti communiste l'exila. Avec une amie, elle s'installa à Tashkent, en Asie centrale, où elle vécut jusqu'en 1943. Pendant cette période, elle fut très affectée par le suicide de sa consœur et amie, la poétesse Marina Tsviétaïeva, qui se pendit en 1941. Les deux femmes avaient fait connaissance secrètement et partageaient une admiration réciproque pour leur travail poétique.

En 1942, son poème «Courage» fut publié dans la *Pravda* et fut lu en public pour encourager les gens en ces temps de guerre. Akhmatova admit être la prophétesse du peuple russe. Elle accepta sa souffrance, la destinée qui lui procurait ses visions, la force féminine qui lui permettait de verser des larmes sans succomber à la défaite. Vivre était devenu pour elle une quête du sens en temps de guerre, mais elle n'était pas étrangère à la peur et à la perte de courage. Parce qu'elle avait su traverser la folie et la terreur et témoigner dans ses poèmes de son courage et du courage de ses semblables, ses œuvres furent les témoins de son aptitude à survivre et à consigner par écrit l'héroïsme et la force de toute la race humaine.

À Tashkent, elle s'entoura d'amis et publia une autre recueil de poèmes. Mais sa santé se détériorait encore; elle fut atteinte du typhus et frôla la mort. Son apparence physique changea. Elle n'était plus la Muse élancée de naguère, elle avait changé de coiffure et pris du poids. Quand elle put enfin rentrer à Léningrad au printemps de 1944, l'homme auprès de qui elle espérait vivre s'était marié sans la prévenir. Il lui sembla une fois de plus qu'elle n'était pas appelée à vivre une vie «normale», mais une vie consacrée à la poésie «où chaque pas est secret/ où un abîme se creuse à droite et à gauche/ où la gloire, cette feuille fanée, gît sous nos pieds[27]».

En dépit de ses déceptions, de sa souffrance et de son âge, Akhmatova renouvela son acceptation de sa destinée de poète:

> Comme celui d'une rivière
> La rude époque a détourné mon cours
> Remplacé une vie par une autre
> Elle coule dans un autre lit
> Et je ne reconnais plus mes rivages[28].

Mais telle était sa vie, et elle ne voulut pas en changer: «Qui peut refuser de vivre sa propre vie[29]?» dit-elle avec une grande force intérieure.

Avant que ses poèmes ne subissent encore une autre censure en 1946, Anna connut un certain apaisement. Son fils, relâché en 1945, retourna vivre auprès d'elle. Un recueil de ses poèmes devait être publié, et elle reçut la visite d'Isaiah Berlin, de l'ambassade britannique, qui admirait son œuvre. Mais une telle visite comportait des dangers. Quelques années auparavant, elle aurait été jugée à l'égal d'une trahison. Anna crut que la censure qui affecta sa poésie en 1946, estimant qu'elle représentait «l'obscurantisme réactionnaire» et qu'elle «empoisonnait la conscience de la jeunesse», était une conséquence de cette visite. Une résolution du parti communiste se montra une fois de plus critique du mysticisme, de l'érotisme et du tragique de sa poésie. Son engagement spirituel fut jugé un reliquat de l'ancienne aristocratie et elle-même qualifiée de «nonne et fornicatrice chez qui la fornication s'allie à la prière[30]». Ses poèmes publiés furent détruits et elle fut expulsée de l'Union des Écrivains soviétiques.

Les Soviétiques traitèrent Akhmatova comme une Muse désaxée, la reléguèrent au rang de romantique surannée et ne tinrent aucun compte de sa vision prophétique de la guerre. Cette censure s'étendit à travers toute l'Union soviétique et même à l'étranger.

Cette chasse aux sorcières isola Akhmatova encore davantage. Elle devait paraître à sa fenêtre deux fois par jour, afin que la milice puisse s'assurer qu'elle ne s'était ni suicidée ni échappée. La critique littéraire l'agonit d'injures pendant cette période de l'après-guerre, pendant cette guerre froide qui fut la scène des fureurs imprévisibles de Staline et de persécutions des artistes.

En 1949, Pounine et son fils Lev furent de nouveau arrêtés. Dans une tentative pour sauver la vie de son fils, elle écrivit en 1950 quelques vers intitulés *Gloire à la paix* en hommage à Staline et à quelques autres. Akhmatova ne leur trouvait pas de véritables qualités littéraires et demanda plus tard qu'ils soient omis de ses œuvres complètes. Mais la vie de son fils fut épargnée. Entre-temps, Akhmatova travaillait en secret à son œuvre majeure, «Poème sans héros», qu'elle mit vingt-deux ans à parachever (1940-1962). Elle y avoue son rapport avec d'autres Femmes indomptées, et associe le silence qui lui fut imposé en tant que prophétesse désaxée à l'emprisonnement de Cassandre.

> Interroge mes contemporaines:
> Les bagnardes, les bannies, les captives,
> Et nous pourrons te raconter
> Comment on vivait dans une peur sans mémoire,
> Comment on élevait des fils pour l'échafaud,
> Pour la torture et la prison.
> En serrant nos lèvres bleuies,
> Hécubes perdant la raison,
> Et Cassandres de village,
> Nous allons entonner un chœur silencieux,
> Nous autres couronnées d'infamie:
> «Nous autres au-delà de l'enfer[31].»

À la mort de Staline en 1953, les conditions de vie d'Akhmatova s'améliorèrent. Ses traductions de Victor Hugo lui rapportèrent enfin un peu d'argent, et elle put rembourser ses dettes. En qualité de traductrice, elle était de nouveau acceptée au rang des écrivains et on lui alloua même une petite *datcha* dans une colonie d'écrivains des environs de Léningrad. Son fils fut relâché définitivement en 1956. Longtemps après, elle écrivit un poème qui exprimait l'horreur et la violence qu'elle avait endurées, le banissement et la malédiction de la Femme indomptée.

Ils m'ont conduite au bord du gouffre
Et ils m'y ont laissée –
J'errerai dans les squares silencieux
Comme l'idiote du village[32].

Au cours des dernières années de sa vie, l'œuvre d'Akhmatova fut reconnue et célébrée. Ses poèmes parurent de nouveau dès 1956. Des poètes plus jeunes, dont Joseph Brodsky, lui rendirent visite. Elle encouragea et aida bon nombre de nouveaux écrivains. Elle reçut des lettres de lecteurs fidèles qui la remerciaient pour ses poèmes et pour avoir été pour eux un modèle de courage et d'intégrité. Elle accueillit des admirateurs étrangers, parmi lesquels figurait Robert Frost. En 1963, «Requiem» fut publié en Allemagne. Elle reçut un prix littéraire italien en 1964 et, en 1965, un doctorat honorifique de l'Université d'Oxford, où on la surnomma «la Sapho russe».

Vers la fin de sa vie, elle fut proposée pour le prix Nobel. Mais en mars 1966, depuis longtemps malade du cœur, la grande poétesse s'éteignit à l'âge de soixante-quinze ans. Des centaines d'admirateurs lui rendirent hommage à l'église de Léningrad où elle fut exposée en chapelle ardente. Elle fut inhumée là où elle se sentait le plus chez elle, dans le petit cimetière sous les pins de la colonie des écrivains aux environs de Léningrad.

Dans ses derniers poèmes, Akhmatova faisait ressortir la faculté de l'amour à transcender les limites temporelles et spatiales de l'absence, affirmant l'immortalité et le sacré des relations spirituelles et le caractère prophétique des rêves qui nous relient à l'au-delà. Elle appréciait l'importance des présents que la vie nous offre pendant notre «passage sur terre», comme la musique et le parfum des roses sauvages. Elle soutenait que le pied de la croix est le lieu de toutes les transformations humaines. Pour être voyant, insistait-elle, nous devons nous incarner dans un monde contenant à la fois la beauté et l'horreur, paradoxe qu'elle avait osé affronter elle-même. Elle en vint à se persuader que son errance sur terre avait été une épreuve nécessaire de sa destinée de poète. Elle apprit à servir sa Muse en mettant ses visions en mots, exprimant ainsi le dilemme de la vie et de la mort. Elle avait dû surmonter son désir d'être la Muse d'un homme, apprendre à servir sa Muse intérieure et accepter d'être le poète visionnaire de son pays. Après avoir connu des temps d'atrocités, après avoir été raillée et traitée de femelle hystérique qui osait encore croire en Dieu, après avoir été bâillonnée, Akhmatova devint la «conscience vivante» de la littérature, affrontant courageusement les ténèbres et le chaos de la guerre.

L'HISTOIRE DE DIANE: LA SOLUTION DU DILEMME

L'histoire de Diane est un parfait exemple des différentes manifestations de la Femme indomptée en une seule et même personne. En pleine crise de quarantaine, après avoir connu de nombreuses facettes de la Femme indomptée, Diane fit le rêve visionnaire suivant. Le rêve venait souligner l'importance de ses facultés intuitives au moment où elle entrait dans la quarantaine.

> Je suis assise dans l'assistance, dans une grande salle ou une cathédrale. Je reconnais certaines des personnes présentes, y compris un couple âgé. Un homme grand et beau s'avance. Il porte des vêtements de coupe impeccable. Il est de la haute société, et il a toutes les apparences d'un dieu. Nous sommes là pour assister à la présentation officielle de sa fiancée.
> Dans les coulisses, un petit groupe de femmes préparent la fiancée en question, une fille très jeune genre poupée Barbie. À ma grande surprise, ils l'enfoncent tête en bas dans une lessiveuse automatique. Je vois ses jambes qui ressortent. Quand on la retire de la lessiveuse, j'ai un choc. On a greffé une autre femme à son tronc. Derrière la jeune blonde se dresse une grande et belle Orientale. La blonde Barbie qui devait être la fiancée semble désorientée et étourdie d'avoir à transporter cette prophétesse, dont la présence l'écrase. Le rideau se lève. C'est la voyante qu'on présente au public, non pas la jeune Barbie.

Diane s'éveilla dans l'étonnement et la stupeur que lui occasionnait la présence imposante de la voyante et le fait qu'elle soit fiancée à l'homme à la place de la jeune mondaine. Pour Diane, la blonde était une représentante de la belle société, d'un mode de vie conventionnel; elle était la femme «normale» que l'on prend d'habitude pour épouse. Diane voulait se marier, mais elle ne put jamais accepter le *statu quo*. Sa quête de connaissance la portait à se déplacer souvent. Son immense besoin de spiritualité avait causé sa rupture avec son ami, un homme sensible qu'elle avait désiré épouser.

Un des aspects les plus frappants de ce rêve sont les préparatifs auxquels se livrent les femmes en coulisses autour de la lessiveuse, scène à laquelle Diane avait été seule à assister. *A priori,* elle les associa aux «Épouses de Stepford», un groupe de femmes attachées aux traditions qui s'efforcent de rendre la fiancée conforme aux attentes de la société. Mais il s'agissait précisément du contraire. Les femmes qui s'étaient livrées à ce rituel étrange étaient des Femmes indomptées. Coiffeuses ou alchimistes, se demanda-t-elle, sans comprendre sur le coup que les coiffeuses sont les artisanes de l'identité féminine.

Le «bain» est un rituel symbolique de purification avant le mariage sacré, avant l'union alchimique du féminin et du masculin en chacun de nous. Conformément à la transformation de la Femme indomptée, le rituel de purification du rêve avait un aspect chaotique. L'initiée enfoncée dans la lessiveuse la tête en bas imite en cela la danse tourbillonnante des Ménades rendant un culte à Dionysos. Le fiancé vêtu de façon exquise est-il véritablement Dionysos, dieu de la Vigne et de la Tragédie, à qui les Ménades, ces artistes visionnaires et médiumniques, vouent un culte?

Diane s'éveilla à la fois confuse et émerveillée. Son rêve lui avait beaucoup appris: «Les choses ne sont pas telles qu'elles semblent.» Sa conception de la fiancée venait d'être renversée. La fiancée n'était pas une mondaine poupée Barbie, mais une étrange devineresse orientale. Diane prit conscience de son intuition profonde, de sa mission terrestre. La voyante représentait l'appel de sa «voyance», songea-t-elle; elle l'incitait à observer le monde et à concrétiser ses visions.

Diane avait toujours été rebelle. Garçon manqué, seule fille de la famille, elle avait été la compagne de son père et la camarade de jeux de ses frères. Elle apprit à pêcher et à chasser, à se trouver bien dans la nature. Mais son père, un col bleu, éprouvait vis-à-vis de sa femme un complexe d'infériorité. Il n'aimait pas son travail, mais il n'hésitait pas à travailler de longues heures afin de procurer à ses enfants l'éducation dont il avait été privé. Par conséquent, sa présence à la maison n'était pas des plus agréables. Obsédé par les buts à atteindre, il ne savait pas s'amuser. Sous sa force apparente, c'était un homme passif et peu sûr de lui. Il souhaitait que sa fille soit heureuse, mais il ne la comprenait pas.

La naissance de Diane combla sa mère qui avait toujours rêvé d'avoir une fille. Mais elle fut malade pendant toute sa grossesse et resta longtemps malingre. Elle était un Oiseau en cage, une femme intelligente enfermée dans un mariage et des conventions sociales et morales qui l'obligeaient à rester à la maison en bonne épouse consciente de ses devoirs. Elle compensa comme bon nombre de Mères indomptées en étant souvent malade et en sombrant dans l'alcool. Victime de sa dévotion catholique et de son éducation petite-bourgeoise du Middlewest, elle voulut pour sa fille une vie normale et un mariage conventionnel. Incapable de percevoir la personnalité réelle de Diane qui était une énigme pour elle, elle n'essayait même pas de la comprendre. Diane, à son tour encagée par sa propre famille, ne songea qu'à s'échapper.

Le chaos régnait à la maison. Les frères de Diane se querellaient souvent entre eux et avec leur père. Sa mère, qui buvait en cachette, s'enfermait dans sa chambre en prétendant qu'elle ne se sentait pas bien. Son frère aîné, doué pour les arts, buvait et consommait des drogues. Il rentrait souvent ivre et drogué, et sa violence contribuait à rendre l'atmosphère familiale irrespirable. En dépit de son admiration pour ses dons créateurs, Diane craignait le comportement destructeur de son frère. Quand, plus tard, il se retrouva à la rue, elle prit conscience de sa peur inconsciente de devenir elle-même une itinérante.

Périssant d'ennui, terrifiée par la violence familiale, étouffant dans sa cage, à dix-sept ans Diane décida de vivre seule. Elle se rendit étudier en Afrique dans le cadre d'un programme d'échange. L'étude et les voyages l'attiraient. Elle voulut s'inscrire à une université qui dispensait des cours à bord d'un navire voguant autour du monde. Mais ses parents prétextèrent ne pas en avoir les moyens, bien qu'ils aient fait l'impossible pour payer les études de ses frères. Ils voulaient qu'elle s'instruise, puis qu'elle se marie. Selon eux, un diplôme d'études secondaires lui suffirait amplement. Diane réagit à ce choc en se désintéressant de ses études. Imitant son père, elle développa un complexe d'infériorité quant à ses aptitudes professionnelles. Elle se contenta de suivre des cours qui ne correspondaient pas à ses aspirations. Cette passivité dura sept ans, le temps qu'elle mit à obtenir son diplôme. Elle assistait aux cours pendant un semestre ou deux, puis elle voyageait, puis elle se remettait à étudier pendant un certain temps. Elle finit par être diplômée dans un domaine qui ne l'intéressait pas.

Sa nature curieuse avait toujours porté Diane à la rébellion. Elle cessa de fréquenter l'église, car le curé se montrait favorable à la guerre du Viêt-nam. À la fin des années soixante, elle quitta la petite université du Middlewest où elle étudiait et entra à l'Université de Californie à Berkeley. Devenue Révolutionnaire, elle participa aux mouvements de protestation contre la guerre. Elle milita en faveur du «People's Park» et se joignit à une clinique de la résistance où étaient secrètement soignés les militants qui risquaient l'arrestation dans les hôpitaux publics. Elle vécut un certain temps en commune avec les Panthères noires. La Femme indomptée et révolutionnaire éclata en elle. Furieuse contre les forces policières de Berkeley qui lançaient des gaz lacrymogènes et tiraient sur les étudiants qui protestaient contre l'injustice et la guerre, elle se joignit aux manifestants, attaquant à son tour la police à coups de bombes lacrymogènes.

Par chance, elle ne fut pas arrêtée. Mais la société et le «rêve américain» l'avaient rendue cynique. Elle rêva qu'elle errait de par les rues, qu'elle descendait Telegraph Avenue comme une itinérante en poussant devant elle son chariot rempli de sacs. Elle abandonna ses études et voyagea à travers l'Europe et derrière le Rideau de fer, où elle fut témoin d'autres formes de corruption politique. N'y a-t-il donc sur terre aucun endroit exempt de corruption et d'injustice? se demandait-elle.

Tandis qu'elle mettait ses activités révolutionnaires au service de son combat pour la justice, elle fut à dix-neuf ans elle-même victime d'une agression grave. Dans un de ses rares moments de sérénité, elle se promenait dans un bosquet d'eucalyptus par un beau matin ensoleillé, quand un homme l'attaqua par derrière et tenta de la violer. Elle se débattit, mais il la frappa et voulut l'étrangler, tout en continuant d'essayer de la violer. Pendant ce corps-à-corps, il perdit son érection. Diane tomba, inconsciente. Quand elle revint à elle, il avait disparu, l'ayant sans doute crue morte. Des étudiants la trouvèrent et la transportèrent à l'hôpital où elle lutta pour sa vie pendant une dizaine de jours.

Cette tentative de viol, ajoutée à l'échec de ses actes révolutionnaires, précipitèrent Diane dans la dépression. Son côté féminin, doux et vulnérable venait de subir une violente attaque, tout comme sa combativité. Ballottée par cette «traversée nocturne», dans le vortex de sa descente dans l'inconscient qui la conduisit au fond de l'abîme et la ramena à la vie, elle se replia sur elle-même en quête de guérison. De Révolutionnaire, Diane devint Recluse. Elle s'isola pendant un mois sur une île grecque et médita. Puis elle vécut un an dans la solitude de la nature, apprenant à faire de la voile, fabriquant des bijoux, des objets en macramé et d'autres pièces d'artisanat qu'elle vendit aux touristes pour survivre. Elle retrouva son équilibre et fut consciente de la nécessité pour elle d'apprendre à se débattre avec efficacité. Elle s'engagea sur un cargo qui faisait cap vers le Brésil où elle fut témoin des méthodes de guérison des indigènes, et où elle étudia les arts martiaux brésiliens. Elle put ainsi intégrer la Femme indomptée. De retour à Berkeley, elle reprit ses études, s'inscrivit dans une autre université où elle fit une maîtrise, et enseigna enfin plusieurs années à l'étranger.

Aux yeux de ses collègues, Diane était une décrocheuse, une Femme indomptée itinérante. Assistant à une projection d'un film d'Agnès Varda, *Sans toit ni loi*, elle s'identifia à la protagoniste, une adolescente sans abri qui parcourt le pays sur le pouce et aboutit, affamée et blessée, au bord d'une rivière où elle meurt de froid. Diane était consciente des dangers du vagabondage, mais aussi des leçons qu'elle pouvait en tirer par le contact avec d'autres cultures et avec la nature, en apprenant à survivre et à se défendre. Tout au long de ses voyages, elle fit appel à la Femme indomptée, et eut l'occasion de mettre sa connaissance des arts martiaux à profit à quelques reprises lors d'agressions dont elle fut victime avec ses compagnons de voyage. Elle sut qu'elle pouvait survivre hors du «système», hors de la «cage américaine». Elle devint membre d'équipage sur un voilier pendant quatre ans. Elle apprit à ravitailler le navire, à réparer les voiles, à épisser les cordages. Elle plongea sous la coque pour vérifier les amarres et réparer les câbles. Au contact de différentes cultures, elle connut une liberté de navigatrice indomptée. Elle envisageait le mariage et la société comme la «cage» du rêve américain.

Diane, qui avait alors trente-cinq ans, avait une relation avec un des marins, devenu opiomane en raison de l'accessibilité de cette drogue dans les ports où le voilier accostait. Malgré la liberté et l'aventure de cette vie maritime, elle fit des rêves récurrents de raz-de-marée qui la secouèrent. Rêver de raz-de-marée est souvent pour la personne qui rêve un avertissement à l'effet qu'elle est sur le point de se laisser submerger par l'inconscient et qu'elle doit retrouver son équilibre. Sensible au message qu'elle recevait,

Diane sut qu'elle devait changer de vie. Par coïncidence, elle apprit qu'on donnait une conférence sur les phénomènes de guérison et décida d'y assister. Tout un monde s'ouvrit devant elle, où elle prit conscience des rapports entre la nature et le symbolisme psychique.

Par la suite, Diane tomba amoureuse d'un homme stimulant dont elle devint la Muse. Mais il y avait un hic: il était marié et il avait des enfants. Il avait beau reconnaître que son mariage le détruisait et détruisait ses enfants, il ne se décidait pas à entamer des procédures de divorce. Plus tard, il ne put davantage s'engager à fond dans sa relation avec Diane. Quand Diane lui imposa un ultimatum, il hésita, mais ne parvint pas à prendre de décision. Diane réagit à ce rejet en mettant fin à leur relation, comme Camille Claudel avait rompu avec Rodin. Mais, contrairement à Camille Claudel, Diane ne sombra pas dans la paranoïa ou la folie. Elle fut déprimée un certain temps et subit l'emprise de la Muse et de l'Amoureuse rejetée. Mais, consciente du pouvoir de guérison de la solitude, elle poursuivit sa réflexion.

Elle consulta une thérapeute, une femme d'une grande sagesse âgée de soixante ans qui se révéla être son premier modèle féminin authentique. Pendant ce temps, elle prit la décision de faire un doctorat en psychologie. La conférence à laquelle elle avait assisté la poussait à s'engager dans la voie de l'évolution spirituelle et de la guérison, et à envisager sérieusement une carrière professionnelle pour la première fois de sa vie.

À l'université, Diane fut une fois de plus rejetée et trahie. Elle dépendait d'une directrice de thèse qui outrepassait les limites de ses fonctions en lui demandant de lui faire des confidences n'ayant pas leur place dans leur rapport de maître à élève. Diane lui répondit qu'elle n'avait pas besoin d'une seconde thérapeute. Incapable d'accepter Diane telle qu'elle était, cette femme peu sûre d'elle-même tout en étant animée de la soif du pouvoir (une Femme indomptée de type Dragon) prit sa revanche dans une lettre où, accusant Diane d'être superficielle et mentalement instable, elle demandait qu'elle soit exclue du programme de doctorat. Les membres du comité rejetèrent Diane et «égarèrent» la lettre. Ce double rejet professionnel et personnel poussa Diane au désespoir. Elle envisagea de tout laisser tomber encore une fois et de reprendre la mer. Mais sa thérapeute lui souligna ce réflexe de décrocheuse et lui conseilla non pas de protester, ce qui n'aurait servi à rien, mais de poursuivre ses études dans une autre institution d'enseignement. Elle accepta aussi que Diane soit furieuse d'avoir été trahie par sa directrice de thèse, mais elle l'aida à transformer sa fureur en travail créateur. Diane étudia dans une autre université. Reconnaissant ses aptitudes dans la discipline qu'elle avait choisie, son professeur lui redonna confiance en elle-même et l'encouragea à se réinscrire au même doctorat. La thérapeute de Diane lui apporta son soutien. Entre-temps, un autre comité avait remplacé le premier. Diane reçut l'accord du comité pour se réinscrire et obtint son diplôme avec distinction.

Bien que trahie par sa directrice de thèse et par son amant, Diane fit appel à la Femme indomptée en elle pour défendre son intégrité plutôt que de se laisser dévorer par la vengeance et les luttes de pouvoir. Elle ne céda pas davantage au complexe de persécution. Elle se souvint de l'adage amérindien: «Aime tes ennemis, car ils te rendent fort.» Elle comprit l'importance de ces paroles et demeura loyale à ses valeurs et à ses engagements en se défendant avec dignité.

C'est au cours de cette période que Diane fit le rêve étonnant de la voyante. Elle prit alors conscience de l'importance de son intuition féminine et de son besoin de l'exprimer. Un an plus tard, Diane fit un autre rêve qui lui confirma l'importance de la prêtresse en tant qu'aspect intérieur d'elle-même qu'elle se devait d'affirmer tant en privé qu'en public. Elle vit une belle et grande femme tatouée de triangles, de croissants et de cercles, au niveau du chakra de la gorge, vision onirique qui lui rappela les princesses égyptiennes au cou orné de colliers. Contrairement au premier rêve de voyante où s'exprimait le conflit entre son côté visionnaire et son côté ordinaire (les deux torses qui jaillissaient de la taille), ce nouveau rêve lui montra que la prêtresse et elle ne faisaient qu'un. Aujourd'hui, bien arrimée à sa nature et à son courage de femme, elle se donne à son côté visionnaire en tant que professionnelle de la santé. Elle a appris à mettre son intuition au service de son travail de thérapeute, à s'en servir comme guide dans le déroulement de la thérapie et des limites nécessaires à la relation avec ses clients.

LA CONCRÉTISATION DES VISIONS

Une Visionnaire authentique doit vivre en accord avec ses visions. Prenons, à titre d'exemple, le cas de Minnie Evans, une Américaine de race noire originaire du sud des États-Unis qui reçut en rêve l'ordre de s'adonner à la peinture à défaut de quoi elle mourrait. Elle se souvint de ses ancêtres, vit en rêve et dans ses visions les couleurs de leur aura et les reproduisit sous forme d'ailes scintillantes d'anges multicolores. Elle passait pour folle, mais à la fin de sa vie, elle avait peint la chronique de l'héritage de son peuple et avait témoigné de ses sources spirituelles.

La Visionnaire possède le don de voir ce qui échappe au commun des mortels, et elle a la mission de faire connaître ses visions autour d'elle. Elle ne doit pas se contenter de voir, elle doit aussi se souvenir et noter ce qu'elle a vu. Car voir pour oublier aussitôt nous rend vulnérables à l'incompréhension et au dénigrement des sceptiques à qui l'on n'explique pas le sens de ces mystères. Vivre en accord avec le don de seconde vue requiert une initiation. C'est pourquoi les prêtresses de l'antiquité subissaient un apprentissage de plusieurs années, se préparaient spirituellement avant de pouvoir participer aux rituels. De nos jours, les artistes et les écrivains s'entraînent à préserver leurs visions intuitives par des mots, des couleurs, des notes de musique ou du mouvement. Ils travaillent pendant de longues années, apprenant à réviser, à gommer et à recommencer leur ouvrage. Il est tout aussi important que la Visionnaire trouve un guide, quelqu'un en qui elle puisse avoir confiance pour l'orienter dans l'apprentissage des mystères.

Certaines femmes ignorent par où commencer. Tant de voies s'ouvrent à elles, tant de choix, et il est facile de ne pas savoir quelle direction prendre. Le premier pas est très important, car il permet de s'ancrer dans la réalité. La Visionnaire doit être bien ancrée dans la réalité, et pour y parvenir les gestes rituels sont d'une importance capitale. Frapper sur un tambour, plier les vêtements en préparation d'un rituel, avoir la garde des objets et des lieux sacrés, écrire des poèmes, creuser le sol pour planter des graines, tout cela aide la Visionnaire à s'ancrer dans le réel. Il nous faut transposer le sacré dans la vie de tous les jours.

La Visionnaire doit apprendre à distinguer les visions dont elle doit parler de celles qu'elle doit tenir secrètes. Respecter le mystère veut parfois dire le cacher (pour rester conscient de sa gravité), jusqu'à ce qu'il nous habite complètement. Toutes les Visionnaires doivent apprendre à juger de la pertinence de leurs révélations. Le moment et la méthode comptent pour beaucoup; il faut savoir quand et comment dévoiler nos intuitions. Ceci vaut autant pour la femme dont les intuitions ne concernent que sa famille et son cercle d'amis, que pour celle qui agit comme médiatrice dans la société.

Certaines femmes taisent leurs intuitions de peur de perdre leur don. Ainsi que le disait une de mes amies écrivains: «Concrétisée, la flamme risque de s'éteindre. Mais une femme qui vit la tête dans les nuages n'a ni contours, ni ombre ni substance.» Quand nous nous efforçons de traduire nos visions en mots ou en couleurs, nous craignons qu'elles ne disparaissent. Mais nous devons oser leur donner corps tout en acceptant nos limites. Le philosophe russe Nicolas Berdiaev disait que notre finitude humaine nous rend inaptes à incarner le divin. Mais nous devons nous consacrer à notre œuvre créatrice et supporter la tension créée par l'écart qui réside entre la transcendance de la vision et les limites que lui confère sa concrétisation. Une Visionnaire superficielle et désinvolte ne fait rien pour concrétiser ses visions en elle-même et dans la société. La Visionnaire qui veut garder le contact avec la réalité et en tirer la force nécessaire à l'accomplissement de sa mission doit prendre soin de son corps, respecter l'environnement et se soucier des autres.

La Visionnaire doit aussi être consciente du danger de l'orgueil et de l'égoïsme. Bien qu'elle soit l'instrument du pouvoir médiumnique qu'elle transmet, elle n'est pas elle-même ce pouvoir. L'orgueil débouche souvent sur l'ambition, l'envie, la jalousie, le désir de se hisser au haut de l'échelle ou d'être un guide. Tous ces excès nuisent à la mission de la Visionnaire. Le doute et la peur sont aussi des obstacles lorsqu'ils empêchent la Visionnaire de s'exprimer en la plaçant à la merci de ceux qui cherchent à la dénigrer. Souvent, les intuitions sont terrifiantes, car elles ont une origine inconnue. La force d'affirmation de la Femme indomptée peut nous être utile en cela qu'elle nous aide à combattre les peurs superflues, à nous défendre et à défendre nos limites, à dire oui quand il le faut et non quand il le faut.

Un des plus grands problèmes de la Visionnaire consiste à composer avec le pouvoir que lui confère le don de seconde vue.

L'exagération (se montrer supérieure et dire: «Moi je sais tout!») est très tentante. D'autre part, le fait de se croire inférieure ou un imposteur est tout aussi dangereux, surtout quand une femme constate qu'on ne prend pas ses intuitions au sérieux. La femme qui a accédé à une situation de pouvoir grâce à ses intuitions (par exemple, certaines thérapeutes, chefs spirituels, enseignantes, conférencières, écrivains et artistes) doit se montrer particulièrement soucieuse d'éviter les écueils du narcissisme (qui stimulent l'ambition) et ceux de la lâcheté (qui pourraient l'empêcher de transmettre son message de sagesse). «Toutes les femmes sont sœurs dans l'esprit de la Déesse», dit Morgane dans *Les brumes d'Avalon*[33]. Ainsi, une femme qui se croit supérieure, qui exerce ses pouvoirs à des fins personnelles, abuse de ses dons. Utiliser son don de seconde vue pour plier les événements à sa volonté est une forme de magie noire qui dévaste l'âme.

La Visionnaire doit croire que le cosmos est en réalité un «tourbillon dansant» désireux que nous entrions dans la danse à titre de révélateurs réjouis. Le don de seconde vue n'est conféré qu'à ceux qui savent le respecter et s'y consacrer pleinement. Paradoxalement, la Visionnaire doit demeurer vulnérable et disponible à de nouvelles visions, tout en étant forte, habile et suffisamment sûre d'elle pour être en mesure de les transmettre.

Les visions sont un don mystérieux. Nous connaissons parfois de brefs instants de transcendance en écoutant de la musique, en admirant un tableau, ou en apercevant une colombe fragile au cours d'une promenade en montagne. Un jour, en Alaska, alors que je grimpais dans la montagne dans l'espoir d'apercevoir le mont McKinley, le grand «Denali», je patientai deux heures tandis que les nuages se trouaient à peine, ne révélant chaque fois qu'une infime partie de cette montagne majestueuse. Le fait de n'avoir ainsi accès que par fragments aux mystères innombrables de la montagne me bouleversa et me rappela ma petitesse au sein de l'univers. Mais cette expérience me confirma dans ma voie: transmettre la vérité et l'importance des mystères féminins dont j'avais eu connaissance.

Nous ne pouvons pas honorer équitablement la Visionnaire si nous ne sommes pas respectueux de sa nature réceptive et vulnérable, de sa faculté à entrer en elle-même pour écouter le silence lui parler dans le temple obscur des profondeurs de la terre. Dans ses *Sonnets à Orphée,* le poète Rainer Maria Rilke nous rappelle que l'oreille est un temple, que chacun de nos sens en est un aussi, tout comme le «troisième œil» de la Visionnaire. Le rythme de la musique et de la poésie, celui de nos pas quand nous marchons dans la nature, peuvent susciter en nous un état de réceptivité qui nous permet de sentir, de toucher, d'entendre et d'enregistrer la voix des anges au cours de nos périples entre les mondes visible et invisible. Ce voyage d'un «monde» à un autre et la transmission des messages de l'au-delà sont les chemins qu'emprunte la Visionnaire pour accéder à la «folie» de l'extase divine.

1. Voir Robert Graves, *The Greek Myths,* vol. 1 et 2, Londres, Penguin Books, 1960, et *Larousse Encyclopedia of Mythology,* Pierre Grimal, New York, Excalibur Books, 1981.
2. Après la chute de Troie, Hécube fut, dit-on, métamorphosée en une des chiennes noires d'Hécate après avoir été mise à mort pour avoir maudit Odyssée et les Grecs en raison de leur barbarisme.
3. Iphigénie fut sauvée *in extremis* à l'insu de ses parents par la déesse Artémis dont elle devint la prêtresse.
4. Toni Wolff, «Structural Forms of the Feminine Psyche». Monographie destinée à l'Association des étudiants, C.G. Jung Institute, Zurich, juillet 1956, pp. 9ff.
5. Le personnage de Laura dans *La Ménagerie de verre* de Tennessee Williams est un bel exemple de la femme intuitive fragile vivant dans un univers de rêve. J'ai parlé de ce phénomène de la fille de verre dans *La fille de son père: Guérir la blessure dans la relation père-fille,* Montréal, Le Jour éditeur, 1990.
6. Wolff, p. 9.
7. Ibid., p. 10.
8. Ibid.
9. Marion Zimmer Bradley, *The Mists of Avalon,* New York, Ballantine Books, 1982, p. 399.
10. Voir Norma Lorre Goodrich, *Priestesses,* New York, Harper Collins, 1989, pp. 288-323, de même que l'ensemble de l'ouvrage en guise de référence sur la question des prêtresses.
11. Ibid., p. 223. Pythagore soutenait que ces visions de sagesse étaient issues de courants qui se rencontraient en un point sacré des profondeurs de la terre. D'où la chambre souterraine de l'oracle de la pythie.
12. Pär Lagerkvist, *The Sibyl* (*La Sibylle*), New York, Random House, 1958, pp. 137-138.
13. Ibid., pp. 136-137.
14. Ibid., pp. 149-150.
15. Ossip Mandelstam fut arrêté pendant les purges staliniennes et mourut dans un camp de concentration en 1938. Marina Tsviétaïeva s'exila, mais s'efforça plus tard de rentrer au pays. Elle se pendit en 1941, après que son mari eut été exécuté et sa fille condamnée aux travaux forcés. Voir Amanda Haight, *Anna Akhmatova: A Poetic Pilgrimage,* New York, Oxford University Press, 1976, p. 153.
16. *Poème sans héros et autres œuvres,* traduit du russe et présenté par Jeanne et Fernand Rude, Paris, La Découverte, 1991, p. 113.
17. *Anna Akhmatova: A Poetic pilgrimage,* p. 11.

17. *Anna Akhmatova: A Poetic pilgrimage*, p. 11.
18. Ibid., p. 36.
19. Ibid., p. 54.
20. Ibid., p. 54.
21. Ibid., p. 80.
22. *Poème sans héros*, p. 18.
23. *Anna Akhmatova: A Poetic Pilgrimage*, p. 98. Nadejda Mandelstam et Lydia Tchoukovskaïa figurent parmi les amies intimes qui mémorisèrent ses vers afin de les sauver de l'oubli.
24. Ibid., p. 105.
25. Ibid., p. 107.
26. Ibid., p. 117.
27. Ibid., p. 138.
28. Ibid.
29. Ibid., p. 119.
30. *Poème sans héros*, p. 22.
31. Ibid., pp. 238-289.
32. *Anna Akhmatova: A Poetic Pilgrimage*, p. 164.
33. Bradley, *The Mists of Avalon*, p. 285.

10

À travers la folie

Je vogue à la dérive
Sur l'immense mer
Elle me pousse comme
L'herbe des rivières,
La terre et le vent m'emportent,
Ils m'ont entraînée au loin
Et je danse de joie en dedans.

Femme chamane inuit

Pour que l'esprit féminin en nous et chez les autres prenne son envol, il nous faut raconter l'histoire de notre voyage à travers la folie, à travers le chaos, et celle de notre renaissance. La découverte des différents chemins que les femmes ont empruntés pour remonter des profondeurs de la folie peut nous donner l'espoir et le courage dont nous avons besoin pour transformer la Femme indomptée en nous. L'écrivain néo-zélandaise Janet Frame a fait le récit de ce périple dans son roman intitulé *Faces in the Water,* ainsi que dans son autobiographie[1]. L'artiste Leonora Carrington a décrit ses souffrances dans un ouvrage de fiction, *Down Below.* Parlant des personnages intérieurs qu'elle a peints et décrits, Carrington dit: «Je m'efforce de me libérer des images qui m'ont aveuglée[2].» Dans son roman intitulé *Je ne t'ai jamais promis un jardin de roses,* Joanne Greenberg souligne l'importance de l'acceptation des psychoses et du retour au monde. Dans cette autobiographie romancée, la protagoniste Deborah trouve refuge dans un monde imaginaire à la suite d'un traumatisme résultant d'une intervention chirurgicale subie à l'âge de cinq ans pour l'ablation d'une tumeur dans l'urètre. Ce traumatisme fut aggravé par l'attitude mensongère du chirurgien quant à la douleur, la négation de la douleur par ses parents, les préjugés antisémites de son entourage, et les railleries de ses camarades d'école qui lui reprochaient sa différence. Son retour à la santé sera facilité plus tard lorsqu'elle constatera que non seulement son problème n'effraie ni ne choque sa psychiatre, mais encore que cette dernière est sincèrement révoltée des abus et des mensonges dont Deborah a été victime. Greenberg insiste sur la nécessité d'intégrer les univers imaginaire et réel pour redevenir un membre utile de la société.

— Tu dois d'abord accepter le monde, lui dit sa thérapeute, l'accepter tel qu'il est et t'y donner. [...] Ensuite seulement, quand tu auras accompli quelque chose grâce à cet engagement, tu décideras si le marché en vaut la peine. [...] Ton rôle consiste dans cet engagement. [...] La santé n'est pas seulement l'absence de maladie. Nous n'avons pas travaillé autant uniquement pour que tu ne sois plus malade[3].

L'aspect destructeur de la Femme indomptée peut devenir créativité. Pour ce faire, nous devons modifier les circonstances qui ont débouché sur la folie. Il arrive parfois qu'une femme surmonte d'elle-même sa nature destructrice. La Muse vieillissante, par exemple, en vient parfois à comprendre que la beauté apparente naguère si importante est maintenant dénuée de sens. À la ménopause, la nature oblige souvent la femme à confronter la Femme indomptée en elle. Si elle évite de regarder en face sa peur de vieillir, l'amertume et le ressentiment la guettent. Elle peut se montrer jalouse de sa fille, tempérer son enthousiasme ou laisser les rivalités empoisonner leur vie. Elle peut aussi sombrer dans la dépression et ainsi vieillir encore plus vite, s'étioler sans transmettre la sagesse acquise. Mais si elle est en mesure d'accepter la vieille femme en elle, cette Hécate intérieure assise à la croisée de la vie et de la mort, elle peut nous faire profiter de son recul et de sa sagesse visionnaire.

La sibylle vieillissante fut capable d'embrasser la vie et la mort du regard et, consciente de ce paradoxe, d'envisager toute chose avec sérénité. Ainsi, une femme qui accepte la présence en elle de la Femme indomptée et qui apprend à composer avec elle se montre apte à admettre le paradoxe tragicomique de l'existence. Pour cela, il lui faut recourir à cette spiritualité qui transcende son moi et lui rappelle combien il est important de transmettre sa sagesse à son entourage. Le renoncement aux projections et aux désirs désuets nous rend disponibles aux actions communautaires. La transformation de la société est inhérente à la transformation de la Femme indomptée, mais c'est d'abord en chaque femme que cette métamorphose révolutionnaire doit d'abord avoir lieu. Cela requiert l'acceptation de la solitude, l'intégration de la Recluse. Les femmes mûres, découvrant la nature révolutionnaire de la Femme indomptée, se lancent parfois dans l'action politique dans l'espoir de transformer la société. D'autres mettent cette énergie au service de la création artistique, peignent ou expriment en mots le caractère unique de leur vie personnelle.

Lorsque la Femme indomptée quitte les sentiers destructeurs pour s'engager dans la créativité, la femme *ne renonce pas* à ses idéaux. Car lorsqu'elle s'affranchit de son ressentiment, de sa paranoïa et de l'isolement causés par le refoulement, le refus ou la négation de sa fureur, elle devient libre de créer. Son idéal sera alors limpide et juste, et elle possédera suffisamment de courage et de sagesse pour le concrétiser.

Le voyage intérieur lucide que nous devons entreprendre pour aller à la rencontre de la Femme indomptée présente de nombreux obstacles qu'un guide compétent peut nous aider à franchir en nous assurant que cette descente dans les ténèbres n'est pas vaine, que le chaos engendre la créativité, que rien ne nous oblige à vivre dans l'isolement. La psychothérapie peut nous être d'un grand secours dans cette démarche. Elle nous aide à déceler les habitudes qui nous gardent prisonnières et brûlent notre énergie. Quand nous pouvons énoncer nos peurs en toute sécurité, admettre que nous sommes en colère, transformer cette fureur en actions constructives et pleurer librement, nous pouvons entreprendre ce périple au cœur des ténèbres, au fond de notre nature sauvage. Nous pouvons trouver en nous-mêmes de nouvelles ressources et creuser ces puits de spiritualité et de créativité qui demeureraient inexplorés si nous nous contentions de rester à la surface de notre vie consciente.

Au contact de la Femme indomptée en nous, nous découvrons que nous pouvons projeter son image sur autrui. Nous pouvons l'incarner, ou encore faire appel à son énergie de transformation. C'est souvent la peur ou l'envie qui nous portent à projeter la Femme indomptée sur autrui. Nous appréhendons son pouvoir parce que nous sommes incapables de reconnaître le nôtre, et nous nous en servons au détriment des autres femmes. En outre, la dispersion de nos forces intérieures débouche sur l'impuissance et la confusion. Lorsque la Femme indomptée est isolée du reste du monde, tant sur le plan personnel que sur le plan social, l'écartèlement qui s'ensuit agit comme une force destructrice: songeons aux Ménades de la Grèce antique qui démembraient tous ceux que leur colère et leur hystérie les empêchaient de reconnaître. Si nous ne prenons pas conscience des forces qui s'agitent en nous, si nous les nions en nous-mêmes et les rejetons chez les autres, nous ne parviendrons pas au plein épanouissement de notre nature féminine. En déployant de façon inconsciente l'énergie de la Femme indomptée par la colère et la frustration, comme dans le cas de Camille Claudel qui détruisit ses œuvres et fut internée, nous nous empêchons de créer des rapports harmonieux avec les forces ténébreuses de notre personnalité.

La rencontre de la Femme indomptée nous oblige à nous connaître et à examiner notre souffrance en profondeur. Si nous refusons de faire face à notre moi, à nos côtés sombres, si nous refusons de nous connaître, nous risquons d'entrer dans un cercle vicieux et de devenir les otages des comportements de Femme indomptée que nous espérons éviter. Un Oiseau en cage telle Mme Bridge, une Amoureuse rejetée telle Maria Callas, ou une Muse sauvage telle Camille Claudel, se perd et se détruit sans jamais trouver l'axe de sa nature féminine. En acceptant d'affronter la Femme indomptée et la source même de son courage, c'est-à-dire les circonstances ou les frustrations qui la font monter à la surface, en admettant l'existence de ces dernières pour les contrôler et les transformer, nous saurons envisager et apprécier les forces obscures de la Femme indomptée comme parties intégrantes d'un tout.

Une des étapes probables de la prise de conscience et de la transformation consiste en une descente au fond de l'abîme, au fond du chaos et de la confusion. Cette expérience peut avoir toutes les apparences de la folie, ou même se révéler une véritable folie passagère. La plupart des femmes dont l'histoire est relatée dans cet ouvrage, de même que certains personnages historiques, ont traversé un tel bouleversement psychologique et émotionnel. Certaines ont cru perdre la raison, comme Rosa Luxemburg et Anna Akhmatova. Chacune fut angoissée de ne pouvoir prédire le dénouement de sa tragédie personnelle, mais opta néanmoins pour la rencontre avec la Femme indomptée en elle, la transformation de sa personnalité et la découverte de son authenticité. La vie en soi est chaotique, mouvante, imprévisible. La vie est «folle», «ses contours sont bizarres et son cœur sauvage», songe la protagoniste du film *Sailor et Lula*. Le bouleversement émotionnel peut donner lieu à une guérison si nous acceptons d'en tirer des leçons, de les intégrer et de transmettre aux autres ce que nous avons appris. À défaut de cela, nous nous réfugions dans un isolement malsain qui nous écarte de notre destinée humaine.

La traversée du chaos à la rencontre de la Femme indomptée peut être productive sur le plan de la création, car la Femme indomptée nous relie à la créativité. Comme Ereshkigal, la ténébreuse déesse sumérienne des profondeurs de la terre, qui avait tant besoin d'empathie et de compassion parce que les douleurs de l'accouchement la rendaient folle, toute femme traverse un moment de folie lorsqu'elle s'apprête à se remettre au monde ou lorsqu'elle donne naissance à une œuvre artistique qui témoigne de son nouveau moi. L'image d'une femme en couches, qui pousse un nouvel être hors de son sein, ressemble à la Femme indomptée. Elle nous ramène à notre point de départ, à la Mère indomptée, car, au bout du compte, c'est nous-mêmes que nous mettons au monde.

L'histoire suivante est celle d'une femme contemporaine, une artiste. Elle raconte sa traversée de la folie qui débouche sur la double naissance de sa nouvelle nature féminine et de son art.

LA TRAVERSÉE DE MATHILDE

Donner naissance, faire œuvre de création, est extrêmement pénible pour les femmes qui ont eu une Mère biologique indomptée. Elles ont souvent l'impression que leur mère, hostile et amère, refuse de voir leur fille les surpasser. Prisonnière de sa cage de colère froide, la Mère indomptée qui n'accepte pas d'être furieuse devant les frustrations et les limites qu'elle impose à son existence, n'apprécie pas le besoin d'épanouissement de sa fille et s'efforce de le réprimer. L'histoire de Mathilde témoigne de la façon dont une femme peut parvenir à transformer la fureur héritée de sa mère et mettre son énergie au service de son expression créatrice.

Mathilde est issue d'une longue lignée de Femmes indomptées, de trois générations de femmes rendues amères par la désertion des hommes de leur vie. Son arrière-grand-père quitta sa famille pour se joindre à la ruée vers l'argent au Nevada. Son grand-père alcoolique fut tué dans un accident d'automobile et sa veuve dut se débrouiller seule. À son tour, sa mère épousa successivement trois alcooliques que son humeur irascible finit par chasser. Mathilde fut donc abandonnée par ses trois pères et laissée à la garde vengeresse de sa mère.

Mathilde subit la violence physique, émotionnelle et mentale de sa mère. Celle-ci sortait souvent le soir avec des hommes et laissait Mathilde toute seule à la maison, même quand elle était petite. Parfois, elle ramenait des hommes chez elle. Elle se levait en pleine nuit pour réveiller sa fille et la gifler si elle suçait son pouce dans son sommeil. Elle frappait Mathilde à coup de cintres, de bâtons, de palettes, tout ce qui lui tombait sous la main. Un jour, elle la frappa si durement à l'oreille avec une boucle de ceinture que Mathilde en conserve encore aujourd'hui la cicatrice. Terrifiée par sa mère, Mathilde lui cachait ses blessures d'enfant de peur qu'elle ne la punisse. À l'âge de six ans, elle s'enfonça une punaise dans le pied en jouant, mais n'en dit rien à sa mère, car l'idée d'une correction lui semblait plus terrible que sa blessure au pied. À la préadolescence, elle fut pendant une année entière victime des abus sexuels d'un membre éloigné de la famille, mais elle ne s'en ouvrit pas auprès de sa mère. Elle en parla plutôt à sa grand-mère qui l'accusa d'inventer des histoires. Mathilde douta de sa propre réalité. La dénégation rongeait ces deux femmes de l'intérieur. Aucune ne voulait se regarder en face et chacune demeurait prisonnière de sa vie et de son étroitesse d'esprit.

À l'école, Mathilde se révéla une excellente élève. Elle espérait se gagner l'amour de sa mère grâce à ses succès scolaires. Mais celle-ci l'accula dans une impasse. Perfectionniste, elle menaça de redoubler chaque punition scolaire que lui vaudrait son inconduite à l'école catholique qu'elle fréquentait. Mais quand Mathilde reçut un prix d'éloquence, sa mère se désintéressa complètement de son succès et n'assista pas à la représentation. Quand Mathilde fut choisie comme meneuse de claque, sa mère la força à refuser. La même chose se produisit quand Mathilde fut invitée à faire partie de l'équipe de natation de l'université. Mathilde se réfugia dans ses études. Ses professeurs l'appréciaient pour ses aptitudes, mais sa mère la menaçait sans cesse de l'obliger à abandonner ses cours. Plus Mathilde vieillissait, plus sa mère se montrait jalouse d'elle, de sa beauté et de son intelligence.

Mathilde avait des dons artistiques nombreux et jouissait d'une grande inspiration, mais les crises de jalousie de sa mère la poussaient à abandonner tout ce qu'elle entreprenait. Elle en vint à appréhender le succès. Peu après que sa mère se soit désintéressée de sa réussite dans l'art du discours, elle eut un trou de mémoire en plein concours d'éloquence et ne fut plus jamais capable de prendre la parole en public. Toute vie sociale la paralysait. Elle eut à cette époque des cauchemars récurrents où sa mère la pourchassait avec un couteau. Ces rêves l'effrayèrent au point où elle eut peur de s'endormir. Dans la vie, sa mère l'ignorait, ne lui adressait pas la parole et restait assise devant la télévision comme un zombie. Parfois, sa colère explosait en violence physique.

Pendant la majeure partie de son adolescence, Mathilde s'identifia à la toile d'Edvard Munch, *Le Cri*. Peu avant de quitter la maison familiale, un jour que sa mère la frappait, Mathilde put enfin donner libre cours à ses émotions. Elle poussa un hurlement si puissant et si long que sa mère n'osa plus jamais lever la main sur elle. Peu de temps après avoir poussé ce cri hystérique, soit à l'âge de dix-huit ans, Mathilde quitta la maison pour toujours. Des années plus tard, elle put mettre cette expérience en mots dans un poème intitulé «Sadly Sixteen».

J'avais seize ans
Ma mère perdit son sexe
Elle aurait bien aimé
Me voir perdre aussi le mien.

Que je sois vierge
Jusqu'au bout des orteils. Aride,
Maladroite et ignorante
Des choses de l'amour.

Mégère frustrée.
Amère. Sentant le vinaigre.
Oui,
Sa jalousie s'en serait délectée,
Sa cruauté aussi.

J'avais seize ans
Et ce désir qu'a toute femme
D'une passion douce:
Le chaud sang blanc de l'homme.

Je le voulais.
Elle l'avait perdu.
Mère et fille
Troquant la culpabilité
pour la haine.

La vie avec sa Mère indomptée eut pour Mathilde deux conséquences importantes: ses rapports difficiles avec les hommes et le besoin de faire connaître son travail créateur. Avec les hommes, Mathilde était portée à reproduire les comportements de sa mère, seul modèle féminin qu'elle ait connu. C'était une femme irascible, querelleuse, jalouse et possessive, qui accusait les hommes d'être responsables de tous ses maux. Mathilde souffrit d'une double personnalité. La plupart du temps douce et affectueuse, elle avait aussi en elle une sombre Femme indomptée à l'image de sa mère. Terrifiée à l'idée d'être abandonnée, elle cherchait dans les hommes dont elle tombait amoureuse le père qu'elle n'avait jamais eu. Elle s'efforçait de préserver ses relations amoureuses en étant charmante et désirable, mais elle avait parfois des accès de jalousie inexplicables et accusait ses amants d'infidélité. Elle se querella avec l'un d'eux quand elle sut qu'il avait parlé avec son ex-femme. Craignant qu'il ne la voie en cachette, elle déchira les photos de cette dernière et les jeta dans les toilettes. Une autre fois, elle trouva, suspendue à la tête du lit qu'il partageait avec d'autres femmes, une toile qu'elle avait offerte à un autre de ses amants en souvenir de leur union. Furieuse, elle décrocha la toile, la déchira en deux et en frotta les morceaux couverts de pastel rouge et noir sur le canapé blanc de son amant. Il y eut d'autres épisodes similaires au cours desquels la Femme indomptée en elle fut la proie de l'hystérie.

Mathilde entra en thérapie et comprit qu'elle avait intériorisé la Femme indomptée qui prenait modèle sur sa mère. Ce personnage violent l'effrayait, mais elle savait aussi que la Femme indomptée est un symbole universel exerçant sa force créatrice dans l'inconscient collectif. Mathilde, qui était une lectrice avide et s'était toujours intéressée à la mythologie, reconnut la Femme indomptée dans des personnages tels que la déesse hindoue Kali, la déesse grecque Hécate, Pelé, la déesse polynésienne des volcans, et la déesse sumérienne des profondeurs, Ereshkigal. En examinant de près le processus d'évolution qu'elle avait hérité de sa lignée de Mères indomptées, et en allant au-delà des domaines personnels et archétypes par ses lectures et ses connaissances en histoire de l'art, Mathilde sut qu'elle affrontait une tâche importante, celle de confronter la ténébreuse Femme indomptée en elle et de faire appel à ses forces créatrices pour transformer les comportements négatifs que sa mère lui avait inculqués.

Ses dons créateurs servirent de déclencheur à cette métamorphose. Vers la fin de la vingtaine, elle fut submergée de visions oniriques qui la poussèrent à peindre une série de toiles plus grandes que nature auxquelles elle donna plus tard le titre de «Tableaux des démons». La combinaison de ses études des beaux-arts et de la thérapie à laquelle elle se soumettait l'aida temporairement à composer avec l'énergie contenue dans ces tableaux. Le premier d'entre eux présentait deux personnages importants: un Amant diabolique gigantesque et menaçant accompagné d'une femme de petite taille, soumise et impuissante (la victime dont Mathilde avait toujours été témoin en la personne de sa mère et dont elle avait senti la présence en elle-même). La toile était traversée par une immense croix rouge, symbole de sa crucifixion intérieure. Dès qu'elle eut terminé cette toile venue, disait-elle, des profondeurs de son subconscient, elle en reconnut l'importance, car elle était lourde du symbolisme catholique dans lequel elle avait grandi. Elle peignit ensuite un tableau qu'elle intitula *La Vierge et la putain*. À sa stupéfaction, la troisième toile représentait une femme assise sur les genoux d'un démon qui la masturbait sous le regard froncé d'une religieuse à visage de Femme indomptée. Mathilde vit là la personnification de sa culpabilité. Sur la toile suivante, elle peignit une autre femme qui, folle de jalousie, brandit un cœur anatomique et vert d'envie. Ensuite, elle peignit une femme rousse aux lèvres peintes en rouge, en train de se masturber dans un confessionnal. Le confesseur ne peut entendre ce que lui dit la femme, car il est la Mort même. Le démon l'observe par-dessus son épaule pendant qu'elle s'efforce de se confesser. D'autres toiles suivirent, dont une, intitulée *La Mort et le Diable*. Celle-ci la terrifia avec son message de suicide. Elle pensa que seule la mort pourrait la libérer de ses démons. Elle intitula *Résurrection* la dernière toile de cette série. Cette fois, Mathilde est sur la croix, mais au lieu d'un démon, c'est une femme enceinte qui lui fait face et symbolise sa nouvelle vie.

Après avoir terminé cette série de tableaux, Mathilde fut submergée par un sentiment d'euphorie. Elle avait enfin été en mesure de donner forme aux images venues des profondeurs chaotiques de son inconscient. Son art avait rendu visible «l'invisible». Elle savait que ses tableaux représentaient des archétypes, les forces présentes en nous, et que le public y serait sensible. Mais elle se sentait elle-même la proie du démon. L'immense pouvoir de ses toiles l'effrayait. Elle ne savait pas contenir cette énergie. Elle crut à tort que de les détruire la délivrerait des serres de ces personnages grotesques. Avec l'aide d'une amie, elle voulut exorciser ses démons. Elle transporta ses toiles par camion jusqu'à une forêt où elle les arracha de leur cadre et les déchira une par une. Parmi ces toiles, il y en avait une représentant une déesse noire, dont les yeux sombres et la sexualité explicite la bouleversaient. Ensuite, elle enterra les toiles déchirées. Ce rituel dura des heures. Elle avait cru qu'il la délivrerait, alors qu'il la troubla davantage. Elle comprit trop tard que cette destruction ne l'affranchirait pas de son chaos intérieur. Elle s'aperçut que, comme pour tous les artistes, ses toiles étaient en quelque sorte ses enfants, peu importe leur contenu. Elles étaient aussi dignes de figurer dans un musée, comme on le lui confirma plus tard au visionnement des diapositives qu'elle en avait tirées. Un rêve qu'elle fit plus tard se rapportait à ces événements:

> Je suis en train d'accoucher, accroupie de façon primitive, et aidée par une sage-femme, la même femme qui m'avait aidée à détruire mes tableaux. Une autre ombre féminine se tient derrière moi. En poussant l'enfant, je m'aperçois avec horreur qu'il est mort. Les douleurs recommencent et j'accouche d'un deuxième bébé, mort lui aussi. J'accouche ainsi de vingt-quatre bébés morts-nés, chacun plus petit que le précédent.

Très longtemps après, en réfléchissant à ce rêve, Mathilde se demanda si la femme debout derrière elle n'était pas la Femme indomptée qui l'empêchait d'accoucher, qui l'obligeait à avorter ses créations. Puis elle fit un autre rêve de Femme indomptée qui suscita sa curiosité.

> Je suis dans une pièce sombre au sol recouvert d'un tapis oriental. J'aperçois sous le tapis un serpent femelle scintillant. Elle me regarde droit dans les yeux et on dirait qu'elle me ressemble. Bien que le serpent soit tout petit et pas dangereux, je l'écrase furieusement avec mes pieds. Le petit serpent semble indestructible et continue de me regarder de dessous le tapis. Je piétine toute la surface du tapis comme une folle pour parvenir à m'en débarrasser.

Mathilde comprit avec le recul qu'en écrasant le serpent lumineux avec ses pieds elle écrasait sa créativité comme elle avait détruit ses toiles, parce qu'elle avait peur. Mathilde avait peur des serpents dans la vie, mais elle savait aussi que le serpent est un très vieux symbole de la déesse et de la nature divine de la femme. Pour bon nombre de peuplades aborigènes d'Australie, le serpent représente la femme, créatrice de l'univers. Puisque les serpents muent tous les ans, la présence du serpent sous le tapis suggère que la transformation et la créativité qui s'y cachent s'efforcent d'en sortir et d'attirer l'attention de Mathilde. Mais en Femme indomptée animée d'une ardeur négative, elle fait en sorte de détruire ce symbole de transformation et de créativité.

Les rêves de Mathilde la terrifièrent et la forcèrent à retourner en thérapie. Ainsi, ses cauchemars la guidèrent vers la guérison en l'aidant à comprendre qu'elle devait assumer ses traumatismes et, plus tard, ses dons créateurs. Les traumatismes causés par l'amertume d'une mère qui l'avait obligée à renoncer à tout ce qui l'intéressait, avaient affecté ses rapports avec les hommes et entravé son processus créateur. La peur l'avait poussée à détruire ses relations amoureuses et ses toiles.

— Mes blessures m'empêchaient de vivre. Je ne pouvais rien révéler de mon travail. Je ne pouvais pas traverser ma douleur.

C'est ainsi que Mathilde décrivit sa relation avec un homme qu'elle aimait profondément et qui se solda par une rupture en partie parce qu'elle avait perdu le contrôle de la Femme indomptée en elle. Cet homme la dominait, mais il était aussi affectueux et protecteur. Mathilde avait refusé de se soumettre à son contrôle et s'était souvent montrée irrationnelle avec lui. Plus tard, elle fut d'avis que ses crises d'hystérie et ses paroles blessantes l'avaient fait fuir:

— Il y avait une petite fille fragile en moi née du contact avec ma mère et ma grand-mère indomptées. J'avais l'impression d'être habitée par une Femme indomptée. Même ma voix n'était plus la même.

Elle passait sans cesse de la petite fille fragile à la mégère possessive et à la femme raisonnable et mûre. Bien qu'attiré par son côté Aphrodite, par son sens du jeu et par ses dons intellectuels et artistiques, son amant la quitta parce qu'elle lui rappelait trop sa mère à lui, une femme imprévisible et irrationnelle dont il ne pouvait jamais prévoir les réactions.

Quand leur relation prit fin, Mathilde sombra dans une dépression si grave qu'elle dut trouver du secours. Elle était devenue complètement apathique, incapable de sortir du lit, incapable d'«être». Elle était suicidaire et évaluait obsessivement les différentes méthodes de suicide qui s'offraient à elle. Mais au fond, elle savait qu'elle ne s'enlèverait jamais la vie. Elle avait un fils adulte d'un précédent mariage, et ne désirait pas lui léguer un héritage aussi terrible. Mathilde voulait désespérément transformer la relation désastreuse qu'elle avait connue avec sa mère. Malgré son enfance tumultueuse, elle avait su devenir une mère affectueuse et tendre. Elle aimait profondément son fils, d'un amour divin capable de tenir en échec les démons qui cherchaient à la dévorer. En aimant son fils, elle apprenait à s'aimer elle-même sans condition.

Contrairement à sa mère, Mathilde voulut sonder les profondeurs de sa souffrance pour mettre fin aux comportements de Femme indomptée qu'elle avait hérités. Elle trouva une thérapeute en la personne d'une femme secourable et bonne. Pour Mathilde, cette époque fut une descente lucide dans son subconscient à la rencontre de la Femme indomptée, comme Inanna, la déesse sumérienne de la Lumière pénètre délibérément dans les profondeurs de la terre à la recherche d'Ereshkigal, sa sœur démente, déesse du royaume des Ténèbres. Comme Inanna s'était fait aider par une autre femme, Mathilde se fit aider par sa thérapeute et par une amie de toujours qui n'était pas étrangère à cette traversée féminine. Mais Mathilde devait parvenir seule au bout de sa quête. Il lui fallut énormément de courage et de foi pour surmonter la bouleversante dépression qui s'ensuivit.

À cette époque, Mathilde habitait seule au dernier étage d'une maison blottie au fond d'un canyon. Ses fenêtres s'ouvraient sur les arbres verts dont la présence l'apaisait. Elle commença à tenir un journal. Écrire, dit-elle, est ce qui lui sauva la vie. Elle marchait beaucoup pieds nus et sentait la terre profonde irradier sous la plante de ses pieds.

— La marche, dit-elle, la méditation, la poésie et les arbres m'ont permis de trouver ma Mère naturelle, la Terre. Et la Terre m'a guérie.

C'est peu avant le solstice d'hiver que se produisit une percée. Un jour qu'elle s'était endormie déprimée, elle s'éveilla en entendant un refrain obsédant: «Je suis prise dans le filet de la souffrance.» Elle marcha et écrivit au son de ce vers. Les mots et les images se bousculèrent pendant six heures. Elle resta debout toute la nuit en essayant de comprendre ce qui s'était passé en ce jour du 11 novembre 1988, date qui correspondait symboliquement à la Papesse du Tarot.

Deux semaines plus tard, jour de l'Action de grâce, elle eut une expérience étrange. En suivant une route de campagne pour se rendre en voiture chez une amie, elle trouva à intervalles trois hiboux morts sur le bord de la route. Voyant dans ces dépouilles des présents exquis, elle les ramassa l'une après l'autre et les déposa avec soin dans sa voiture. Les hiboux lui paraissaient le reflet synchrone de son état profond, une très ancienne manifestation chamanique. À son arrivée à destination, l'amie qui l'aidait dans sa traversée du désert confirma cette intuition en apercevant les hiboux:

— Les trois hiboux symbolisent la jeune fille, la mère et la vieille femme.

On voit là les trois facettes de la relation mère-fille: la jeunesse (la fille), l'âge mûr (la mère) et la vieillesse (la grand-mère). L'amie de Mathilde ajouta: «C'est Lilith.»

Mathilde sut tout de suite qu'elle avait été mise en présence d'un mystère féminin apte à la guider dans son évolution personnelle. Tout comme les sujets de ses toiles, les hiboux n'eurent pas immédiatement de signification pour elle, mais elle fut sur-le-champ consciente de leur importance. Elle emporta les trois dépouilles dans sa retraite au fond du canyon, les nettoya, les écorcha et conserva leurs plumes, dans la présence desquelles elle trouva un apaisement.

Au cours des quatre mois qui suivirent, Mathilde effectua de nombreuses recherches sur les hiboux et sur Lilith, et découvrit que Lilith et le hibou avaient de nombreux points communs. Tous deux étaient sages et voyaient dans l'obscurité. La Lilith de la Bible, première femme d'Adam, était née de la terre comme lui et non pas de sa côte. Insoumise, Lilith refusa de s'étendre sous lui.

Mathilde découvrit que l'histoire de Lilith, comme celle de la plupart des personnages féminins de la Bible et de la mythologie, avait été déformée par les patriarches juifs et chrétiens. Lilith fut surnommée «la faunesse nocturne dévoreuse de nouveau-nés». Mathilde vit là un rapprochement avec son rêve des vingt-quatre fœtus morts-nés et avec le rêve où elle piétinait rageusement le serpent femelle. Elle comprit aussi que la destruction de ses toiles (ses enfants de l'art) l'avait empêchée pendant un certain temps de renouer avec sa création, avec son inspiration profonde. Elle eut le sentiment d'avoir profané ses dons créateurs et sa faculté de comprendre son âme. Mathilde prit conscience de la façon dont elle avait reproduit le rejet maternel de la créativité en déshonorant ses dons par la destruction de ses œuvres.

Au bout de quelque temps, Mathilde s'estima prête à se remettre au travail. Elle créa un assemblage intitulé *Lilith, la danse du serpent dans la nuit. Lilith* fut pour elle une percée importante. Son œuvre célébrait la présence en elle de la Femme indomptée en célébrant Lilith, son côté sombre. Elle réalisa un masque d'elle-même et grava une prière sur un papier métallique réfléchissant qu'elle plaça sur la face interne du masque. Sa prière demandait que lui soit redonnée sa créativité «sur tous les plans, dans tous les domaines, et à jamais». L'assemblage complexe de *Lilith* comprenait les ailes de hiboux, la tête, la queue et les serres, ainsi qu'une grande peau de serpent, présent de l'amie qui l'avait secondée. En faisaient aussi partie les poèmes qu'elle avait écrits pendant sa descente aux enfers et un portrait du Bouddha, symbole de sa dévotion spirituelle. Mathilde renoua ainsi avec ses dons créateurs et rencontra Lilith, la Femme indomptée, la première Ève chaotique et sombre, rebelle aux lois du patriarcat.

Créer équivalait pour Mathilde à une forme de prière et à un rituel. En célébrant Lilith, elle s'identifiait à la première Ève. Comme confirmation de ce processus intérieur, Mathilde découvrit, au cours d'une promenade, une dépouille de grand-duc. Elle garda la tête, les ailes et les serres de ce magnifique présent que lui avait offert la nature. En regardant attentivement les yeux du grand-duc, elle y aperçut des larves, un autre indice de vie. Elle n'en fut ni troublée ni dégoûtée. Elle savait qu'on pourrait la croire folle de réagir ainsi, mais le grand-duc aux yeux dévorés par les vers lui semblait beau, car il faisait partie d'un tout, le grand cycle de la vie et de la mort.

Lilith démembra le complexe de la Femme indomptée qui la bouleversait et l'inhibait. Mathilde affronta directement la Femme indomptée, la célébra en lui donnant forme à travers son art, en fit une œuvre que jamais elle ne détruirait et qu'elle suspendit au mur de sa maison en guise de rappel constant des mystères de la vie. Elle a, depuis, fait de nombreux rêves où elle accouchait de très belles petites filles. Elle fit aussi le rêve suivant qui lui révéla la transformation qu'avait subie la Mère indomptée de son psychisme.

> Je suis chez moi en compagnie de ma mère. Il fait nuit; je suis étendue dans mon lit, juste à côté de la table où ma mère est assise et fixe la flamme d'une bougie. D'abord, je songe: «Ma pauvre mère est folle!» Je l'enveloppe de paix, d'amour et de bonnes pensées, et je m'endors en toute sécurité. Je n'ai pas peur d'elle comme lorsque j'étais petite. Le matin suivant, ma mère se précipite vers moi avec un sourire radieux et dit: «Tu n'as pas appelé la police!» Je réponds: «Que veux-tu dire?» Elle dit: «Tu n'as pas appelé la police pour leur dire que j'étais folle.» Sa reconnaissance était sincère. En levant les yeux vers le mur, j'aperçois une très belle toile dans un cadre luxueux, et je songe: «Ça, c'est bien ma mère: elle n'a pas d'argent, et elle n'hésite pas à acheter une coûteuse et belle œuvre d'art.» J'éprouve pour elle une grande tendresse et beaucoup d'admiration, et je suis *ravie* qu'elle soit ma mère.

Dans un rêve récent, Mathilde est sur scène en compagnie d'une petite fille qui fait son numéro avec beaucoup d'assurance, et d'une femme plus âgée en qui elle voit le symbole de l'énergie créatrice de la Femme indomptée. Ce rêve réunit les trois âges de la femme: la jeune fille, la mère et la vieille femme.

Voilà donc l'histoire d'une femme qui a su transformer la solitude de son enfance et la violence subie, et qui a compris le mariage complexe du bien et du mal. Aujourd'hui, Mathilde est une artiste et une écrivain réputée. La Femme indomptée est toujours une source d'inspiration pour ses livres, pour ses films et dans sa vie.

UNE INVITATION À DÉJEUNER: LA FEMME INDOMPTÉE À VOTRE TABLE

Comment la femme peut-elle transformer l'énergie de la Femme indomptée et s'affranchir des peurs qui font obstacle à son épanouissement? Avant que cette métamorphose puisse se produire, nous devons déceler les manifestations de la Femme indomptée dans notre vie. Pour nous approprier sa force, nous devons d'abord reconnaître son existence.

En apprenant à déceler et à composer avec les différentes facettes de cette énergie indomptée, nous prendrons conscience du fait que nous les portons toutes en nous, tôt ou tard, à des degrés divers. Si nous savons puiser à cette énergie, nous serons mieux en mesure de nous épanouir en tant que femmes et en tant qu'êtres humains. Mais pour nous l'approprier, nous devons d'abord entrer en harmonie avec ses paradoxes. Par exemple, la Reine des Neiges peut nous offrir le recul et l'objectivité nécessaires à la lucidité, de même qu'un sens aigu de nos limites. En revanche, sa froideur de sentiments et sa réserve débouchent parfois sur l'isolement. Le Dragon est animé d'une passion violente qui allume l'étincelle du changement et de la créativité, mais ses colères imprévisibles peuvent aussi exploser, le détruire et détruire les autres par la même occasion. La Sainte est prodigue d'affection, d'amour et de générosité, mais si elle ne voit pas clairement son côté noir, celui de ses besoins et de ses désirs, elle peut devenir amère, développer un complexe de persécution, porter des jugements critiques et étouffer l'énergie chez les autres. Si la Mère malade est en mesure d'accepter ses souffrances, elle peut être la guérisseuse blessée qui nous permet de recouvrer la santé. Mais si elle se replie sur sa maladie, elle se neutralise et paralyse son entourage, le manipule et en devient le centre d'attention.

L'Oiseau en cage nous procure le réconfort et l'abri d'un foyer sûr et rassurant, mais elle peut aussi sacrifier sa propre liberté et son goût de l'aventure, résister au changement tant pour elle-même que pour les siens. La Muse peut nous inspirer à créer, à célébrer la beauté, à réaliser nos rêves, mais si elle ne descend jamais de son piédestal, elle usurpe l'énergie du divin. Si son charisme lyrique nous incite à l'élévation spirituelle, il peut aussi nous charmer comme les sirènes et détruire nos idéaux par son cynisme. Si l'Amoureuse rejetée peut survivre à l'abandon et à la trahison, elle tirera des leçons de sa souffrance et, transcendant son complexe de persécution, atteindre à l'héroïsme. Le rejet qu'elle subit peut aiguillonner sa volonté de dépassement. Mais si elle succombe au désir de vengeance, elle blessera ceux qui l'entourent, tandis que si elle se complaît dans son rôle de victime, elle sombrera dans la stupeur et la passivité.

L'Itinérante peut être le symbole d'un esprit libre, affranchi des biens matériels. Sa folle sagesse nous offre une perspective nouvelle et nous propose une façon de vivre innovatrice. Mais si elle décroche du système, elle risque la persécution et n'est guère utile à la société. La Recluse témoigne de la valeur de la solitude, de l'importance de se ménager des plages de temps et d'espace. Lorsqu'elle apprécie sa solitude, elle sait entrer en elle-même puis, sortie de sa réclusion, elle peut transmettre le savoir acquis pendant sa réflexion. Mais si elle s'isole de ses proches et de la société qui l'entoure, la paranoïa et la haine de l'humanité la guettent.

La Révolutionnaire fait preuve du courage nécessaire pour transformer le monde. Mais si elle cède au goût de dominer les autres, si elle prétend que la fin justifie les moyens, elle n'est plus qu'une dangereuse terroriste et une menace pour notre vie. Il peut aussi arriver que la Révolutionnaire se complaise dans la rectitude et rejoigne par là la confrérie des Juges.

La clairvoyance de la Visionnaire nous ouvre de nouvelles voies et nous guide à travers les mystères qui donnent son sens à la vie. Mais si elle sombre dans l'ésotérisme et la légèreté au point de se fondre dans la brume, elle perd tout sens de la réalité et ne nous touche plus. Ou bien, elle se croit l'énergie divine incarnée et seule messagère de la connaissance pour le bien de l'humanité tout entière. Si elle aspire au pouvoir, elle devient un faux prophète, un gourou, se croit «choisie» et méprise la contribution de ses semblables à l'élévation humaine. La Visionnaire peut aussi se servir de ses intuitions pour causer du tort aux autres, pour les harceler ou les prendre en otage.

Les rêves, qui sont une des manifestations de la Femme indomptée, nous aident à la connaître. Mes propres rêves, dont j'ai parlé dans la préface, m'ont incitée à confronter la Femme indomptée en écrivant ce livre. Ce fut pour moi à la fois une démarche créatrice et spirituelle.

On parvient aussi à savoir comment elle se manifeste, quand et comment elle nous apparaît en découvrant sa présence dans nos interactions avec les autres. En quoi est-elle un obstacle? Un secours? Par exemple, il arrive souvent dans les relations amoureuses que l'un des partenaires soit le Juge et que l'autre réagisse aux exigences perfectionnistes de ce dernier en donnant libre cours à la Femme indomptée. Quand nous avons pris conscience de ces oppositions conflictuelles inconscientes qui sévissent dans notre relation de couple et sèment la discorde, nous pouvons les mettre à contribution et en faire d'excellents moyens de communication.

La Femme indomptée émerge parfois en cours de thérapie par l'utilisation des fonctions corporelles. Pendant un exercice de respiration centré sur le diaphragme d'une cliente, une thérapeute vit sur le visage de cette dernière un regard de Femme indomptée. Interrogée sur ce qu'elle ressentait, la cliente dit qu'elle se souvenait de s'être querellée avec sa sœur sans pouvoir donner libre cours à sa colère. Elle l'avait refoulée, et depuis, sa colère muée en ressentiment entravait sa respiration. N'ayant pu extérioriser sa colère, elle respirait avec difficulté. En prenant conscience de ce phénomène dans son corps même, elle fut en mesure d'exprimer un plus grand éventail d'émotions et de vivre plus pleinement. La thérapie par l'art ou par la danse libère aussi l'énergie de la Femme indomptée en nous invitant à une vie plus active et à une plus grande conscience de notre corps.

Quand nous avons reconnu la présence en nous de la Femme indomptée, nous sommes en mesure d'entrer en communication avec elle. Nous pouvons lui demander ce qu'elle désire et pourquoi nous éveillons sa colère. À quoi ressemble-t-elle? Donnez-lui mentalement une forme. Décrivez-la dans un poème ou un tableau. Quelles sont ses couleurs préférées? Où habite-t-elle? Dansez avec elle. Sachez comment elle bouge. Si nous connaissons mieux ses besoins d'expression réels, nous pouvons intégrer cette information d'une façon constructive.

Le rituel est un autre moyen dont nous disposons pour puiser dans l'énergie de la Femme indomptée. Les cultures à l'abri des préjugés rationnels et de la technologie occidentale comprennent ce phénomène mieux que nous. Dans l'ancienne religion vaudou, par exemple, on façonnait des poupées dans le but d'aider une personne à prendre conscience de sa folie et de l'extérioriser. Du lever au coucher du soleil, les vaudouistes mettaient huit heures à façonner une poupée qui symbolisait leur folie intérieure. Le créateur de la figurine y enfermait peu à peu sa folie. Si la personne qui façonnait la poupée était animée par la haine d'une autre personne, elle comprenait que la figurine représentait l'ennemi haï. Pour obéir aux règles, le façonneur plaçait dans la moitié droite de la figurine une mèche de ses propres cheveux (symbole de ses pensées et de son énergie vitale). En se concentrant pendant un certain temps sur les sentiments négatifs enfermés dans la poupée, il en prenait conscience et s'en libérait. Le but ultime consistait à transformer la haine en compassion[4].

Après avoir pris conscience de la fureur qui l'animait, une femme façonna un masque de Femme indomptée. Quand elle le posa sur son visage, elle entendit un cri de rage se mêler à sa voix. Elle disposa des chaises en cercle et s'assit pour formuler en mots le souvenir de cette rage intérieure. Apaisée, elle s'assit sur chacune des chaises tour à tour et relata à voix haute tous les incidents qui l'avaient rendue furieuse sans qu'elle le dise. Elle dut faire plusieurs fois le tour du cercle à mesure que se réveillait sa colère refoulée. Elle relata plus tard cette expérience en thérapie de groupe. Les femmes en firent un rituel. Elles s'étendirent en cercle par terre, la tête au centre, comme les rayons d'une roue. Inspirées par la solidarité du moment, elles dansèrent mentalement avec la Femme indomptée enfermée en elles. Puis elles se levèrent, se peignirent le visage, dansèrent, crièrent, hurlèrent comme ces fées malfaisantes qu'en Irlande on nomme *banshee,* donnant libre cours à leur énergie vitale primitive. L'une d'elles peignit un portrait de groupe où l'on apercevait, parmi les vignes vierges d'une jungle luxuriante, de nombreuses Femmes indomptées à la beauté exotique.

Quand j'eus terminé la rédaction de ce livre, je vis moi aussi plusieurs Femmes indomptées unies dans l'amour, le travail et le plaisir, que leur espoir et leur foi dans la paix et l'harmonie universelle animaient. J'aimerais partager cette vision et obéir au précepte de la chamane balinaise: «Invitez-la à déjeuner», c'est-à-dire, invitez la Femme indomptée métamorphosée et brûlant du feu créateur. Imaginez Rachel Carson, Rosa Luxemburg, Anna Akhmatova et la Pèlerine de la paix assises à votre table ou, plus près de mes goûts, marchant à vos côtés dans les feuilles d'automne d'une ancienne forêt des Appalaches. Invitez-les à monter avec vous jusqu'à Eagle Point, ce belvédère rocheux surplombant une clairière. Qui sait, Frida Khalo, Zora Neale Hurston, Harriet Tubman, Indira Gandhi et Golda Meir se joindront-elles à nous? Nous ferons un pique-nique sur la pierre philosophale de la Terre Mère, qui n'est autre que l'incarnation de l'axe du moi féminin. Assises sur le rocher de Psyché, nous tremperons nos pieds dans le torrent qui court près de nous, la rivière changeante dont tous les bras se déversent dans la mer. Nos vies sont pareilles à ces cours d'eau innombrables, qui changent toujours de direction en creusant leur lit. Nous voyagerons ensemble, nous nous assoirons toutes sur le même rocher, et nous nous remémorerons les grandes eaux dont nous sommes issues et auxquelles nous retournerons un jour. Puis, nous converserons et nous rirons jusqu'à ce que les larmes jaillissent de nos yeux. En ce jour de l'été indien, nous sèmerons le germe de la sagesse dans la terre meuble en sachant qu'il dormira tout l'hiver sous la neige, puis qu'il éclora dans la gloire du printemps. Nos fruits mûrs donneront leur semence à nos sœurs plus jeunes. Les couleurs, les visions vibrantes et colorées dont nous ferons l'expérience s'uniront en un tout sans cesse en mouvement, aux variations infinies, tandis que nous courrons et jouerons parmi les feuilles rouges, or et bronze répandues sur le sol, telles des petites filles, avec nos mères, nos grands-mères, nos filles et nos sœurs. Dans l'extase de cette communion, nous froisserons les feuilles éclatantes de l'automne qui abritent de leur manteau notre mère à tous, la Terre.

1. Janet Frame, *An Autobiography,* New York, George Braziller, 1991.
2. Leonora Carrington, *The House of Fear,* New York, E. P. Dutton, 1988, p. 21.
3. Hannah Green (pseudonyme de Joanne Greenberg), *I Never Promised You a Rose Garden,* New York, Holt, Rinehart and Winston, 1964, pp. 248-249.
4. Musée historique vaudou de la Nouvelle-Orléans (New Orleans Historic Voodoo Museum).

Index

Table des matières